A IRA DE NASI

CB131526

A IRA DE NASI

MAURO
BETING
ALEXANDRE
PETILLO

BelasLetras

© 2012 Mauro Beting

Editores
Gustavo Guertler
Fabiana Seferin

Revisão
Mônica Ballejo Canto

Reportagem
Marilia Ruiz e Leandro Iamin

Capa e projeto gráfico
Celso Orlandin Jr.

Tratamento de imagens
Anderson Fochesato

Agradecimentos
Vagner Garcia

Dados Internacionais de Catalogação na Fonte (CIP)
Biblioteca Pública Municipal Dr. Demetrio Niederauer
Caxias do Sul, RS

B567i Beting, Mauro
A Ira de Nasi / Mauro Beting; Alexandre Petillo._Caxias do Sul, RS: Belas-Letras, 2012.
320 p.

ISBN 978-85-8174-008-9

1.Nasi – Biografia. 2. Rock – Brasil.
I. Petillo, Alexandre. II. Título

12/35 CDU: 929Nasi

Catalogação na fonte elaborada pela bibliotecária
Maria Nair Sodré Monteiro da Cruz CRB10/904

Todos os esforços foram feitos no sentido de se identificar a origem e a autoria das imagens usadas nesta obra, mas nem sempre isso foi possível. Teremos o maior prazer em creditar esses fotógrafos nas próximas edições, caso se manifestarem.

[2012]
Todos os direitos desta edição reservados à
EDITORA BELAS-LETRAS LTDA.
Rua Coronel Camisão, 167
Cep: 95020-420 – Caxias do Sul – RS
Fone: (54) 3025.3888 – www.belasletras.com.br

APRESENTAÇÃO

Eu ainda não **sei quem ele é**

Mauro Beting

Ele nasceu no Bixiga, um dos mais tradicionais bairros paulistanos que não existe oficialmente. Ninguém sabe ao certo os próprios limites do distrito. É Bela Vista, no papel. Mas também é Bixiga por ser criado a partir do loteamento de uma chácara de sujeito que tinha o apelido por causa das cicatrizes da varíola.

Essa é uma das versões. Essa é uma das grafias. No final do século XIX, calabreses tomaram conta do bairro. Espanhóis, portugueses, escravos recém-libertados, gente da nossa e de todas as terras povoou e construiu o bairro. Gente que nasceu como Marcos e virou Nazi. Depois, Nasi. Menino do Bexiga. Do Bixiga. Tanto faz. Vocalista do Ira sem exclamação, com exclamação. Tanto fez. Banda que hoje é um ponto de interrogação, ou apenas reticências reverentes. Tudo tem tantas versões. O que não pode é ter muita aversão. Muito menos uma só "verdade", substantivo abstrato que mentirosos abusam como tiranos sem tutano.

Faz 50 anos que Marquinhos nasceu. Não faz 10 anos que o conheci num treino do São Paulo conversando com seu maior ídolo esportivo. Não por acaso um goleiro como foi o inefável Wolverine Valadão do Rock Gol da MTV. Não por acaso, um roqueiro de mão cheia como ele. Não por acaso tão são-paulino como é o craque-bandeira tricolor Rogério Ceni.

Sou fã de futebol e de rock. Logo, torcedor do Ira!. Quando não gostava da música da banda, apreciava o rock das atitudes, até as mais absurdas.

Trabalhei com Nasi na Brasil 2000 FM, ao lado do colega Eduardo Affonso, falando de música e futebol, em 2006. Quase fizemos um programa de TV no Bandsports falando de futebol e música. Em 2008, quase trabalhamos num programa de futebol e rock na Kiss FM com outro goleiro – o corintiano Ronaldo Giovanelli, hoje meu companheiro de TV Bandeirantes. Se não tive como "trabalhar" mais vezes com Nasi, o acompanhei comentando futebol no SBT durante a Copa de 2006 e, depois, na RedeTV!. Com a mesma paixão e conhecimento (e rebeldia) de causa com que fazia punk, rock, reggae, hip hop, blues. O que tocasse em banda ou em solo. O que tocasse tanta gente.

Um dia, no final de 2011, fomos trabalhar juntos. Ele me ligou de madrugada. Não deu linha. O produtor musical Vagner Garcia me ligou na manhã seguinte. Deu liga. Convite feito para escrever a vida dele ao lado de Alexandre Petillo, que fez monumental biografia do Ira!, poucos meses antes da nuclear explosão entre irmãos de sangue, e o sangue que jorrou da crise entre os irmãos de banda em 2007.

Nem lembro ter dito "sim". Apenas me entreguei emocionado, tentando descrever o que sentia nos shows que vi em grandes palcos ou no pequeno Aeroanta nos anos 80. Quando cantava as canções de *Psicoacústica* e não entendia por que mais gente não havia sacado ou sentido a qualidade de um dos maiores discos de rock do Brasil. Feito não apenas por uma das maiores bandas, mas por gente da nossa terra que sabia ser gente. Sabia acertar como poucas e errar como muitas. Nas letras de sentido discutível, nas canções de métricas incertas, nos arroubos de uma juventude que demorou a passar até ser roubada pela careta maioridade que sabe abrir a carteira e pagar as contas de fim do mês, mas não os ajustes de uma carreira que não devia ter fim.

O Ira! parecia a banda da garagem do vizinho. Fazia um barulho danado, até em horas impróprias. Mas era o grupo da nossa terra, do nosso bairro, da nossa rua. Não por eu ser paulistano como o Marquinhos. Não por ser neto de calabreses como Nasi. Mas por ser um jovem brasileiro que viveu a transição do final de ditadura do Brasil do futuro para um sonho de democracia adulta do Brasil do faturo. Um cidadão que acredita que as fraturas brasileiras podem um dia ser farturas. Podem ter um final feliz como as frituras, feridas e facadas que ainda cicatrizam na vida de Nasi, com muito humor e amor.

"Você não sabe quem eu sou" é uma afirmação que Petillo e eu não conseguimos desvendar. Dá pistas, mas não consegue descrever um personagem que vai além do Wolverine do *X-Men*. É um homem com todas as letras. Desde as bem feitas e de boa métrica até as malfaladas e malditas. Se os jornalistas que tentaram escrever, com a ajuda dos colegas Leandro Iamin e Marilia Ruiz, não conseguiram descobrir até onde vai Nasi, e até que fundo do poço foi o Valadão, você vai ter a certeza que vai ler até o fim e ainda não entender tantas tretas e tantos quartetos e quadrilhas que fizeram a vida dele coisa de cinema de ficção, de arte, de horror. Também de muito amor, com histórias com finais felizes como se fossem da Disney. Mas com prólogos como se escritos pelos diabos.

Esse roqueiro filho de Exu e de Ogum pode ser um filho da mãe. Pode ser o último homem a se apresentar ao sogro. Mas tantas mulheres não podem estar erradas. Algo de ótimo ele tem. Muito do que você vai ler nas travessias ao céu e nas travessuras abaixo do inferno das drogas químicas e das porcarias das pessoas físicas e jurídicas.

No rock e/ou com gente escroque, no batente e/ou com gente que só bate e não debate, a vida pode ser um destino com ponto e capítulo final. A carreira de Nasi em qualquer acepção é mais que o chavão do livro aberto. É obra que insere capítulos sem ordem cronológica e sem ordem alguma.

Marcos não nasceu para ser santo. Nasceu para ser a voz de um pecado capital. Na longa viagem do pó aos Orixás, você vai sacar que é uma pessoa, como qualquer outra, que errou demais. Mas acerta mais que os demais por fazer de cada erro algo mais humano. No que há de mais divino na nossa experiência de carne. No que há de mais carnal na nossa busca e na nossa luta.

PREFÁCIO

O Negro **Controverso**

Kid Vinil

A inspiração para o título deste prefácio veio de uma antiga camiseta que eu tenho e nela está estampado o rosto de Mick Jagger e em sua boca uma tarja escrito *The Controversial Negro*.

Quando me convidaram para fazer este texto, logo associei essa afirmação ao Nasi. Tá certo que ele não tem nada a ver com o vocalista dos Stones, mas existe uma alma negra dentro desse cara. Como tudo que escrevo, adoro rechear de referências e muita história do rock and roll e, com Nasi, não poderia ser diferente.

Desde os primórdios do Ira!, daquela primeira vez que o vi ensaiando na raça, sem microfone, reconheci nele uma pessoa determinada e ao mesmo tempo um ser humano sofrido e perturbado. No princípio, era aquela vontade de gritar solta no ar, mas dava para notar nas primeiras canções do Ira! uma forte influência do *northern soul* britânico e um disfarçado suingue Motown nas entrelinhas. Se a primeira inspiração foi o punk do The Jam, ou o som da *british invasion* do The Who, todos eles be-

beram na fonte negra da Motown. Nasi tinha uma postura de Joe Strummer do Clash em palco, outro cidadão que adorava música negra e reggae, e que construiu seu personagem na história do rock nos moldes da rebelião negra de bairros incendiários, como Brixton, na Inglaterra. Pois bem, chegamos ao cerne da questão – o rock foi criado pelos negros e foi do blues que evoluiu para o *rhythm and blues* e depois foi batizado de rock and roll. Muitos branquelos da *british invasion,* no início dos anos 60, queriam ser negros. O primeiro citado anteriormente, Sir (Mr) Mick Jagger, começou cantando antigos blues em sua banda The Rolling Stones. Seus lábios grossos pareciam uma dádiva da raça negra e sempre fez questão de exibi-los ao entoar seus versos. Mick Jagger sempre encarnou um negro em suas performances, aprendeu a dançar vendo James Brown e Sly Stone, declarou eternamente seu amor à Motown. Na mesma década de 60, em Newcastle, na Inglaterra, aparecia um outro "controversial negro", seu nome, Eric Burdon, e sua banda, The Animals. Se fechasse os olhos durante as primeiras vezes em que vi Eric Burdon cantando com a The Animals, ouviria um negro americano e não um branquelo do interior da Inglaterra. No final dos anos 60, Eric Burdon mudou para os Estados Unidos e fez uma parceria com a banda negra WAR. Talvez um de seus maiores sonhos fosse estar à frente de uma banda de talentosos músicos negros, entoando os versos fantásticos de *Spill the wine*. Pois bem, nosso garoto Nasi me faz lembrar muito de Eric Burdon, até mesmo fisicamente. Nasi, às vezes, se assemelha à figura do célebre vocalista da The Animals. Acho que ninguém nunca disse isso a ele, nem eu mesmo, pode ser que soe como uma surpresa e que ele pense: mas será que tem a ver?

Voltando ao tempo, nosso negro controverso, em 1986, se envolveu com cena do rap nacional colaborando na produção do álbum *Cultura de Rua* e trabalhou na produção dos dois primeiros álbum da dupla Thaide e DJ Hum. Em 1991, seu projeto paralelo, Nasi & os Irmãos do Blues, acabou gerando três grandes discos e realizando seu sonho de participar dos nossos festivais de blues da década de 90 ao lado de mestres como Pinetop Perkins, Magic Slim e Wilson Pickett, entre outros.

Em 2010, no álbum *Vivo na cena,* além de resgatar a belíssima *Poeira nos olhos,* dos Irmãos do Blues, ainda revelou sua crença e sua dedicação à religião e à cultura africana em *Me dê sangue.*

Garra e determinação, um verdadeiro guerreiro, esse é Nasi, nosso controverso negro, assim como Elvis, Raulzito, Mick Jagger, Eric Burdon...

1

As ruas do meu bairro são meu berço. **Vou me encontrar**

Marquinhos falou à mãe que gostaria de ir à casa do primo Valtinho. Dona Egya disse não. O pequeno Marcos Valadão Rodolfo não brigou. Foi à luta. O garoto de quatro para cinco anos abriu a porta do apartamento na Rua 13 de Maio, no Bela Vista, zona central de São Paulo, bairro onde nasceu às 16h45 de 23 de janeiro de 1962.

Ninguém viu Marquinhos sair do apartamento, nem do prédio que fica perto da escadaria que dá ao Teatro Ruth Escobar. O pirralho resolveu visitar o primo, que morava na Rua João Passaláqua, na Bela Vista. Uma distância de pouco mais de dois quilômetros de sua rua. Levou um certo tempo para a família descobrir que o garoto não estava mais em casa. Não muito tempo para imaginar todo azar de azares. Rádio patrulha alertada, vizinhos e amigos feito loucos procurando pela Bela Vista. Barulho típico de família italiana, como eram os Capuano Scarlato, o lado materno de Marquinhos. O lado calabrês do sangue quente.

Nasi: Os sicilianos têm medo dos calabreses. Eu tinha de ser do jeito que sou.

A tradicional cantina Capuano era do segundo marido da bisavó materna de Nasi. O bisavô Scarlato havia casado com uma síria-libanesa.

Nasi: A família de origem italiana é sempre muito próxima, agregada. Tive mais influência dela do que do meu pai, que era do Espírito Santo, mas que tinha muito parente no Rio de Janeiro. Só convivia com eles no Natal. Só os conheci melhor quando cresci.

O pai de Marquinhos, seu Airton, é do Espírito Santo. Celina, perto de Colatina. Veio cedo para São Paulo. Trabalhava em laboratório. Nas ruas do Bixiga conheceu a mãe. Ainda em 1961, pediu a mão e se casaram. Em nove meses nasceu Marquinhos. Na primeira semana, o menino passou em uma estufa na maternidade com icterícia. A primeira internação, de uma série de muitas em hospitais e clínicas. E outras interdições que foram parar na Justiça.

Marquinhos era o bisneto e neto mais velho da família. Deixaria de ser a única voz, o centro do universo familiar quando, naquele mesmo ano de 1967 em que foi passear pelas ruas da capital, nasceu Airton Junior, o caçula da família. Cinco anos que sempre distanciariam os irmãos como se fossem décadas. Na casa, na rua e, depois, mesmo trabalhando juntos, na vida e na profissão, Marquinhos e Junior nunca foram muito íntimos.

Os Scarlato do lado da mãe tinham feito fama e fortuna nos anos 40 fazendo móveis sofisticados e pesados para a elite paulistana. Camas, armários e mesas que já não cabiam nas casas menores da capital. Contas que já não fechavam muito bem na casa dos Valadão nos anos 60.

Nasi: Não tivemos tantas dificuldades assim, mas o dinheiro era contado. A fábrica não se adaptou à virada Tok Stok. Aqueles móveis pesados, rococós, não se usava mais.

Se a família brigava e se amava como tragicomédia de cinema italiano, como se fosse um *reality-show* dirigido por Mario Monicelli, o pequeno Marquinhos parecia um soldado da L'Armata Brancaleone pelas ruas paulistanas naquela tarde de desespero.

Ele não sabe quanto tempo levou até a casa do primo Valtinho. Não tinha a menor ideia de quantos quilômetros eram. Só sabe que foi descoberto o paradeiro dele apenas quando chegou lá, quando os pais de Valtinho ligaram para seu Airton e para dona Egya avisando que Marquinhos estava na casa do primo. Foi recebido com abraços tão fortes quanto os puxões de orelhas que levou por dias.

Nasi: Sempre fui um cara de ir atrás das coisas. De procurar a informação, um lugar para ensaiar no começo da banda, os lugares pra gente tocar... Sempre meti as caras. Até quando não tinha idade para isso.

O primogênito sobreviveu à primeira viagem solo pela Bela Vista. Não foi a única. Muito menos a última que estará no epílogo de um livro aberto com páginas coladas. Dobradas. Cortadas. Dilaceradas. Cheiradas. Coloridas. Escuras. Ininteligíveis. Intrigantes. Inteligentes. Burras. Ousadas. Usadas. Abusadas. Erradas. Errantes. Espirituais. Rascantes. Riscadas. Arriscadas.

Nasi: Sou o avesso do avesso do avesso. Sou, agora, um ex-impulsivo. Ou um impulsivo em recuperação. Um cara leal. Mas teimoso. Que acertou na vida ao entrar na música. Mas que cometeu o maior erro exatamente por ter entrado na música.

Remorso foi não ter curtido mais tempo com a mãe durante a carreira. Alegrias foram muitas e maiores. Inclusive o reencontro com a namorada Elizabeth, no começo de 2012, cinco anos depois da separação do casal.

Ele não fica rubro para falar de amor. De volta. De retorno. Nasi vai e volta. Quando vai fundo acaba indo além do permitido e recomendado. Mas quando volta, traz tudo que o dragou. Do bom e do pior. Talvez nunca tenha trazido tanta coisa boa consigo como nos últimos anos, quando redescobriu o amor com Elizabeth; quando descobriu um amor maior com as filhas Carolina e Melody; quando tentou se reconciliar com os amigos perdidos e com a família partida; quando encontrou espiritualmente amigos de fé e de credo; quando parece fazer de propósito um final feliz para uma história de rock e horror, de amor e de dor.

Nasi atravessou todos os sinais. Vai atravessar o final do livro aberto. Não tem como dar ponto final nesta história na qual não é reto o caminho mais fácil entre os pontos. Nem tem como não ficar vermelho de raiva e de amor com cada história deste Wolverine brasileiro. O carcaju.

(Carcaju é o nome em português do animal oficial de Michigan, Estados Unidos. Onde se fala que aquele mamífero que mais parece um pequeno urso com cauda grande se chama Wolverine. Em português, também se diz que o carcaju, o tal Wolverine, é um glutão. Porque come de tudo. Come tudo. Mas não para hibernar, ficar quieto no canto. Come porque precisa. Come porque quer.)

2

O que cantarei **depois?**

Meados dos anos 1990. O ônibus carregando a *entourage* do Ira! cruzando o interior do estado de São Paulo. Domingo. Dentro do veículo, o clima já não era dos melhores. O show da noite anterior não tinha sido lá essas coisas. O público não parecia interessado nas canções do novo álbum de inéditas. Alguma empolgação em sucessos como *Envelheço na cidade, Flores em você* ou *Dias de luta*. Mas o rock não convencia mais.

A culpa nem era só do Ira!. Na virada da década, o *boom* do rock brasileiro que emergiu nos anos 80 se dissipou. Uma nova geração não veio de imediato para segurar o monopólio roqueiro, e o cenário musical do país acabara dominado por ritmos mais populares. Primeiro o sertanejo, depois o axé. Os anos 1990 não foram generosos com o rock tupiniquim (e com a música nacional de qualidade) e seus homens de guitarra tiveram que engolir esse perrengue sem gelo.

Uma discussão a respeito do amplificador de retorno começou entre os quatro irados. Sol quente, vacas magras, vendas baixas, gravadoras insensíveis, crise criativa, tudo desabou sobre essas cabeças quentes na poluição. Em um momento, alucinado, Edgard apanhou uma lata de cerveja e jogou em direção a Nasi. No meio do caminho, André Jung colocou seu rosto na frente.

A lata explodiu no rosto do baterista. Silêncio. Sabiam que se aquela lata tivesse acertado Nasi, a briga seria feia. E esse seria o fim do livro, não o começo.

Nasi: Sobrevivemos a tudo nessa estrada. Sobrevivemos ao excesso de álcool e drogas. Sobrevivemos às brigas internas feias, bem feias. Nós fizemos a nossa parte, ficamos sempre por aí. Lançamos discos, alguns bons, outros não, mas sempre estivemos por aí. O que eu nunca imaginei, nem com a música, foi que a minha vida ia tomar uma proporção tão pública. Na verdade, quando eu comecei com a música, era uma coisa meio niilista. Nunca, nem no auge dos meus sonhos, acreditei que tomaria uma condição profissional. Quando nós gravamos a primeira demo, em dois canais, eu já estava realizado. Quando nós fizemos o primeiro show, eu já estava realizado.

Meados de 2004. São Paulo. Num estúdio de cinema, na Lapa, a plateia – disposta em duas arquibancadas, com a banda ao centro, frente a frente, como num estádio de futebol – estava eufórica como se acabasse de presenciar um golaço com a categoria de Ademir da Guia ou com a garra de Serginho Chulapa. Clima de sublimação. A equipe, coesa. Na pauta, *Por amor*, um rock rasgado. Nasi ergueu o microfone como arma entre os dentes. André martelou marcialmente a caixa. Ricardo Gaspa roeu as cordas do baixo. Edgard dedilhou o violão como se as cordas fossem artérias cheias de sangue e saber. No apoio, músicos que encorparam o som cru e também bem cozinhado.

Chorar eu sei que é besteira, mas, meu amigo, não deu para segurar a gravação do *Acústico MTV* Ira!. Um dos álbuns mais bem sucedidos da primeira década do novo século. Com mais de

250 mil CDs vendidos (fora a pirataria), mais de 250 shows em um ano e meio de excursão. Quando Nasi (vocal), Edgard Scandurra (violões), André Jung (bateria) e Ricardo Gaspa (baixo) subiram ao palco para gravar o especial para a MTV, numa agradável tarde de março, o Ira! subvertia o conceito de suavidade do formato acústico. O projeto vinha no *timing* preciso. A banda atravessava período especial. Vinha de uma sequência de três discos de sucesso: *Isso é amor* (1999), *Ao Vivo MTV* (2000) e *Entre seus rins* (2001). Acertou, em meados de 2003, contrato com a gravadora Arsenal, do produtor Rick Bonadio. Uma gravadora independente com estrutura de major e distribuição Sony Music.

Começou com moral. O repertório do Acústico era o atestado. Os artistas geralmente relembram grandes hits neste tipo de disco. Conhecido por caminhar contra a corrente contínua, o Ira! nadou contra a maré. Das 19 músicas gravadas, apenas quatro eram sucessos. O resto se dividia entre inéditas e "lados B".

Rick Bonadio: É complexo trabalhar com caras mais velhos e rodados como os quatro do Ira!. Primeiro: eles são meus ídolos. É difícil produzir pessoas que ajudaram a me formar musicalmente. Difícil imaginar o que fazer diferente com eles. E eles conseguiram numa gravação tensa. Um show que vira DVD é como ficar dropando uma onda por quase duas horas. É como uma disputa de pênaltis de quase duas horas. Não pode ter erro. É difícil, mas é gostoso demais. A adrenalina lá em cima. O acústico foi foda. Só convidado pica um bagulho gigante.

O pontapé veio com a versão em português de *Train in vain*, do Clash, uma das maiores influências do Ira!. A banda partiu para o ataque, sem medo de pisar em terreno perigoso e sagrado. O início arrebatador atiçou a curiosidade. O que uma das bandas mais elétricas, ecléticas e diretas do rock brasileiro faria nua, quase crua? E Edgard Scandurra, senhor das seis cordas no Brasil, ali, sentado, com apenas um violão? A eletricidade de Edgard independe de tomadas, turbinas e reatores. Vem de dentro, vem dos dedos.

Rick Bonadio: Ele nasceu tocando guitarra. Não tem nada de técnico, é um cara natural e emocional. Talentosíssimo. Genial.

Ao lado, dupla de ataque, um parceiro de vida e vocal único. Nasi é o dono da voz capaz de segurar o impacto das melodias e letras de Edgard. O predador Valadão. O bluesman brasuca que mudou seu alcance para se adequar ao formato – mais suave, porém mais sentido, doído, penetrante.

Rick Bonadio: Ninguém vende tão bem as letras das músicas que canta como o Nasi. Ele compra a ideia e se entrega. A letra pode até nem ser tão boa, algumas coisas nelas não se encaixam, mas ele faz caber, faz funcionar. É o grande segredo dele. Um cara muito legal, carismático, de humor sarcástico, de tiradas na hora certa. Muito inteligente. Um puta intérprete!

Ao lado, na defesa, o baixista de perfil baixo: Gaspa tem o estilo, o som e o domínio do instrumento. *Cool.*

Rick Bonadio: Um cara na dele, tranquilão, sossegado, até mesmo preguiçoso. Meio italiano rabugento como eu.

De frente para o time ficou André. O baterista não economizou, nem desperdiçou. Sentou o braço e tocou com potência e controle. Soube a hora de atacar e quando cadenciar o jogo.

Rick Bonadio: Um cara querido, que quer o bem de todo mundo, educado e gentil.

Uma banda afiadíssima, em seu auge técnico. Vivendo seu presente e começando a lembrar.

De *Vivendo e não aprendendo*, o segundo disco, de 1986, veio *XV anos*, existencialista. Na sequência, a inédita *Flerte fatal*, com um clima denso, tenso, sobre o vício em drogas pesadas. O fim ou o começo. Do mesmo disco vem o primeiro sucesso, *Dias de luta*, num arranjo sóbrio e vigoroso.

A delicada *Saída* (*Mudança de comportamento*, 1985), ganhou um clima jazzístico, acelerado. Dedicada à memória do cineasta Rogério Sganzerla, morto em janeiro de 2004, chegou *Rubro Zorro*, faixa de abertura do lendário e brilhante *Psicoacústica* (1988). Nasi incorporou o perfeito bom homem mau. O caminho do crime o atrai, como a tentação de um doce. A psicodelia é acústica, com camadas sobrepostas de violões, violoncelo e flauta.

Nasi: Rubro Zorro é uma música que adoro para abrir shows. Pelo Edgard, a gente poderia fazer apresentação começando com balada. Adoro fazer o *setlist* dos meus shows. Acho que precisamos começar com tudo e também terminar muito bem. *Rubro Zorro* é excelente para iniciar uma apresentação.

Girassol foi o primeiro single do disco. Escolha do produtor.

Rick Bonadio: O Ira! tem um vocalista inato, um guitarrista inato, um baixista inato, um baterista inato. Não tem nenhum "músico" lá. Ninguém é bom músico ali. Tanto que botei alguns bons músicos para segurar a bronca no Acústico. Eu sou chato pra caralho com isso. Cresci ouvindo o Ira! e a geração de bandas dos anos 80 que tocam muito mal. Não conheço nenhuma banda dos anos 80 que toque bem. Eles não sabiam tocar e nem afinar. Continuaram não tocando bem. Mas a química do rock é essa. Não é preciso tocar bem pra fazer rock. E o Ira! sempre foi uma banda de rock boa pra caralho.

Pitty apareceu. Um dos melhores nomes do rock do novo século, a novíssima baiana fez belo dueto com Nasi em *Eu quero sempre mais* (7, de 1996). A voz rasgada do bluesman, carcomida pela poeira da estrada do rock fez contraponto com a docilidade energética da cantora. Uma canção esquecida de um disco menor virou uma gema pop.

Ricky Bonadio: Ela, como os demais convidados, foi perfeita. Empolgada, aparecia em quase todos os ensaios.

A balada *Poço de sensibilidade*, inédita, "é a música que menos gosto do Ira!. É meio piegas", detona Nasi. *Por amor*, do veterano do rock rural Zé Rodrix, foi um presente inédito para a banda. Samuel Rosa entrou em cena. A música é *Tarde vazia,* de Edgard e Gaspa, de *Clandestino* (1990). A interpretação precisa e reverente do vocalista do Skank manteve o nível. Mais duas inéditas: *Cigano* e *Pé na estrada*, esta, chapante, carregada de psicodelia acústica, com um belo trabalho nos sopros de Jonas.

O que era delicado no elétrico ganhou um tratamento mais cru e direto no show acústico: *Flores em você*. Companheira de disco, *Tanto quanto eu* virou *bluegrass*, um country acelerado, no clima Violent Femmes. O sangue ferveu quando Nasi chamou para o palco os "irmãos cariocas" do Paralamas do sucesso. O palco virou festa quando começaram os acordes de *Envelheço na cidade*. Plateia e músicos amadureceram e celebraram como se fosse a última vez. Com o prazer da primeira. Juventude se abraça.

Núcleo base fechou a tarde cheia.

Nasi: É a canção ideal para terminar qualquer show. Pela canção, pelo astral, pela letra, por tudo.

Foi o primeiro sucesso radiofônico nacional de uma banda com uma exclamação no final. Integridade desde o começo. O Ira! fez questão de fazer o próprio caminho. Na saída, Edgard falou que em alguns momentos não conseguiu cantar junto, senão desabaria em lágrimas.

O *Acústico MTV* vendeu mais de 200 mil cópias em 10 meses. Marca impressionante na carreira de qualquer banda de rock no Brasil. Ainda mais uma banda com nome de raiva, de ódio, de rancor, de vingança, de cólera, de tantos sentimentos negativos que podem explodir num piscar de olhos. Num acorde errado. Num acordo mal feito. Numa manhã mal acordada.

Nasi: Todas as dificuldades que nós passamos criaram na gente uma coisa que se chama fé.

3

Rezo e esqueço **os meus pecados**

A família por parte de mãe de Nasi era "hipercatólica". Eles foram um dos criadores da festa da Nossa Senhora da Achiropita, no Bixiga. A festa da Nossa Senhora do Carmo era dentro da fábrica de móveis Scarlato, de outro avô materno de Nasi. Novenas natalinas eram tradicionais, como a avó que amava fazer nhoque para a família.

Nasi: Fui batizado, fiz primeira comunhão, crisma. Toda a tradição católica. Embora eu não lembro quem foi meu padrinho de crisma... Acho que ela acabou sendo meio gorada (risos)... Mas sempre que dava estava na missa de domingo. Lia a Bíblia. Só que a minha mãe tinha uma coisa impressionante. Até para mim era difícil acreditar. Ela era médium, mesmo muito católica. Ela recebia o espírito de um preto velho. Lá mesmo em casa. Como meu pai era espírita, ele entendia bem tudo aquilo. Eu também acabei tendo acesso a muitos livros de espiritismo. Li bastante Alan Kardec. Eu adorava conversar a respeito com meu pai. Mas, depois, com o rock, não quis mais saber disso.

Com 11 anos, Nasi estava distante do catolicismo, mas próximo da mãe. Até mesmo dos truques dela.

Nasi: Ela recebia o espírito do Pai Joaquim e também do Pai João. Foi o Pai Joaquim quem me explicou que eu era um negro escravo revoltado que se dava muito bem com minha mãe, que teria sido, na outra encarnação, uma sinhazinha muito boa. Mas, depois, comecei a perceber que, algumas vezes, não era o preto velho que baixava nela. Era ela mesma baixando uma ordem para meu pai, para os filhos dela, para a família. Ela se aproveitava da mediunidade. E a gente acreditava. Ela era muito esperta (risos).

Uma vez ouvindo Ramones no quarto, aquele barulho dos infernos, ele ouviu a mãe batendo à porta. Ou era o Pai Joaquim? Nasi não sabe. Mas ouviu alguém dizendo "Maku. Maku. Maku". Ele não sabia então o que aquilo significava.

Nasi: Os iorubás tratam o espírito abiku. Aquele que nasceu para morrer. Maku é um nome que se dá para as crianças não morrerem. Mas é preciso ficar esperto. Anos depois, um babalorixá explicou que quem faz sucesso muito antes da maturidade está antecipando a própria morte. A maturidade só chega depois dos 27 anos. Não preciso dizer quanto roqueiro bom morreu com essa idade. Sucesso antes dessa idade não faz bem ao espírito. A gente não sabe como lidar com isso. Posso dizer de cátedra.

A fase católica passou lá pelos 11 anos, quando a família começou a frequentar mais vezes a federação espírita. Uma ou outra vez uma federação de umbanda. Nasi adorava encontrar primos e amigos por lá.

Nasi: A federação de umbanda não tinha batuque, não tinha muita coisa. Era bem branca. Virou uma atividade familiar, social. Íamos com primos para tomar um passe ou uma água energizada. E ver as menininhas, claro.

Quando o rock chegou, aos 14, a Igreja ficou de vez para trás. Na faculdade de História da USP, aos 19, saindo de casa, a "caminhada histórica pelo socialismo" não deixava espaço para religião naquela cabeça estruturalista, marxista-leninista. Só nos últimos anos Nasi reencontrou a espiritualidade. Ainda que os episódios religiosos fossem sempre fortes na casa que ele deixou aos 19 anos.

Nasi: Um dia o Pai Joaquim incorporado pela minha mãe chamou toda a família. Eu, meu pai e meu irmão fomos conversar com ele, separadamente. Primeiro comigo. A entidade falou que minha mãe tinha uma coisa na cabeça. Que era bom eu me preparar para a morte dela. Ele contou a mesma história para meu pai e para meu irmão. Depois demos um jeito para ela fazer exames que nada detectaram. Isso foi em 1981. Sete anos depois ela morreu com um tumor exatamente onde o Pai Joaquim apontara. Um câncer desenvolvido seis meses antes. Foi tudo muito rápido. Minha mãe andava meio esquecida, por vezes parecia catatônica. E morreu muito rapidamente. Em 28 de julho de 1988 ela entrou em coma. Morreu em 13 de agosto, no domingo, dia dos pais. Foi algo impressionante. Do jeito que o Pai Joaquim alertara sete anos antes. Exatamente no mesmo lugar! Não tem como não dizer que aquilo foi uma entidade que nos avisou.

No final de 1988, em Salvador, comendo um acarajé em Itapuã com uma senhora, Nasi perguntou se ela conhecia alguém para jogar búzios. Ela mesma se ofereceu.

Nasi: Ela se chamava Mãe Margarida. Fomos até a casa dela, bem simples, pau a pique. Tive grande empatia com ela. Muitas coisas que ela falou me tocaram bastante. Foi meu primeiro contato com Orixás. Ela identificou para mim Ogum, Oxóssi e Oya (Iansã). Ela não falou de Exu, talvez por ser uma energia muito forte para a cultura afrobrasileira. Foi lá que fiz meus primeiros assentamentos, recebi meus primeiros guias, meus cordões referentes às cores dos Orixás. Dá para dizer de um modo simplista que assentamento é um santuário que você pode cuidar como se fosse uma planta. Nessa condição, sem saber, me tornei um abyan, um pré-iniciado. Mais ou menos de seis em seis meses eu ia até lá, ou a ajudava materialmente. Mantive essa relação até 1992. Eu era quase um filho de santo sem ser. Depois, com as drogas em que me perdi e afundei, as coisas foram se perdendo. Foi tudo pro saco. Tudo virou pó.

Foi o início de uma relação que seria muito importante na vida de Nasi. Para não dizer que virou a vida dele para melhor.

4

Se nasceu é para **correr perigo**

O Brasil se fechando nos anos de chumbo da ditadura militar no final dos anos 60. Uma hepatite trancando Marquinhos no quarto em 1969. Ele estudava no colégio Rodrigues Alves, na Avenida Paulista, um dos melhores do ensino público. Já gostava de ler. Teria ainda mais tempo para isso prostrado numa cama de casa.

Nasi: Peguei hepatite quando tinha sete anos. Era coisa muito séria na época. As pessoas não sabiam direito como é que se pegava, como se tratava. As pessoas morriam disso. O doente ficava isolado como um leproso. Só minha mãe vinha até meu quarto. O resto da família ficava do lado de fora, dando tchau da porta. Passei alguns meses nesse isolamento. Para passar o tempo, ganhei uma vitrolinha. Minha relação com a música começou assim. Meio doentia. Ou um remédio para a minha doença.

A vitrolinha, no começo, era para ouvir os discos coloridos com histórias da carochinha. Depois músicas da Jovem Guarda que já não era tão jovem. Enfim, o rock.

Nasi: Meu amor com o disco, com o produto, com o vinil, começou ali. Para mim era um negócio mágico, que fazia companhia, falava comigo, tocava música, me tocava. Mas não pensava que essa seria minha vida. Nem quando tive aula de piano, aos 10.

A hepatite o tirou da escola. Repetiu o ano. Quando voltou, retornou como o melhor aluno da sala até a quinta série. O pai ficou "preocupado" com o filho CDF. Mandou-o para a rua. Marquinhos não "decepcionou" o pai. Foi para a turma do fundão. As notas caíram.

Nasi: Virei o exemplo perfeito de um delinquente juvenil. Tirava as notas só pra passar de ano raspando.

Ele tinha sede de conhecimento. E fome de música. Os meses de cama por hepatite o fizeram ir atrás dos disquinhos quando saiu do quarto. Mas o primeiro compacto só foi comprado aos 12 anos, em 1974. O da primeira musa: a inglesa Suzy Quatro, que fazia um rock glamurado, ao sabor do glacê da época: *48 crash*.

Nasi: Tinha o maior tesão por ela! Não tinha a mínima ideia do que era *junkie*, a coisa de preto. Não entendia nada. Só gostava da música e a amava. Como ela estará agora, hein? (risos).

Não era só a efervescência hormonal adolescente que orientava os ouvidos e outras partes da anatomia de Marquinhos. Havia tutores do rock.

Nasi: O João, amigo de um primo, entendia bastante de música. Ele me mostrou Alice Cooper, Deep Purple, Uriah Heep, Kiss. Acabei virando rato de sebo. Ia bastante até o centro da cidade a partir dos 16 anos. Como eu também tinha pouco dinheiro, era o único jeito de comprar LPs. Apenas os usados.

Do rock na cabeça para a rua foi um pulo ou uma briga.

Nasi: Eu já tinha 1m70 com 14 anos. Era uma ótima altura para a idade. Mas daí Deus percebeu o que havia feito e falou "tá bom assim" (risos). Tinha a turma da minha rua no Bixiga. E tinham as gangues da rua Paim, da Macau, da Macauzinho. Era brabo. Teve um dia que apanhei de uns 10 por causa de uma garota. Mas teve outro dia que me descobri, ou melhor, achei algo que não sabia que tinha. Eu estava na rua jogando bola com meu irmão Júnior. Cinco anos mais novo do que eu. Estavam mexendo com ele e fui defendê-lo. O chefão da turma veio para cima e eu dei uma sequência de golpes impressionante. Era um conhecimento pré-existencial. Acabei com o cara. A rua inteira ficou sabendo. Acabei pegando gosto pela coisa. Mas o mais engraçado é que, jogando bola, sou sossegado. Não ligo se perco o jogo. É gozado...

Boxe. Kung-fu. Levantamento de peso. Nasi queria até competir. Fazia supino e arranque. Ganhou massa. Ganhou mais corpo. Não altura. Começou a ganhar ainda mais música na vida. Ele se soltou. Foi eleito presidente do centro cívico do Rodrigues Alves. Promovia festas e campeonatos de futebol. No segundo grau (ensino médio), quando foi estudar no Brasílio Machado, no bairro do Paraíso, estava na chapa que venceu as eleições para representantes de classe.

Marquinhos era Valadão na nova escola. Mas não era de turmas. Só foi se identificar com alguns repetentes. Os "delinquentes" do colégio. Para não ajudar, ainda havia uma unidade da Febem em frente ao colégio. Não raro os internos da casa correcional para jovens e os alunos do Brasílio Machado saíam no braço. Havia, também, outro grupo, formado por ex-alunos do colégio, que ficava nos arredores do prédio fumando maconha, dando em cima das meninas e atormentando os estudantes. E Valadão logo peitaria esses "donos da escola".

Nasi: Não baixei a cabeça para eles. Foi quando comecei a meio que dominar o colégio e pegar cada um deles assim que me estabeleci lá. Ou eu jantava, ou era jantado. Aos poucos essa turma se dispersou, até acabou.

Entre uma partida de basquete e uma espiada nas meninas na aula de Educação Física, Marcos, de tanto encarar os valentões do Brasílio Machado e também por suas atitudes diante das coisas, recebeu o apelido de Nazi. De nazista. Em 1978, a TV Globo apresentava o seriado *Holocausto*, que mostrava, pela primeira vez na TV brasileira, os horrores da doutrina nazista. Valadão nunca teve qualquer simpatia pela causa de Adolf Hitler. No começo, o apelido era simplesmente "nazista", e com o tempo ficou apenas Nazi. Com a letra "z".

Nasi: O apelido nasceu por causa da bagunça que eu fazia, algumas brigas em que eu entrava ou arrumava. Com a série passando na Globo e todo mundo vendo, nazista era tudo de ruim que havia. Eu não gostava disso. Mas é quando você não gosta que o apelido pega, né?

Nazi não era tudo de ruim, mas era quem mais fazia barulho no Brasílio, ainda sem melodia. O embrião do que seria o Ira! conheceu Marcos Valadão Rodolfo já como Nazi: Dino Nascimento e Edgard Scandurra eram alunos do Brasílio. Adilson Fajardo era amigo da namorada Bete. Todos o chamavam pelo apelido Nazi. Nome que o vocalista ainda tentaria mudar, assinando o nome de batismo nos primeiros trabalhos da banda - em vão. Para aplacar o impacto, quando começou a se tornar conhecido na banda, mudou a grafia para Nasi, com "s".

A música era então apenas um sonho juvenil banal e comum a muitos. Era preciso pagar as contas de adulto. Trabalhar. Nada menos rock que um banco. A agência do Itaú, na Avenida Tutóia, foi o primeiro empregador de Marcos Valadão, no Paraíso. Não era longe de casa, mas era distante do que ele gostaria.

Nasi: Estava na hora de arranjar emprego, com 17 anos. Precisava ajudar a família. E me ajudar. Ainda estudava, mas dava para conciliar. Foi em 1979. Fui trabalhar com atendimento ao público. Cheque devolvido, esses problemas. Mas o maior problema foi que o Itaú foi um dos precursores da informática, do autoatendimento. Eu tinha de orientar as pessoas. Até hoje eu apanho de surra de computador. Não poderia dar certo. Não deu um ano de trampo.

Hora de prestar vestibular.

Nasi: Eu não sonhava com o mundo do rock como meio de vida. Adolescente, queria fazer oceanografia. Adorava ver o programa do Jacques Cousteau na TV. Ele fazia explorações no mar. Logo depois tive a fase biológicas. Agricultura, pecuária, gostava de bicho. Fui prestar zootecnia, veterinária e agronomia. Prestei vestibular até em Minas, em Alfenas. Entrei em algumas faculdades particulares, como no Espírito Santo do Pinhal. Mas a família não tinha como pagar os estudos. Chorei muito. Agora, imagine se a gente tivesse condições... Eu teria ido pra lá. O destino é louco pra caramba. Nada disso teria acontecido.

A faculdade teria mudado a vida de Valadão, mas ela já era outra desde o Brasílio Machado, desde quando conheceu Edgard Scandurra.

5

Correu o bairro afora, **não deu ouvidos à razão**

A missa dominical da Juventude na Igreja da Imaculada Conceição, no bairro paulistano do Paraíso, era disputada no final dos anos 1960. Um garoto sentava nos primeiros bancos interessado na redenção pela música. Pela guitarra, bandas se revezavam tocando hinos, vidrando os olhos de Edgard José Scandurra Pereira.

Ele era o terceiro filho de Ubirajara e Francisca, mais conhecida como Neninha. Nasceu no Hospital São Lucas, na Liberdade, em São Paulo, em 1962 – herdando o nome do avô paterno. Ubirajara era gaúcho, nasceu em Bagé, e conheceu Neninha na capital paulista quando serviu o exército. Casaram-se em 1950. Um ano depois, nasceu Marcos, o primeiro filho do casal – e também o primeiro a se apaixonar por música. Edgard foi o terceiro.

Ubirajara servia o exército na Rua Manuel de Nóbrega, perto do ginásio do Ibirapuera. Neninha morava com a família numa casa vizinha ao quartel. De ascendência italiana, os Scandurra moravam numa espécie de cortiço. Neninha e Ubirajara se apaixonaram e rodaram São Paulo em muitos lares nos anos 1960. A maioria na região do Paraíso e da Vila Mariana. A condição financeira nunca foi das melhores. Edgard brincava de guerra na rua, jogava bola, andava de bicicleta e estudava em uma escola de freiras. Santa Catarina de Siena, em São Paulo, foi a primeira escola. Aluno bagunceiro, passava raspando.

O ginásio foi no colégio Paulo Salazar, na Vila Mariana. Em 1977, enquanto o punk florescia na Inglaterra e nos Estados Unidos, Edgard iniciava o colegial (ensino médio) no Brasílio Machado. A família continuava a saga nômade. Foi para a Rua Afonso de Freitas, no Paraíso, depois para a Rua Juréia e, finalmente, na Embaixador Raul Garcia, também Vila Mariana, onde se instalou de 1977 a 1981. A família atrasava o aluguel, mas vivia em boas casas.

No bairro conheceu turmas temidas. A da Rua Santa Irineu, perto da rodovia dos Imigrantes, era a mais barra pesada. Mas ele andava com um pessoal mais tranquilo também. Ele tinha passe livre: tocava violão. Quando encontrava com as gangues, tinha de tocar. O violão era o amigo visível favorito de Edgard desde os cinco anos.

Marcos, o irmão dez anos mais velho, ganhou de aniversário dos pais uma guitarra Supersonic e um amplificador Giannini. Reuniu um amigo baixista e outro baterista que moravam na Rua Tutóia, no Paraíso, e fizeram um som no restaurante que seu Ubirajara tinha na época, Carcará. Eles tocavam lá ou no quarto do apartamento, em cima do restaurante. Edgard ficava de olhos e ouvidos bem abertos e já bebendo de fontes muito ricas. Os amigos do irmão o apresentaram ao primeiro disco do Deep Purple, em 1968.

O som ambiente do restaurante era bem diferente do rock and roll. Em uma dessas noites, Edgard estava de bobeira vendo a roda de samba e começou a arranhar acordes em um violão. Uma freguesa o desafiou: "Se você um dia tocar uma música inteira para mim eu te dou um violão". Edgard observou os dedos do irmão deslizando pelas cordas por um dia. Ouviu rádio. E trabalhou no instrumento.

Dias depois, nervoso, encontrou a freguesa no Carcará. Tomou coragem e cantou *Menina do chapéu vermelho*, sucesso de Dino & Deno. Só usou uma corda para isso. Ganhou o violão.

Ele só tinha seis anos.

Marcos deu a mão além do violão. Ensinou acordes e exercícios. Quando voltava da escola, Edgard jogava futebol de botão, pegava o violão e ficava tocando e repetindo os exercícios ensinados pelo irmão. Tirava de ouvido. Assistia à TV e reproduzia os jingles de propaganda de cera, de comida, de iogurte, de refrigerante, de roupa... Nos anos 1960, todas as marcas que se prezavam tinham a sua musiquinha. Edgard as tocava no violão.

Mas o instrumento era maior que ele. Ficava difícil ajustá-lo. Geralmente, ficava deitado na perna, por não caber entre as pernas e o pescoço. Canhoto, Edgard usava o violão do irmão destro. Não havia como inverter as cordas, solução usual. Marcos emprestava o instrumento, mas para ficar do jeito que estava: sem mexer nas cordas.

A família, como Edgard, não parava quieta. Foi para Recife. Marcos foi depois, mas rápido se entrosou com a cena do rock. A dupla passou a tocar mais vezes junta. Como tinha dois violões, então, Marcos mandava o pirralho fazer o baixo enquanto ele solava e cantava. Nos dias melhores, Edgard até fazia um *backing vocal*. Coisa que não durou muito, graças a uma curiosa mania de criança. Ele ficava colado no vocalista. O irmão o mandava para longe no palco.

Quando aprendeu a escrever, pegou uma máquina e datilografou um contrato de trabalho da maneira como imaginava que deveria ser. No "documento", Marcos o contratava para tocar bongô em sua banda. Escreveu algo assim: "Eu, Edgard, aceito o convite de (sic) entrar na banda Soul Sacrifice, como tocador de bongô".

O desejo do jovem percussionista não foi realizado. Seu Ubirajara e dona Neninha resolveram acabar com o sonho roqueiro de Marcos. Deram-lhe um ultimato: ou estudava ou trabalhava. Ele vendeu os instrumentos e foi estudar Biologia. Mesmo tocando tanto ou até melhor que Edgard.

Os pais do caçula não pegaram tão pesado com ele. Edgard pôde usar o instrumento como meio de socialização. Também com as meninas. Na adolescência, respirava música. Ficava olhando para a capa do disco do festival de rock de Woodstock, em 1969, para a trilha do festival de Monterrey, em 1967. Não perdia o programa "Sábado Som". Aos 13, ganhou uma bicicleta dos pais. Com o irmão estreou a magrela. Edgard viu um garoto empinando pipa, mas não percebeu que a linha estava baixa. Encharcada de cerol. Quando passou, ela prendeu em seu pescoço, ele perdeu a direção e bateu num carro parado. Ele estava de barriga vazia, tinha ganhado a bicicleta e corrido para brincar. Quando bateu no carro, vomitou e aspirou o vômito, enviando ácido gástrico para o pulmão. Parou na UTI, respirando por aparelhos. Um dos médicos do Hospital dos Servidores perguntou à família se sabiam rezar.

Ele sobreviveu. A força de casa e de amigos ajudou, como o amigo do irmão que levou um gravadorzinho com duas fitas para ele ouvir no hospital. O amigo de sugestivo apelido Marta Rocha levou uma coletânea da banda progressiva inglesa King Crimson. E outra com o Quadrophenia, do The Who. *Love, reign o'er me* era a canção que mais o tocava pelo agudo do vocalista Roger Daltrey.

A entrada no Brasílio Machado para cursar o colegial foi fundamental para a sequência roqueira de Edgard. Lá aprendeu a agradar plateias, improvisar e, além de tudo, que existia um fascínio do mulherio pelos músicos. Ele se sentia o tal. Não sabia qual o cheiro de maconha, não sabia se era para fumar ou beber, mas tinha pose. Chegou a apanhar dos colegas só por causa dela. Mas a música o salvou. Era a imunidade de Edgard. Ele sabia tocar. As pessoas o deixavam em paz.

Em 1975, o punk rock já fazia o pogo da moçada no clube CBGB, em Nova York. Mas o gênero só ganhou a mídia mundial ao tomar a Inglaterra. Os principais nomes do punk mundial, na primeira fornada e porrada, foram Sex Pistols, The Clash (que era mais pluralista, misturando reggae e ska) e Ramones. Naquela época, dificilmente os discos eram lançados no Brasil. Quem quisesse que gastasse o dinheiro que não tinha pelos LPs importados.

Mais do que a música, o movimento punk conquistou pela atitude. O lema *Do It Yourself* ("faça você mesmo") era o ideal de uma geração jovem que enfrentava graves crises em todas as áreas. Emprego era artigo raro. Diversão era cara. Ouvir música não era fácil para quem não curtisse MPB.

Dino Nascimento: Me lembro quando o Edgard chegou com o *Never mind the bollocks* dos Sex pistols e disse: "Cara, você tem de ouvir isso!" A identificação foi imediata.

O som fez a cabeça de uma banda que tivera várias formações até fechar em Edgard na guitarra, Orelha na bateria, Dino no baixo: Subúrbio.

Dino: Fazíamos um som muito louco, uma mistura de pessoas tocando. Éramos a melhor banda do mundo! Ao menos para nós.

Para Edgard, mesmo músicos ainda (ou para sempre) toscos faziam um som dos barulhos e dos bagulhos. Muitas das canções dessa fase viraram faixas cativas nos shows do Ira! *Pobre paulista, Clandestino, Não pague pra ver, Saída, Consciência limpa.* Como 11 em cada dez bandas iniciantes, as covers também davam o ar da graça. *London calling*, do Clash, era tocado inteiro. *Rocket to Russia*, dos Ramones, do Lado A ao B. The Beatles, de *Please please me* a *Let it be.* Jimi Hendrix de cabo a rabo. Led Zeppelin também.

O Subúrbio não fez tantos shows pela noite paulistana. Com a reabertura política e o abrandamento da ditadura militar, a partir de 1979, o teatro do Brasílio Machado foi reaberto.

Vez ou outra o Subúrbio se arriscava. Só rolava esquema *underground*. Nesses shows, começou a bater bola com uma banda de *heavy metal* chamada Centúria e seu líder, Paulão. Um cara tão gente boa que abriu as portas da sua casa, na Avenida República do Líbano, para os amigos ensaiarem.

O Subúrbio não se tornou a melhor banda do mundo, mas viveu seu apogeu no palco do A Ponto, um bar na Avenida Ibirapuera, onde também registrou sua queda. Numa noite dessas, o pai do Orelha apareceu para ver a apresentação. Não gostou nada do que viu. Não era o que ouviu: foi o que cheirou. Maconha. Orelha foi proibido de tocar ali e acabou abandonando o Subúrbio. Foi estudar e entrou, mais tarde, na faculdade de Odontologia. Dino foi fazer um curso profissionalizante fora de São Paulo.

Para completar o estrago, Edgard foi convocado pelo Exército. Como despedida, um dia antes de se apresentar ao quartel, foi convidado para participar de um show de bandas novas em Monguagá, litoral sul paulista. Coincidentemente, toda a turma e todos os caras que alguma vez tocaram com Edgard estavam presentes: Dino, Orelha, Arnaldo, Rivaldo, quase como um episódio final de uma novela.

No meio de uma música do Deep Purple, Edgard resolveu desabafar. Gritou: "Hoje eu tenho esse cabelo, mas amanhã vou ter que cortar porque eu peguei essa merda do exército. Não queria me alistar!". Era 1980, início da abertura política "lenta, gradual e segura" proposta pelo general João Baptista Figueiredo... Mas ainda, ditadura militar. Um defensor da ditadura que estava na plateia sacou um revólver, atirou para o alto e partiu para cima de Edgard. Ele acabou contido pela multidão.

Em 1981, já servindo o Exército, a namorada Gisele ligou para Edgard. Conseguiu inscrever o Subúrbio no FICO. Mas ainda faltava um vocalista.

6

Muitos homens **almejam a glória**

Orelha foi o elo entre o núcleo base do Ira!. Ele apresentou Edgard para Nasi, quando os três viram um documentário sobre o punk no MASP. Orelha era muito amigo de Nasi. Chegou a estudar parte do colegial com Edgard. A paixão pelo punk e pelos discos do Clash facilitou.

Nasi: Eu e o Edgard realmente nos encontramos por ele ter repetido no Brasílio. Foi no segundo colegial que caímos no mesmo ano. Mas eu já ouvira falar do Edgard. Diziam que tinha um cara que tocava violão e guitarra pra caramba. Pra facilitar o contato, em 1978, nosso segundo colegial, já tinham algumas reportagens a respeito do punk. A maioria dos roqueiros não gostava. O pessoal achava mal tocado... O Edgard conhecia e gostava. Foi nossa primeira afinidade, nosso primeiro papo. Quando o vi tocando no palco da escola, fiquei impressionado. Com ele e com o Subúrbio. Eles pegavam alguma canção do hard rock e ficavam meia hora nela, indo e voltando. E como depois eles precisavam de um vocalista para o Edgard ficar atento à guitarra...

Os papos eram no pátio, no intervalo. Música. Punk. Até a coisa ficar mais séria. Mas não muito. Edgard convidou Nasi para cantar uma noite no bar "A Ponto".

Nasi: Ele queria que eu desse uma canja. Eu sabia e gostava de punk. Ele queria acelerar o repertório da banda, com músicas mais pesadas. Não queria mais aquela coisa meio progressiva. Então me chamou para ir no "A Ponto". Cheguei lá e não tinha coragem para encarar o palco. E nem os gatos pingados que estavam lá. Mas tomei umas e subi para tocar com os caras. Cantei *Paranoid*, do Black Sabbath. Depois alguma coisa do Ramones. Foi um negócio muito louco. Botei a cabeça dentro do bumbo da bateria, essas coisas. Tinha pouca gente vendo. Foi legal. O Edgard também disse que eu havia mandado superbem, que tinha um visual legal, com óculos escuros. Mas ainda não imaginava e nem sonhava virar qualquer coisa.

Edgard o chamou para cantar no FICO. Nasi já conhecia as músicas. Tudo ficava mais fácil. Rolou a identidade musical e pessoal. E até futebolística. Eles torciam pelo São Paulo. Nasi mais que Edgard.

Ele assumiu o vocal do Subúrbio no FICO. Representando a unidade do Objetivo da Rua Luiz Góes, a banda defendeu a música *Consciência limpa*. Durante a apresentação, a direção do festival pediu para que tocassem mais duas e emendaram *U.T.I* e *Pobre paulista* – gravadas pelo Ira! tempos depois.

Nasi: Tocamos duas, três vezes. E só. Ficamos pelo caminho.

Mais uma vez o Subúrbio não foi bem no festival. A banda acabou de vez. Mas sem ter um fim. Cada um saiu para um lado, sem papo, nem choro. A maturidade estava batendo na porta e era hora de dar um rumo na vida. Dino já trabalhava. Orelha queria fazer faculdade. Edgard continuou dando duro no Exército. O caminho musical ainda não fazia sentido para ele. Tentou fazer um curso técnico de laboratório de patologia clínica. Não gostou e voltou para o Brasílio, onde terminou o colegial. Enquanto servia, também fazia cursinho para prestar vestibular. Queria prestar faculdade de Educação Musical. Chegou até a entrar na Marcelo Tupinambá, na Vila Mariana. Mas a instituição faliu.

Na cabeça de Edgard, o futuro com música poderia ser ensinando crianças ou dando aulas particulares. Quem sabe, mais tarde, até ser maestro, dedicar a vida toda ao estudo.

Só que numa noite chuvosa paulistana, perdido num ponto de ônibus na Vila Mariana, os deuses do rock resolveram lhe dar uma carona.

7

Nas ruas é que **me sinto bem**

Nasi não teve dinheiro para estudar Agronomia em faculdade particular. Voltou ao estudo. Cursinho para fazer Ciências Sociais. Por influência do tio, prestou História. Entrou na USP.

Nasi: Eu queria mesmo era fazer Arqueologia. Mas já era um curso específico, não tinha mais a ver com História. Na primeira reunião do DCE já me decepcionei. Não tinha aquela efervescência política e cultural que imaginava, mesmo começando a reabertura da ditadura. Ainda assim me envolvi com o movimento estudantil, com a Juventude Socialista. Mas não tive muito relacionamento com os alunos, não. Não tinha um grupo. Não me dava tão bem. Não tive grandes amigos. Comecei a me afastar. Assistia a algumas aulas que gostava, tipo história da arte, das religiões. Deveria ter trancado o curso para depois voltar a estudar. Mas larguei tudo. Acabei jubilado. Uma pena.

Havia uma âncora para se apoiar e firmar ainda na USP. Onde ele não era Nasi, era ainda Valadão. Mas começava a ser o que é.

Nasi: Tinha vinte e poucos anos. Fui morar em Pinheiros, perto da USP. Tinha de sair mesmo de casa. Meus pais sentiram o baque. Mas eu estava a fim de cair de cabeça nas coisas, na vida. Na faculdade eu arranjava uns bicos, uns lugares para cantar, até mesmo como DJ. Quer dizer, na época, eu era um tocador de discos. Não era DJ, como hoje qualquer um é. A cada dia me afastava mais dos estudos e pensava em música. Em montar uma banda. A música apareceu para mudar minha vida. Até comprei uma guitarra, uma Giannini Supersonic, que consegui pedindo dinheiro pro meu avô. Depois dei o instrumento pro Edgard. Engraçado é que era segredo. Pedi pro meu avô não contar. Hoje é outra história. Se bobear, tem pai que dá a guitarra, amplificador e pedaleira pro filho só para ele ganhar dinheiro. É melhor hoje ser músico do que ser médico, advogado, engenheiro (risos).

Bete, que morava na Vila Mariana, perto do Brasílio Machado, era a namorada de Nasi. Na casa dela faziam um som. Mas não exatamente o que ele gostava.

Nasi: Era uma coisa de garagem. Mas o irmão dela queria fazer MPB-cabeça, tipo Oswaldo Montenegro! Puta que o pariu! (risos). Os bandolins o caralho! (risos)! A sorte é que ela tinha um amigo que estava aprendendo a tocar baixo. O Adilson. Ele também tocava com a gente e gostava de punk. A identificação foi imediata.

Adilson Fajardo estudava na PUC e comentou que dois punks do ABC estavam promovendo na faculdade um festival de rock. Melhor: de punk. Eles se animaram. Tinham o vocalista (Nasi), o baixista (Adilson). Faltava um guitarrista.

Nasi: Um dia, lá por setembro de 1981, saindo da casa da Bete, na Avenida Domingos de Moraes, na frente do colégio Arquidiocesano, encontrei no ponto de ônibus o Edgard, voltando do Exército. Falamos bastante e contei que eu estava com a ideia de formar uma banda e precisava de um guitarrista. Ele se animou em tocar uns covers. Pediu para ligar pra ele. Eu liguei. E aí começou tudo.

Pela primeira vez, o guitarrista não montava algo. Era chamado para participar. O Ira! começava naquele ponto de ônibus. Mas sem exclamação. A ideia do nome era de Adilson. No começo dos anos 1980, o Exército Republicano Irlandês intensificou seus atentados na Grã-Bretanha. A organização, conhecida no mundo como IRA (Irish Republican Army), é formada por representantes da minoria católica da Irlanda do Norte. Ela começou a atuar nos anos 60 e defendia a reunificação do país com a República da Irlanda, de maioria católica. Cerca de 60% da população da Irlanda do Norte era formada por protestantes. Os unionistas, como são chamados os protestantes, querem que o país continue ligado ao Reino Unido. Seus principais alvos eram representantes do governo inglês.

Não foi uma homenagem ao IRA, ao terrorismo. Na mente daqueles jovens de classe média baixa que entregavam na música todas as suas frustrações com a falta de emprego, o ensino precário, a dificuldade de acesso à diversão na cidade grande, o sentimento da ira já era um dogma punk. O nome da banda seria Ira. Sem exclamação.

Vocalista, guitarrista, baixista. Mas ainda faltava um baterista.

Nasi: Resolvemos inventar um. O Luiz era um amigo nosso que tinha um visual meio Mick Jagger mas não tinha a menor noção de nada. Comprei uma bateria velha. Eu havia pensado em tocar. Ficou para ele. Era uma coisa meio que feita de caixa de maçã que ficava na casa da Bete. Era nossa bateria. O Luiz era nosso baterista, mesmo sem saber o que era o instrumento. Cem por cento punk (risos).

Luiz topou assumir, digamos, as baquetas. Na casa dele, em Osasco, cidade vizinha de São Paulo, a banda se reunia. Nasi e Adilson trouxeram os amplificadores e mais coisas. A banda cheirava benzina, tomava fogo paulista. Coisa de pobre paulista. Tirar as músicas do Subúrbio levou tempo. Algumas foram deixadas de lado pela complexidade. Covers de punk estrangeiro entraram no repertório: Ramones, Clash, Sex Pistols, Jam.

Nasi: O espírito era rock. Mas a gente não tocava porra nenhuma. O Luiz ou mexia a mão ou o pé na bateria. Não conseguia fazer as duas coisas ao mesmo tempo. Além disso, de verdade, a gente queria era fazer farra. Os pais do Luiz viajavam no fim de semana e a gente prometia encher aquilo de mulheres, mas não vinha nenhuma. E nada a gente tocava. E assim fomos "ensaiando" até a véspera do festival da PUC.

Até perceber que, com Luiz, digamos, na bateria, iria sair menos som do que já não vinha saindo mesmo.

Nasi: Aos 45 do segundo tempo vimos que não dava mesmo para continuar com o Luiz. O Edgard então apareceu com um baterista de verdade, que servia com ele no Exército. Ele tinha uma bateriazinha, tocava bem.

Fábio Scatone chegou para o show na PUC, em outubro de 1981. O Ira estava completo, mas não pronto. Acadêmicos assistiram à estreia da banda. Também viram a apresentação do primeiro grupo de punk do ABC paulista: Passeatas. O vocalista Pádua tinha um gancho no lugar da mão direita. O baixista Binho havia construído uma bomba caseira com pólvora de carvão, pregos retorcidos e cacos de alumínio, dispostos a lançar nos rivais paulistanos. Mas a bomba explodiu antes e amputou a mão de Pádua.

A apresentação foi tensa: havia o boato de que os punks de São Paulo invadiriam o recinto para distribuir porradas em seus "rivais" da periferia. Na dúvida, a galera do ABC "prendeu" dois membros do grupo da capital e os fez de reféns até o final da noite, como garantia de que não haveria invasão alguma. Caso houvesse, os "reféns" seriam sumariamente executados.

São Paulo apreciava duas correntes do punk. Ao contrário do que pregava o ideal do gênero na Inglaterra e nos Estados Unidos, as periferias se confrontavam na capital paulista em vez de se juntar contra o estabelecido.

E o estabelecido não era dos melhores. No começo dos anos 1980, a inflação ultrapassava a casa dos 100% e o desemprego atingia seis milhões de pessoas – desse número, 1,5 milhão somente na cidade de São Paulo. Nesse panorama, o jovem brasileiro ficava cada vez mais excluído do mercado de trabalho.

Clemente Tadeu Nascimento, em meados dos anos 1970, já organizava sua própria gangue no bairro da Vila Carolina, periferia paulistana. Inspirado pelo primeiro álbum que comprou (*Young, loud & snootty, Dead Boys*) e pelos discos de punk que chegavam na loja Wop Bop nas grandes galerias no centro de São Paulo, Clemente montou o Restos de Nada, a primeira banda do gênero em São Paulo. Juntou todas as gangues de seu bairro numa só e criou a Carolina Punk.

Em outros pontos da cidade novas bandas apareciam. Balconista da Wop Bop, Walson, o popular Sid, criara o AI-5. Duas figuras famosas, Calegari e Indião (a primeira pessoa a ter um corte de cabelo moicano na cidade de São Paulo) montaram a NAI (Nós Acorrentados do Inferno) que também contava com Clemente no vocal – mais tarde o grupo virou Condutores de Cadáver e, um tempo depois, Clemente e Calegari montaram os Inocentes. Do Capão Redondo veio o Cólera.

Conhecido da turma era Antônio Carlos Senefonte, funcionário da antiga gravadora Continental. Impressionado com os novos sons e inspirado por dois ídolos, os DJs ingleses Kid Jansen e Cosmo Vynil. Assim, Kid Vinil começou a apresentar um programa semanal na rádio Excelsior. Kid também montou sua própria banda, a Verminose. Apesar de circular no meio dos punks, era diferente, com um pé mais na *new wave*, mais melódica e comercial.

O programa de Kid Vinil na Excelsior ajudou a consolidar aquela cena. As brigas entre as gangues, especialmente a Carolina Punk e os Maquiavélicos, da Barra Funda, ajudaram a espalhar a fama. Mas o ódio maior era entre os punks da capital e os do ABC. Ninguém sabe explicar como a rixa começou. Ricardo

Alexandre, no livro *Dias de luta*, conta que a contenda teve início nos anos 1970, quando a expansão industrial de Santo André, São Bernardo do Campo, São Caetano, Diadema e Mauá se deu a todo vapor. Os roqueiros de São Paulo eram "proibidos" pelos amigos de fornecer material de rock para o povo do ABC. Quando o punk surgiu, também apareceram no ABC os primeiros movimentos sindicalistas. Os punks da região se autoproclamaram "engajados". As facções da capital achavam os vizinhos "trogloditas desinformados".

A coisa piorou quando o paulistano Clemente resolveu namorar uma garota de São Bernardo do Campo. Indião também se engraçou com Rosângela, musa da cena punk do ABC. Era, basicamente, o clima em São Paulo quando o Ira fez a primeira apresentação, em outubro de 1981.

8

Ninguém entende **um punk**

Primeiro show do Ira. Ao subir ao palco do festival da PUC, um pequeno detalhe: onde estava o vocalista da banda estreante?

Nasi: E eu lá sei onde estava? Antes do festival, lembro que estava num boteco ali perto. Me sentia em casa. Por aqueles dias, eu estava meio que largando a USP e várias vezes havia dormido no DCE da PUC. Parecia um sem-teto. Levava um *baguinho* lá e dormia. Bebia muito e tomava algumas anfetaminas ou remédio psiquiátrico. Só isso. Naquele dia, fiquei toda a tarde ajudando na pré-produção do festival. Aí, no boteco, um cara me ofereceu um negócio chamado Artani – remédio pra doença mental. O maluco me disse que era bom... Senti que estava precisando e tomei junto com um rabo-de-galo. Logo depois saí e fui em direção ao lugar do show. De repente, no meio da rua, a "TV apagou". Sabe quando alguém aperta o off e ela sai do ar? Foi o que aconteceu comigo. Saí do ar. Apaguei.

Quando Nasi acordou, lembra só do sangue pelo rosto e pelo corpo caído na calçada. A roupa suja. Doía tudo. E ele apagou de novo. Acordou novamente. Não lembra onde. Mas só compreendia amigos e conhecidos tirando sarro dele pelo estado lamentável. Diziam que ele havia sido atropelado. Que precisavam anotar a chapa do veículo ou do animal que acabara com ele. E ele desligou de novo da tomada. Chapado.

Nasi: Eu tinha mais ou menos consciência das coisas. Sabia que precisava estar bem para o show. Ao menos consciente. Eu estava desesperado. Mas eu capotava de novo. Só lembro de ter acordado de novo em cima do palco, com a banda tocando. Não sei, de verdade, o que cantei. Se é que tecnicamente posso dizer que eu tenha cantado alguma coisa. Lembro realmente de estar pendurado no pedestal do microfone. Acho que devo ter cantado pelo menos uma música. Ou algum trecho dela. Porque, de resto, eu fiquei deitado, desmaiado no palco. Sangrando, todo sujo. Uma pena que não haja gravação daquilo. Certamente seria a apresentação mais punk da história do punk (risos). Uma puta performance. Fiz a pose, segurei o microfone, e não devo ter cantado nada.

O Ira tocou *God save the queen*, do Sex Pistols. *Janie Jones*, do The Clash. Uma canção do Ramones. Nasi dormiu mais uma vez na PUC. Não no palco.

Mas até as noites mais bem dormidas acabam, e um dia era hora de voltar para o cotidiano dentro do Exército, naquele outubro de 1981. Edgard já lutava o bastante para fazer do Ira uma banda, e não tinha intenção de cumprir o serviço militar. Como não fez nada para se esquivar na época do alistamento, foi sendo aprovado em todos os testes, até perceber o tamanho da encrenca em que estava se metendo.

Edgard trocou ensaios pelos treinamentos, as palhetas pela munição, o dial das FMs pelas frequências do radioamador. Aprendeu na marra a ser durão. Mas não estava sozinho: bandidinhos, filhinhos de papai, gente humilde, moleques sem família, gays. Era possível traçar um panorama completo da adolescência masculina observando a fila do Exército. Ficava ainda mais difícil ser um punk que servia o Exército. Edgard teve inúmeras ideias para usar no Ira quando os tempos de farda acabassem: *Núcleo base*, um dos primeiros sucessos do grupo, é reflexo imediato desse período.

Mas ele se acostumou. Fez amigos. E a música o ajudou novamente. Edgard entrou para a banda do Regimento, tocando a lira (uma espécie de harpa) que era seu instrumento-símbolo. Madrugava para tocá-la às seis da manhã. Com a entrada na banda, seu nome desapareceu da lista de chamada de sua companhia.

Se por um lado a rotina na caserna era de matar, o Exército também ajudava a criar o caráter do jovem Edgard e, principalmente para o momento, contribuir para o sustento da família, que passava apertado naquela época difícil da economia brasileira. O pai estava desempregado. A mãe nunca trabalhara. O que sobrava do Exército, e mais shows e festas em que tocava, ajudavam Edgard a melhorar a vida da casa. Mas não tanto. Como no Natal de 1980. O irmão mais velho e a irmã já não moravam na casa da família, em um cortiço. Eram apenas os pais e Edgard. A TV estava queimada. A ceia natalina foi um frango assado de padaria, uma salada, maionese. John Lennon fora assassinado duas semanas antes. Quando no rádio começou a tocar *Imagine*, o pai de Edgard começou a chorar.

Sem perspectivas, ele cogitou a ideia de sair de casa e morar num navio, trabalhando como músico contratado, ganhando em dólar. A ideia veio de um baterista que conhecera no Exército, que tinha o apelido de Steve. Mas Edgard acabou ficando.

Para completar o cenário sem perspectiva, logo após o festival da PUC, o Ira deu um tempo. Cada um retomou suas atividades normais. Ou quase isso.

Nasi: Praticamente não dormia em casa. Ou dormia na casa de um amigo ou quando os pais da minha namorada viajavam, eu ficava lá com ela. Depois desse show do Ira, não tinha ideia de continuar. A banda foi feita pra fazer aquele show, depois disso o Ira praticamente perdeu o sentido de ser. Mas eu curti muito aquela experiência e a coisa, todo o conceito de punk rock estava tomando mais posição. O que pra maioria dos roqueiros era só uma moda, uma tendência passageira em 1976, 77, estava virando cada vez mais uma realidade. O rock se rendeu ao punk. Era a coisa mais importante que existia nessas bandas e eu também estava me tornando um grande colecionador de discos. Eu vivia na Galeria do Rock (no centro de São Paulo) e foi aí que a gente começou a ficar articulando com os caras do movimento punk, apesar de não fazer parte da turma.

Ele começou a receber propostas de tocar em alguns bares na noite paulistana – a grana também ajudaria bastante, naquela época: o pai pulava de emprego e a mãe vendia tupperware de casa em casa. Era preciso fazer algo: barulho.

Nasi: Depois do show na PUC, nós sumimos, eu e o Edgard. Mas ele continuou tocando. Juntou com um baterista, o Victor Leite, com quem eu já tinha tocado numa daquelas canjas, e começaram a fazer um som mais punk. Precisavam de um vocalista. Era preciso refundar o Ira. O sonho não acabara nem com o pesadelo da primeira performance.

9

Na mente fantasia, **cantando a melodia**

Edgard foi até a casa de Bete, namorada de Nasi, com o baterista Victor Leite. Convidou Nasi para continuar com o Ira. Com Adilson no baixo. Eles tinham um espaço na casa de Victor, também na Vila Mariana, para a banda ensaiar. Quer dizer... Um depósito de livros onde mal cabia a bateria. Mais três membros, com baixo, guitarra, microfone, amplificadores? Não teria cabimento. Mas teve até gravação.

Nasi: Eu peguei um daqueles gravadores bem antigos e gravei o primeiro ensaio num cassete com som ambiente, sem microfone. Tem até uma versão punk de *Noite feliz*, bem profana. Considero essa a primeira gravação da história do Ira.

No repertório, além de punk, Beatles, Rolling Stones (como 110% das bandas de botecos no início dos anos 80), mais covers de rock e alguma coisa de Edgard. *Pobre paulista* entre elas.

Nasi: Logo começamos a conseguir fazer alguns shows em bar. Mas, no comecinho de 1982, ainda tinha censura prévia. A primeira coisa que um dono de bar perguntava era se a banda tinha música própria. Se tivesse, tinha de ir até a polícia pedir autorização para passar pela censura. Uma das nossas foi censurada. *Não pague pra ver*. Não entendemos. Não tinha nada de revolucionária, subversiva. Era só um cara apaixonado por uma garota.

Mas caiu a ficha um dia quando Nasi ainda não se conformava pelo veto. Relendo a letra ele parou no verso "a sensação de ver meu corpo entrando no seu". Arrá! Nasi pediu para Edgard ajustar a letra para "a sensação de ver meu corpo ao lado do seu". A música foi reapresentada à censura. Passou.

O Bar sem nome, em Moema, zona Sul da capital, era o palco preferido da banda. Virou até uma canção nunca gravada. Um lugar que deixou marcas indeléveis para a banda, especialmente para o baterista Victor Leite.

Nasi: Não me pergunte como e nem o porquê, mas tinha um mico no bar. Um macaquinho. O bicho era impossível. E ele amava torturar o Victor. Ficava pulando em cima dele, gritando. Até o dia em que mijou em cima do Victor e ele ficou doido, queria pegar o animal. Parecia filme do Tarantino (risos).

Os ensaios na casa do baterista deram um tom mais profissional ao Ira. Ou menos amador. Edgard começava a trabalhar em composições mais elaboradas, ainda que com aquele ímpeto juvenil. Nasi começou a se descobrir como cantor, com presença mais marcante.

Nasi: Era, digamos, uma fase meio *Iggy Pop*, do Stooges. Me cortava, quebrava copo, botava a cabeça no bumbo no palco... E olha que eu nem usava droga ainda. Bastava a cerveja para me deixar uma fera. Fazia meio que para chocar mesmo as pessoas. Até que parei depois de um tempo quando me senti meio que um palhaço fazendo aquilo.

Os primeiros shows geraram desavenças. A atitude era punk. O som? Nem tanto. Calegari, do Inocentes, fazia um fanzine respeitado no *underground*, o SP Punk. Um guia do que fazer, do que não fazer, do que ouvir, do que não ouvir no movimento. Em um dos shows do Ira no teatro Lira Paulistana, a meca do rock no início dos anos 80, o grupo se rotulou como uma banda punk *new wave*. Nem eles sabiam o que aquilo significava.

Nasi: Não se falava muito em pós-punk, mas a gente era isso. Também não nos considerávamos *new wave*... *New wave* no Brasil ficou aquela coisa verde limão, soft, mais pop... Mas o termo já vinha desde Lou Reed, Iggy Pop. O punk já era chamado de *new wave* como nova onda, bossa nova. O nosso cartaz como *punk new wave* era um jeito de se definir como pós-punk. Mas não sabíamos disso. Não havia esse nome.

Durante o show, o Ira chegava a acrescentar elementos de reggae. Fez uma versão de *Rock lobster*, do B-52's. Calegari odiou. Desceu a lenha nas páginas do fanzine. Do tipo: "Fui num show lá do Ira e o que me chamou a atenção num cartaz é que estava escrito "*punk new wave*". O que punk tem a ver com o gênero eu não sei, porque punk é punk e *new wave* é *new wave*. O que eu vi quando eu cheguei lá? Só um guitarrista que faz solo. Quando que isso tem punk rock? Um baterista que faz solo de bateria? Tinha reggae. Os caras tocavam reggae! Precisamos combater esses falsos punks que usam o nome do punk rock para atrair público".

As palavras de Calegari no SP Punk eram lei entre os moicanos paulistanos e a coisa poderia ter ficado feia. Nasi resolveu tirar satisfação com o tal líder. A primeira de muitas reações às críticas da imprensa.

Nasi: O fanzine era muito importante. O punk era uma coisa que estava emergindo e ninguém falava sobre isso e chegou um fanzine do Calegari para suprir a carência. Só que ele não só nos detonou como também incitou os caras a pegarem a gente.

Nasi chamou o baixista Adilson e foi até a Galeria do Rock resolver a situação. Chegou, foi até a loja que pertencia ao pessoal da banda Olho Seco e intimou Calegari. Rasgou o fanzine na cara do sujeito e completou: "Tá aí, cuzão". Calegari, rodeado de punks, não acreditou na petulância daquele gordinho.

Nasi: O pior é que ele se fudeu. Veja só como as coisas voltam, né? Os Inocentes já tiveram que ir lá fora gravar um disco, né? Tiveram que parar de tocar durante uma época, ou pelo menos tocar em lugar punk, porque os caras iam lá quebrar. Fizeram isso com os Inocentes, com o Cólera, com o Ratos de Porão. Fica se mexendo com esses fascistas. No nosso caso, só faltou ele dizer "vamos no próximo show desses caras e pegar um".

Algo que aconteceu num show de rock logo depois.

Nasi: Eu estava lá. Os punks quebraram o Kid Vinil. Sempre fui superfã do Verminose. O Kid, ao lado do Antônio Bivar, foi um dos caras que realmente organizou toda essa turma. No meio, tinha alguns pensadores legais, como o Redson (do Cólera), o pessoal do Olho Seco, que são super gente fina, o próprio Clemente. O Kid e o Bivar conseguiram dar àquilo um status de movimento musical. Ele comandava o único programa de rádio que tinha. Era o cara que divulgava a cena. Aí os caras começaram a tirar uma dele. Uma hora o Kid chegou e foi falar assim: "Pô, deixa eu dar o show aí galera, dar a maior força pro movimento". Aquilo ecoou: "Movimento, mento, mento, mento..." De repente alguém gritou: "MOVIMENTO? Quem é você para falar do movimento?" Coitado. Não tinha para onde fugir. Era um palco contrário, onde o público descia até você. Nunca vou esquecer. O baterista pegando o suporte da caixa para se proteger, tipo domando leão... Só faltou o chicote. Quebraram tudo. Foi o último show do Verminose. O Kid mudou a banda, fez *new wave*, depois virou Magazine e fez um tal de *punkabilly*. Achei uma puta sacanagem. Eu lembro... O Clemente estava lá também. O Clemente sabe o que eu sei. O Ira tinha acabado de nascer. Não vi ninguém fazer nada. Não vou dizer que o Clemente quebrou, mas ele tinha ascendência sobre esse pessoal. Podia ter chegado e dizer "Ô, meu, que é isso? Ele é um puta líder". Ninguém fez nada. Por isso que esse tipo de incitação é perigoso.

Um show no Teatro Ruth Escobar também deu rolo. Vários artistas reunidos para a arrecadação de remédios para a Nicarágua. Ira, Mercenárias, Coquetel Molotov eram algumas das bandas engajadas. Tudo quase maravilhoso e solidário até que o organizador do evento, filiado ao Partido Comunista, dono do Napalm, resolveu cobrar ingressos de todo mundo, inclusive dos músicos das bandas e das respectivas namoradas. A discussão chegou até o palco. Nasi já estava mais para lá de Marrakesh que para cá de Manágua e discutiu feio com ele ou nem discutiu.

Nasi: Eu era do PSS, Partido do Socialismo Sexual (risos). "Ninguém é de ninguém" (mais risos). Acabei batendo de frente com o autoritarismo desse camarada. Todos os músicos estavam contribuindo gratuitamente pela causa e ainda tínhamos de nos submeter a esse tipo de exploração capitalista (risos)? Vai se foder! As cortinas baixaram e o couro comeu. A Nicarágua era ali no Ruth Escobar (risos).

10

Quero ver gente **da minha terra**

São Paulo. Trânsito, assalto, enchente, imposto sobreposto, poluição, vida cara, vida injusta. Mas quem nela nasce defende o berço mesmo atacando seus erros. Quem tenta fazer a vida na capital de cimento não a larga como se fosse um vício sem clínica e sem chance de reabilitação. O maior rio do mundo para o paulistano de RG ou de adoção é o Tietê. Por isso, um ser de São Paulo se vê e se ouve de longe. Como cada membro do Ira!. Como uma das bandas mais paulistas da história do rock.

No final dos anos 1950, a cidade produziu dois ícones do rock que ainda engatinhava: os irmãos Celly e Tony Campello, que vieram do interior, de Taubaté, com uma geração que descia a Rua Augusta a 120 quilômetros por hora. Roberto Carlos e Erasmo Carlos conquistaram o país pela paulistana TV Record.

Foi na emissora que, durante o 3º Festival de Música Popular Brasileira, em 1967, o cantor e compositor Gilberto Gil apresentou uma nova canção, *Domingo no parque*, com arranjo original e genial, e vinha acompanhado de um excitante e novíssimo grupo: Os Mutantes. Rita Lee Jones, Arnaldo e Sérgio Dias Baptista escreveram em seu apartamento na Avenida Angélica, centro de São Paulo, uma das páginas mais originais do rock brasileiro. É da família mutante o baixista Arnolpho Lima Filho, o Liminha, principal produtor do rock brasileiro nos anos 80, e personagem na saga do Ira!.

As cabeças roqueiras no começo dos anos 1980 dormiam com uma sensação de isolamento. Sabiam que pintava um clima, que algo estava acontecendo, mas os paulistas pareciam estar meio de lado, por fora. O Brasil vivia o início da abertura política. A ditadura já não era tão dura quanto antes, mas não era bom dar bobeira. Naquela época, era preciso ter cultura para cuspir na estrutura. Dava para meter a boca sem a língua entre os dentes, desde que com inteligência, refinamento, sagacidade, coisas que os censores não entendiam. Musicalmente, o cenário brasileiro sentia uma coceira atrás da orelha. Alguma coisa estava acontecendo, tinha gente se mexendo. Acenderam o fósforo, colocaram fogo no pavio curto.

O jovem urbano se preocupava com a namorada que queria sair sozinha e o deixava morrendo de ciúmes, com sua falta de autoestima, com a decepção em 1982 de uma brilhante seleção brasileira ante ao futebol pragmático, com a vontade de votar, com uma gravidez indesejada, com o direito de saber escolher presidente. Diretas Já, em 1984, Democracia Corintiana, em 1982, Sócrates, Falcão, Zico, Casagrande, Chulapa, Wladimir, Ulysses Guimarães, Marcelo Rubens Paiva, Partido dos Trabalhadores, Lula. O Brasil estava mudando.

A cabeça girava em 45 rpm. Mas as rádios paulistanas pareciam estar fora daqueles ares de revoluções e tufões de mudança. A música popular, jovem, brasileira praticamente não existia. O rock dava seus primeiros passos, mas ainda não tinha força para abrir a porta de um elevador. A MPB de então não parecia dar todas as respostas.

Nasi: A música brasileira era um bolerão só no começo dos anos 80. A abertura política do país precisava dar uma cara para a juventude. Ter uma voz forte. Não eram mais eles. Seríamos nós. Mesmo que nós não soubéssemos direito disso. A gente não sabia que estava realmente fazendo parte de um movimento. Era mais ou menos como sair de uma pelada na rua para um clássico num Morumbi lotado. Não tivemos um rito de passagem. Foi tudo muito rápido.

Nascia junto com o Ira uma série de artistas - não só músicos, mas artistas plásticos, atores, cineastas, escritores, estilistas e até jogadores de futebol - que rezava na mesma cartilha, com mesmas influências culturais e pontos de vista parecidos.

Esse grupo organizava todo um movimento cultural na capital paulista, com roupas, discos, livros, casas noturnas e drogas circulando. Uma banda importante era a Gang 90, cujo baterista era Victor Leite. As portas se abriam ao Ira.

Na busca pela voz dessa geração, o Rio de Janeiro saiu na frente. Quando os jovens decidiram cantar para jovens, o que só se ouvia eram bandas e artistas cariocas - ou ali radicados - como Blitz, Ritchie, Barão Vermelho, Kid Abelha e Paralamas do Sucesso. Eles invadiram a praia e as rádios a partir do segundo semestre de 1982. O que aumentava ainda mais a sensação de isolamento dos roqueiros paulistanos, ainda presos aos dogmas punk. Apesar da escassez de informações em uma era bem distante de internet e revistas importadas, os roqueiros paulistas ouviam o que era feito de mais novo na Europa.

Aos poucos a cena foi se formando. Uma série de bandas começou a invadir os palcos independentes da cidade. Além da Gang 90, uma banda punk formada só por mulheres: Mercenárias.

O art-rock dos Voluntários da Pátria, com Nasi nos vocais. O estranho som do Smack, um grupo tido como maldito por subverter melodias e falar sobre drogas em suas letras. O Ultraje a Rigor com seu rock direto e letras divertidas. Também nascia o Cabine C, do poeta Ciro Pessoa, navegando por turbulentas vagas existenciais.

Além da vontade de fazer um som contemporâneo, diferente e mais vanguardista daquilo que se ouvia nas rádios, essas bandas tinham um catalisador e um nome comum: Edgard Scandurra.

Rolava no ar paulistano, além de muita poluição e alguns baseados, uma vontade de fazer alguma coisa. Com influência do punk ou não, o mundo cultural sentia que precisava abrir novos espaços. Wilson Souto Junior, o Gordo, criou um teatro em sociedade com o administrador Valdir Galiano. O local, na cabeça de Gordo, serviria tanto para peças teatrais como para novos músicos. Ficava na Rua Teodoro Sampaio, zona Oeste da capital. Antes de virar meca cultural, era utilizado como depósito de móveis. Com uma grande ajuda dos amigos artistas, nasceu no subsolo da Teodoro, o Teatro Lira Paulistana.

Novos artistas se rebelaram contra os senadores da MPB estabelecida. O Lira era o berço da festa, mas sem uma ideologia definida, só pela vontade de fazer algo de novo, eles se juntavam e jantavam as sobras. "Qualquer coisa que tivesse uma coisa organizada, dava um pouco de ânsia de vômito. Tudo o que repudiávamos eram coisas organizadas: o regime militar, as gravadoras que não abriam espaço, as rádios, as 'novidades' de plástico, a modernidade da TV Globo. Nada disso representava o que vivíamos em sociedade. O maior discurso era o não-discurso, esse desmoronamento, para que a criatividade pudesse erguer algo. Uma prospecção de uma nova estética e de algo que pudesse sair dali", contou Wilson Jr. ao jornalista Ricardo Alexandre, no livro *Dias de luta*.

No Lira se reuniram alguns dos grupos musicais mais criativos do *underground* paulistano que se formou entre meados da década de 1970 e começo dos anos 1980. Um dos seus principais nomes era o paranaense Arrigo Barnabé. Ele levou ao Lira um grande amigo, Itamar Assumpção. Negro, pobre, filho de capoeirista pai-de-santo, Itamar era um compositor genial, mas sem espaço no mercado fonográfico. Wilson, fã de Itamar, montou uma gravadora especialmente para organizar as ideias do ídolo. Dessa ação entre amigos nasceu o disco *Beleléu leléu eu*, outro pilar da vanguarda paulistana.

Esses lançamentos se juntaram a outros três grupos da gema, que já militavam na noite: Premeditando o Breque, Rumo e Língua de Trapo. O primeiro, inicialmente, era um grupo de choro. Mais tarde injetaram doses de humor em suas letras: foi quando passaram para o lado A das rádios. O primeiro disco da banda, homônimo, também foi lançado pelo selo Lira Paulistana, em 1981. Trazia clássicos *undergrounds* como *Fim de semana* e *Marcha da Kombi*, que começariam a ganhar as rádios mais comerciais.

O Lira também lançou o disco de estreia do Língua de Trapo, que tinha uma proposta próxima ao Premê, mas com um humor mais escrachado, cheio de referências sonoras que iam do sertanejo ao hard rock, bebendo da fonte luminosa do grupo argentino Les Luthiers. O Rumo era mais antigo, foi criado no início dos anos 70, e era uma clara influência para todos esses artistas. A grande característica do Rumo era o canto falado e as harmonias vocais, nascidas das pesquisas de Luiz Tatit.

O teatro acabou ficando pequeno demais para o "movimento". Mas se era pequeno para a vanguarda, era perfeito para uma nova geração que engatinhava naquele momento. Essa tal nova geração deu sua primeira rebolada em dezembro de 1980, na inauguração da boate Paulicéia Desvairada, a primeira casa *new wave* paulistana, de propriedade dos primos e agitadores Nelson

Motta e Ricardo Amaral. The Police, B-52´s, Talking Heads, Devo e Duran Duran eram representantes de peso do enorme guarda--chuva *new wave*. Esse era o som do Paulicéia.

Para compor a trilha da inauguração da boate, trouxeram de Nova York um carioca apaixonado por música e novidades: Júlio Barroso. Botou todo mundo para dançar a noite toda e esticou o resto da vida (e de todas as carreiras) por São Paulo. Resolveu concluir uma antiga música, que já tinha rascunhado em Nova York, chamada *Perdidos na selva*. Sabia que tinha um hit nas mãos. Montou a banda Gang 90 & as Absurdettes, gravou o *single* da canção e estreou nos palcos no início de 1981, no Paulicéia Desvairada. Em agosto, foi defender *Perdidos na selva* no festival MPB-Shell da TV Globo. Para surpresa geral da nação, classificaram-se para a grande final. Não ganharam, mas a música se tornou um sucesso e inaugurou a *new wave* no Brasil. Júlio Barroso voltou para Nova York. Mas não por muito tempo.

Uma nova geração de artistas estava se formando no circuito musical paulistano. Alguns dos líderes vieram da Universidade de São Paulo. Na USP, apareciam jovens intelectuais conectados e em sintonia com o que de melhor se fazia musicalmente lá fora. Dessa turma se destacavam Thomas Pappon, que cursava Rádio e TV; Alex Antunes, que ao lado de Sandra Coutinho fazia Cinema; Cadão Volpato, Paulo Ricardo Medeiros e Rui Mendes, do Jornalismo, e Bia Abramo, que estudava Psicologia. Todos carregavam uma forte carga teórico-política.

Essa turma intelectualizada, conhecedora do novo se juntou com os punks, que já começavam a deixar de lado o som mais tosco do gênero e buscava novas influências: U2, Echo & The Bunnymen e The Cure. Nessas encruzilhadas entre o punk e a intelectualidade ficava Marcos Valadão. Nasi também era uspiano e cursava História. O Ira que nascia nesse período conseguia ser amado por ambos públicos: intelectuais e punks. Como escreveu Ricardo Alexandre, o Ira era "a cara do movimento que se criava".

Nasi: O Ira foi um elo entre o punk suburbano e o rock *new wave*. Foi num show no Lira, quando tocamos pela primeira vez Tolices, que um cara logo berrou: "Aí, Menudo!!! (risos). Na hora fiquei traumatizado... mas depois entendi. Foi um rito de passagem. Saquei o que ele queria dizer.

Júlio Barroso voltou de Nova York. Depois da frustração da perda da Copa na Espanha para a Itália de Paolo Rossi, em 5 de julho de 1982, o Brasil sorria e se rendia ao megassucesso *Você não soube me amar*, da Blitz – claramente influenciada por *Perdidos na selva*, da Gang 90. Empolgado, Júlio arregimentou uma nova formação para a sua banda, que contava com as vocalistas Alice Pink Pank (musa-mor dessa geração), Lolita e Mae East, além do lendário baixista Skowa, os guitarristas Herman Torres e Miguel Barrella e o irado Victor Leite na bateria.

Com a banda na mão, Júlio também precisava de um lugar para se apresentar, já que o Paulicéia Desvairada tinha acabado. Acabou montando um bar chamado Hong Kong, na alameda Ministro Rocha de Azevedo, nos Jardins. Local que tinha até VJ, Mae East, que também cantava com a Gang 90. Altas músicas, bebedeiras e drogas.

A chegada de Júlio, a nova Gang 90 e a inauguração do Hong Kong agitaram a cena roqueira paulistana. O Ira ganhou espaço e músculos por dividir o baterista com a banda de Barroso. A banda ensaiava na casa de Victor, na Vila Mariana, um ponto no meio do caminho para Nasi e Edgard. O grupo começava a fazer alguns shows, no segundo semestre de 1982. O teatro do Lira Paulistana iniciava uma sessão maldita, chamada Boletim de Ocorrência, sempre à meia-noite, onde jovens grupos de rock e MPB aproveitavam para se apresentar. Mas por ser um reduto de gente ainda muito ligada à música brasileira, o Lira ainda não conseguia se identificar com o público roqueiro, que preferia o Hong Kong, de Júlio Barroso. Melhor para o Ira.

Nasi: Com o contato inicial facilitado por termos o mesmo baterista, abrimos dois shows da Gang 90 que foram fundamentais. Principalmente, porque tinha um público de formadores de opinião, jornalistas modernos, e nesses dois shows eles tiveram uma boa impressão da banda.

Um deles era Alex Antunes, estudante de Cinema da USP:

Alex Antunes: O Ira (ainda sem exclamação) parecia uma banda a meio-caminho desses dois universos, o mais punk e o mais universitário. Neste sentido, a turma da ECA-USP era um dos maiores focos de informação e agito. Com o surgimento de espaços como Carbono 14, Napalm e Madame Satã as coisas foram entrando em foco e virando uma tribo e um circuito muito bem-organizados (bem-organizados pra rock, quero dizer)...

Nasi: Puxa, o Alex acabou reconhecendo mais um mérito do Ira!: fomos a banda criadora do punk universitário (risos).

11

A saga

A primeira demo da banda foi captada por um gravador de rolo de dois canais, que pertencia a Zé Brasil, ex-membro do grupo Apocalipse. Edgard e Victor já tinham tocado com Brasil. A demo tinha *U.T.I.*, *Pobre paulista, Lá fora pode até morrer e Não pague pra ver*. Zé Brasil era amigo de Kid Vinil. O programa dele, que começava meia noite na Excelsior, era obrigatório para quem buscava novos sons. A demo chegou às mãos de Kid. Ele gostou. Tocou todas as faixas. Era a primeira vez do Ira no rádio paulista.

Kid Vinil: Conheci os caras num show da minha banda, Verminose. Eles me convidaram para ver um ensaio. Quando cheguei, fique impressionado com a força de vontade dos caras. Era o único jeito de vencer naqueles tempos. Na raça. Eles não tinham estrutura alguma, só um amplificador para a guitarra. O Nasi cantava no grito para ser ouvido. Mas dava para sentir algo especial naquelas músicas. Aí, quando um mês depois chegou a fitinha de rolo dos caras, claro que a toquei.

Edgard não parava em casa, quer dizer, até fazia o serviço do lar. Ele namorava Sandra Coutinho, que tocava baixo na banda de Eliete Negreiros e já era razoavelmente conhecida na vanguarda paulistana. Sandra resolveu montar um grupo de punk rock só de mulheres: As mercenárias.

Mesmo sem tocar no rádio, elas se tornaram um dos referenciais do punk rock brasileiro, tanto pela agressividade do som como pela temática anarquista das letras. Na banda, Edgard era o único homem e responsável pela bateria, que também aprendera a tocar sozinho. Na casa de Sandra, havia uma escada espiral. Ele sentava em um dos degraus e colocava duas listas telefônicas. Fazia a caixa na lista e a escada era o prato.

Ricardo Alexandre conta em livro a lendária história de um executivo de gravadora que veio do Rio de Janeiro para conhecer a mitológica banda de garotas paulistas. Esperava encontrar um novo Sempre Livre (donas do sucesso pop *Eu sou free*). Foi recebido na pauliceia pelo empresário Caíto Camargo. A primeira canção que ouviu foi *A honra*, com os meigos versos *a honra do homem/ tá no cu/ tá no cu/ tá no cu*. Melhor se proteger com Sempre Livre. Mas nem tanto.

Numa dessas noites roqueiras, Edgard ficou amigo de Sérgio Pamplona, o popular Pamps, líder do Smack. Talvez o grupo de estética mais radical de toda a cena. Pamps, assim como Sandra, também tocava com Eliete Negreiros e, vez por outra, participava de apresentações de Itamar Assumpção. O Smack não lançava mão de melodias formais e suas letras sempre versavam sobre temas polêmicos. Era um grupo maldito mesmo entre os malditos.

Victor contou para Edgard que tinha um amigo chamado Roger Moreira, que estava a fim de montar uma banda de covers dos Beatles e Rolling Stones. Como Edgard não tinha telefone em casa, ligou do Victor mesmo para Roger. Basicamente, foi assim:

– Alô, Roger?

– Sim?

– Aqui é o Edgard, sou amigo do Victor, que passou seu telefone. Fiquei sabendo que você está montando uma banda cover dos Beatles e está precisando de guitarrista.

– Ah, legal. É verdade. O nome é The Shittles. Só que tem um porém.

– Qual é?

– Eu sou o John, o Leôspa é o Ringo, o Sílvio é o Paul, e você só vai poder ser o George.

– Tudo bem.

Assim os Shittles fizeram o circuito de shows em bares de São Paulo, como o lendário Woodstock. Não tocavam somente Beatles, mas também alguns covers da Jovem Guarda ou sátiras de trilhas de desenhos animados. Quando o movimento roqueiro começou a se organizar, com reuniões para discutir cachês na casa do músico Marcelo Fromer, espiões de gravadoras observando shows e coisa e tal, Roger sentiu que era hora de fazer aquela palhaçada toda a sério. Para isso, precisava de um novo nome.

Em 1º de maio de 1982, Roger e Leôspa discutiam um novo nome para a banda durante uma festa. Pensaram em Ultraje, mas sentiram que isso soaria punk demais para um grupo que não tinha exatamente essa proposta. Passando por ali, em meio a todo o barulho festeiro, Edgard se meteu na conversa: "Traje? Que traje? Traje a rigor?". Os dois riram e sacaram o trocadilho. Ultraje a rigor era o nome perfeito para a irreverência sonora que eles promoviam. Sem querer, nascia um grupo fundamental para o rock paulista.

A coisa começou a ficar ainda mais séria quando começaram a surgir as grandes danceterias em São Paulo. Em julho de 1983, nascia o Napalm, no centro de São Paulo, o principal ponto de encontro de toda a fauna. A ideia do Napalm era contratar punks para trabalhar na casa, uma maneira de mostrar para os moicanos que seriam bem-recebidos. Eram funcionários, pessoas conhecidas do movimento, como o porteiro João Gordo (do Ratos de Porão); o bar ficava a cargo de Mingau (Inocentes) e Vilma (Garotas do Centro), e o lendário Callegari (Inocentes) como técnico de som.

Também no centro, na Rua Conselheiro Ramalho, funcionava o Madame Satã, que já estava em atividade desde 1982 em um velho casarão e abriu o seu famoso porão para as bandas iniciantes. Também completavam a cena alguns locais que, além de palcos para rock, traziam no bojo pista de dança, bar e até cineclube. Clubes como Victoria Pub, Ácido Plástico, Rose Bom Bom e o Carbono 14.

Em maio de 1982, também nascia um dos palcos fundamentais para o rock paulistano, na ativa até hoje: O Centro Cultural São Paulo. O contato no CCSP era Caíto Gomide, uma espécie de "empresário" de toda essa geração. Junto com Magali do Prado, colega de trabalho, criou a Rádio Atividade para tocar as novas bandas no sistema interno de som. O local, que além de shows, também tinha exposições de artes plásticas, teatro, cinema e biblioteca, recebia cerca de 100 mil pessoas por mês. Uma boa maneira de difundir os sons. Também no CCSP, acontecia o projeto Reincidência, com uma temática mais punk, mas abrindo espaço para todas as vertentes roqueiras que se produziam na capital. Muito mais do que agitador, o Caíto foi uma espécie de empresário e padrinho da banda.

Caíto era muito amigo de Victor Leite e muito amigo de um advogado que também era amigo de Victor, o Sergei. Eles tinham muitos discos de rock, punk, reggae. Caíto apresentou a banda para alguns jornalistas, e também começou a vender alguns shows. Comprou a primeira guitarra para Edgard, uma Fender Stratocaster, mas o guitarrista preferia a velha Giannini. Ele foi quem primeiro cuidou do Ira. E também das Mercenárias, Muzak, até ter uma crise de asma e sofrer uma parada cardíaca, logo após um show. Caíto só tinha 29 anos.

Nasi: Ele foi fundamental não só para o Ira!. Para toda aquela cena que crescia nos porões de São Paulo. O Caíto nos alimentava com discos de fora do país. A primeira vez que vi Talking Heads, Gang of Four, XTC e outras bandas assim foi pelas mãos dele. Era uma espécie de mentor de todos. Tinha uma visão estética e política muito vasta a respeito do rock no Brasil e no mundo. Uma perda irreparável para todos.

Foi ele quem levou Alex Antunes para ver o Ira pela primeira vez.

Alex Antunes: Foi no bar Rosa Proibida, no Itaim. O Edgard já arrasava. Porque era Gang of Four (minha banda predileta) pra caralho. Foi quando o Ira me impressionou mais.

Quem também babou no som do Ira foram as donas da butique Kaos Brasilis, na Rua Conselheiro Brotero, em Higienópolis. Ela tinha como ideal ser a primeira do ramo a produzir roupas com a cara *new wave*. A loja era comandada por Marta Oliveira, uma antiga namorada do músico Tony Bellotto, em sociedade com Rita Locatelli e Marta Fromer, então esposa de Marcelo Fromer. Como Marta Oliveira conta no livro *Quem tem um sonho não dança*, de Guilherme Bryan, "a ideia era fazer nossas roupas, porque não tinha lugar que vendia com tendências *new wave* que queríamos. (...) Todo mundo adorava, porque tinha calças coloridas, roupas de rato, barata, mapa do Brasil".

Muito mais do que uma loja, a Kaos Brasilis virou um ponto de encontro, principalmente da banda Titãs do Iê Iê, que tinha Bellotto e Fromer na formação. Músicas eram compostas e personagens da cena se conheciam através da Kaos Brasilis.

Uma noite, as Martas Oliveira e Fromer passaram na porta do Lira e ouviram um barulho contagiante. Entraram e deram de cara com uma passagem de som do Ira.

Marta Oliveira: O Nasi já estava pulando. Parecia que cantava para milhares, mas não tinha ninguém. Fomos conversar com eles, que pediram para a gente voltar de noite no show. A gente voltou e levamos os Titãs para conhecê-los. Foi quando começou toda a ciumeira.

Foi quando começou toda uma relação de parceria, amor e ódio, que as duas bandas tentam eternamente apaziguar, em vão.

Nasi: As primeiras roupas sob encomenda que fizemos foi com a Kaos Brasilis. Calças que rasgavam no meio dos shows... Começou tudo ao mesmo tempo, conspirando em torno, o rock brasileiro nascendo.

E tudo, realmente, conspirava.

12

E vou cantar **o quê?**

Nasi começava a arregaçar as mãos e esquentava a garganta em outros pontos e pontas além do Ira. Fazia parte de um grupo chamado KGB, especializado em tocar covers de grandes nomes do punk e do rock, digamos, de esquerda.

Nasi: O KGB era uma banda supercultuada. O núcleo da banda era eu, o Victor Leite (bateria) e o Ricardo Gaspa (baixo). Os guitarristas passavam. O Edgard tocou em uma fase. O Fernando Deluqui, que seria do RPM, fez teste, mas não passou. Tinha um monte de gente que eu nem lembro mais o nome.

Mas uma banda lembrou de Nasi para cantar. Os Voluntários da Pátria, um dos mais respeitados nomes do rock paulistano. Miguel Barella e Thomas Pappon criaram o grupo no significativo 7 de setembro de 1982. Na primeira formação, Celso Pucci, conhecido na cena como Minho K, Maurício Rodrigues (que mais tarde entraria no Ultraje a Rigor) e Guilherme Isnard nos vocais. As maiores influências do grupo eram o Gang Of Four e o King Crimson. Os guitarristas Barella e Minho K tocavam guitarras idênticas, que só faziam sentido quando executadas ao mesmo tempo. Nas letras, existia forte apelo socialista. A estreia do grupo foi no Carbono 14, abrindo justamente para o Ira.

Pappon era um dos cabeças não só do grupo, mas de todo o movimento:

Thomas Pappon: Era um grupo respeitado pacas, principalmente entre os músicos. O Minho K, o Miguel, e, depois, o Giuseppe Fripp, eram tidos como guitarristas meio que "bandeirantes", abrindo novos caminhos, principalmente o Miguel, que usava guitarra sintetizada.

As referências musicais e a habilidade dos instrumentistas, aliadas às ótimas sacadas literárias de canções como *Cadê o socialismo?*, *Resistência afegã*, *Verdades e mentiras* e *Meu iô-iô*, fizeram dos Voluntários pioneiros no experimentalismo e na nova linguagem sonora da cena. Outros nomes importantes também tiveram uma passagem rápida pelo grupo: Sandra Coutinho (Mercenárias), Édson X e Akira S.

O vocalista Guilherme Isnard trabalhava como estilista de marcas famosas como Ellus e Zoomp. "A gente mandando ver naquelas letras petistas e o Guilherme sendo o oposto daquilo. (...) Um dândi que trabalhava com moda, sempre ao lado de mulheres maravilhosas, que ele levava para abrir os shows", conta Barella, no livro *Dias de luta*.

Guilherme Isnard saiu por essa e por outras razões. A vaga para o cargo de cantor da banda mais cultuada da cena estava aberto. Pepe Escobar, repórter do caderno *Ilustrada* do jornal *Folha de S. Paulo*, um dos principais nomes do jornalismo roqueiro da década de 1980, era candidato.

Nasi: Com a *Folha*, as coisas começaram a mudar em São Paulo, com uma nova linguagem jornalística para tratar de rock e cultura. A cidade não estava mais tão fora do eixo cultural.

O escolhido para o lugar de Isnard foi Nasi. Uma surpresa. Os músicos, os fãs, os jornalistas e os candidatos a vagas –

que muitas vezes correspondiam às três alternativas anteriores ao mesmo tempo – ficaram, com o perdão do trocadilho, irados.

Thomas Pappon: Eu propus ao Nasi, que eu conhecia bem e que me inspirava certa confiança. Ele era autêntico, mas totalmente diferente do Isnard. Acho que quase todos os fãs na época estranharam. Saiu o cara que queria ser Brian Ferry, entrou o garotão que gostava do Clash.

Nasi nos vocais, seu parceiro de banda (KGB) Ricardo Gaspa no baixo, e Giuseppe Fripp na guitarra (Minho K saiu para montar o *Nº 2*, com Alex Antunes), além de Barella e Thomas. Os Voluntários fizeram alguns poucos shows de apresentação e já se prepararam para gravar o primeiro disco. Um marco. Tratava-se de um LP independente, a primeira autoprodução da cena, o primeiro disco do pós-punk paulistano.

Alex Antunes: Pra mim, quando o Nasi entrou, a banda descaracterizou. Eu implicava um pouco com isso do Edgard e do Nasi tocarem em várias bandas. Mas o Nasi era um cara adequado por não escrever letras, e o Thomas queria continuar como o letrista da banda.

Kid Vinil: O Voluntários da Pátria e o Ira! tinham poucas coisas em comum além do mesmo vocalista. Não havia muita identificação entre as bandas.

Se Pepe Escobar não estava com o microfone, a máquina de escrever de outro crítico da *Ilustrada* era problema. Fernando Naporano teria jurado falar mal do disco sem ouvi-lo. Só por não ir com a cara de Nasi – e também por ser mais um dos voluntários preteridos ao cargo de vocalista da banda mais cult do pedaço.

Enquanto o pau comia no mundinho, em 1983, o Ira também passava por graves transformações. A fúria punk da banda se digladiava com a influência "mod" de Edgard.

Mod? Foi um movimento que foi além da música na Inglaterra, nos anos 1960. Adolescentes começaram a usar terninhos, roupas com influência italiana, cortes típicos da cultura negra, andar de lambretas e também a ouvir o R&B norte-americano –

especialmente a gravadora Motown – além de jazz. O movimento pegou na classe proletária, que utilizava o visual impecável como um modo de se inserir na sociedade inglesa. As principais bandas do movimento faziam covers de R&B e criaram um estilo próprio. Small Faces e The Who foram as maiores e melhores. Com a chegada da psicodelia, em 1965, o mod perdeu um pouco da força que seria resgatada em meados dos anos 1970, com a ferocidade do The Jam.

Nasi: Talvez o melhor disco do Ira nunca foi gravado. Tínhamos músicas incríveis e fazíamos shows maravilhosos. Teve um monte de músicas que a gente nem gravou, como *Encha minha cabeça de ordens*. Essa fase nunca foi para o disco.

13

São tolices o que **penso sobre você**

Victor Leite tirou a bateria de campo e o Ira da casa dele. Nasi e Edgard gostavam de implicar com o colega. Sempre que o baterista dizia alguma coisa, qualquer uma, eles eram contra – mesmo que não fossem contra. No fundo, mais faziam de pirraça, por infantilidade.

Numa noite, Victor perdeu a paciência e tocou todo mundo para fora de sua casa.

Nasi: Sei lá por que motivo, mas eu e o Edgard adorávamos encher o saco do Victor. Coisa de criança. Sei lá. Éramos irresponsáveis. Ele vivia mais da música que a gente. O Edgard também levava dinheiro para casa com o som que fazia. Mas a gente era meio bobo. A gente enchia o saco do Victor por causa do Frank Zappa. Ele amava e a gente dizia que era uma velharia... O bizarro é que tudo acabou por causa de uma discussão a respeito de uma versão de *Substitute*, do The Who. A gente tocava a versão mais esculachada do Sex Pistols. Eu e o Edgard defendíamos a versão punk, que seria melhor. Até que chegou uma hora e o Victor berrou: "Saiam da minha casa! Chega!" Achamos que era brincadeira. Mas quando vimos que ele parecia um peru, todo vermelho, vimos que era sério.

Edgard recolheu seus instrumentos, Nasi pegou o que era dele, e foram até a casa do vocalista, seis quarteirões de lá. De uma só vez tinham perdido o baterista e o local para ensaiar, por causa de uma brincadeira. Era hora de ser mais sério.

Foram procurar o Steve, velho baterista amigo de Edgard, que também tinha servido o Exército como guitarrista. Acabaram o encontrando durante um show no bairro do Ipiranga, e fizeram uma proposta. Como já era músico profissional há alguns anos, com uma fonte de renda garantida, Steve não topou a empreitada.

Nasi: Ele estava com o pé quebrado. Mesmo assim tocava. Mas disse que iria tocar em navio. Desistimos. Só fomos encontrá-lo anos depois, quando eu e o Edgard tocamos no casamento do Rogério Ceni, e ele era o baterista da banda.

Paulão, que tocava no Centúrias, banda clássica do heavy metal paulistano, foi o próximo alvo. Apesar de ter estudado com Nasi e Edgard no Brasílio Machado, ser amigo da rapaziada, cara do bem, Paulão gostava mesmo era do metal do mal e também passou a bola. Mas não deixou os amigos na mão. Indicou um conhecido: Charles Gavin.

Edgard o conhecia. Na época do Subúrbio, o baterista tinha convidado o guitarrista para fazer um som "qualquer hora dessas". Deixou telefone anotado num guardanapo de papel. Quando ligou, Charles estava descontente com o Santa Gangue. Combinaram de se encontrar onde morava o baterista, no Jabaquara, zona Sul. Nasi, Edgard e Adilson chegaram com a mala e cuia e equipamentos.

Nasi: A gente ensaiava num quartinho nos fundos, do lado da lavadora. Foi aí que deu um puta up no nosso som. Refletiu em um Ira muito ácido.

Charles de Souza Gavin nasceu em 9 de julho de 1960. Na adolescência se rendeu a Black Sabbath, Led Zeppelin e Emerson, Lake & Palmer. Resolveu ser baterista. Ganhou do pai o primeiro instrumento aos 19 anos. Com uma condição: para manter a bateria tinha que continuar com os estudos e prometer nunca se envolver com drogas.

Tocava em bandas como Zero Hora e a conceituada Santa Gang. Veio o convite do Ira. Aceitou. Estava ligado na *new wave* e em bandas como The Police. Mas não houve o casamento na cozinha entre o baixo de Adilson e a bateria de Charles. Principalmente nos shows que fizeram – como uma pequena temporada no Lira Paulistana –, as dificuldades ficavam ainda mais gritantes.

Adilson começou a perceber isso. Recebia uma pressão da família para voltar a estudar. Juntou a trouxa e saiu. Sem traumas.

Nasi: Quer coisa mais punk que um cara tocar um baixo com uma moeda? (risos). Era a nossa fase amadora, mas queríamos mais. Ficava difícil para o Adilson acompanhar o Victor e, depois, o Charles. Era uma pena. Ele era um puta cara legal, muito importante na postura, no pensamento do grupo. Mas não dava mais. Mesmo sendo um puta amigão, precisávamos ter mais recursos musicais.

Mesmo depois de sair da banda, Adilson continuou defendendo o Ira com fé e paixão. Ele estava ao lado do amigo Nasi para qualquer coisa e causo. Adilson acabou se formando em Física Quântica. Trabalhava em uma empresa privada quando, em 1994, foi atingido por uma bala perdida direto no coração durante um assalto a banco. Nasi e Edgard ficaram sabendo quando um conhecido viu a reportagem no jornal *Notícias Populares*.

Edgard chamou um velho amigo do Subúrbio para o lugar de Adilson: Dino Nascimento. Um line-up que durou. E que foi uma das melhores e mais potentes formações da banda.

O Ira estava azeitado justamente no momento em que o rock paulistano alcançava o auge de profissionalização, com projetos, danceterias e um caderno cultural forte apoiando.

Thomas Pappon: Em 1983, quando pintou o Carbono 14 e o Napalm, aí sim dá para dizer que começou a surgir uma cena, com várias bandas interessadas no mesmo tipo de som, e todas querendo agitar, organizar shows. A "organização" se resumia a isso: todo mundo se conhecia, ia aos mesmos lugares, agitava alguns shows, frequentava as mesmas festas. Mas só isso. Houve uma reunião, na casa do Marcelo Fromer, com representantes de umas seis ou cinco bandas, quando se discutiu a possibilidade de fixar um cachê mínimo. Mas gorou.

Nasi: O nosso sindicato do rock teve vida curta...

Os maus olhados pela entrada de Nasi no Voluntários da Pátria continuavam e não vinham apenas de fora, mas também de perto, de dentro do próprio Ira. Pouco depois de assumir os vocais no paralelo, Nasi foi convocado por Edgard e Charles para uma resenha. Uma discussão de relacionamento. Guitarrista e baterista achavam que não pegava bem Nasi cantar em duas bandas. Palavras de Edgard que, naquela época, tocava no Ultraje a Rigor, nas Mercenárias e no Smack. Ao lado de Charles, que tinha acabado de fundar o Cabine C.

Nasi: Eles me chamaram e falaram que não tinha nada a ver um cara cantar em duas bandas. Cantor é o cara que está na frente, que representa o grupo. Eu virei para o Edgard e para o Charles e falei: "Vocês são foda: tocam em várias bandas e eu não posso cantar em duas?" Mas eles falavam que cantor era diferente... Tá legal... Mas, de fato, se tivesse de escolher, era fácil. O Voluntários era uma banda muito mais sofisticada. Eles tinham outra pegada. Um era engenheiro, o outro trabalhava no sistema financeiro. No Ira me sentia mais plebeu. Me sentia em casa. Era a minha banda. Eu a criara.

A decisão de definir uma só banda facilitava a vida na prática. Mas Nasi enxergava algo além.

Nasi: O Charles fez a cabeça do Edgard. Desconfio que a ideia de eu ter de ficar em apenas uma banda partiu dele. Acho que a intenção do Charles era a minha saída do Ira para a própria banda acabar. Ele se encantou muito mais com o Cabine C. Teve liberdade de colocar muita coisa de bateria que no Ira já vinha meio pronta. Mas o Cabine era mesmo uma puta banda. Tinha o Ciro Pessoa, Sandra Coutinho e o Edgard. Só grandes nomes, o dream team do rock paulistano. Eu era da fila do gargarejo para ver o show dos caras. Lamento que não tenha registro.

Ciro Pessoa montou a banda logo depois de sair dos Titãs (por causa de uma briga com o baterista André Jung). No livro *Quem tem um sonho não dança*, Ciro definia o som do Cabine C como "ligado a cor e luz. Isso tudo costurado por letra totalmente ligada à poesia romântica na sua tradição maior, ou seja, Walt Whitman e Rimbaud". Sandra deixaria mais tarde o baixo nas mãos de Ricardo Gaspa, irmão de Ted Gaz, do Magazine.

A paquidérmica indústria musical saiu da hibernação e começou a desconfiar que acontecia algo no submundo cultural de São Paulo. Caso raro de dirigente de gravadora com cérebro conectado ao ouvido e ao coração, André Midani, então presidente da WEA, levou um toque de Pena Schmidt. Antigo técnico de som dos Mutantes, produtor e então dono de uma fábrica de pipas, Pena estava animado e interessado na cena paulistana. Midani sacou a vibração e combinaram a produção de uma série de compactos para testar aqueles novos nomes. O primeiro foi *Sou boy*, do Magazine, banda de Kid Vinil. Depois vieram *Professor digital*, do Agentss, *Video game*, do Azul 29, *Inútil*, do Ultraje a Rigor. Na mesma fornada saiu o compacto do Ira: *Pobre paulista*, gravado também em 1983, no estúdio Áudio Patrulha. Mas que mofou no freezer sonoro da gravadora.

Nasi: O Pena foi ver os shows da Sessão Maldita, no Lira, porque lá rolava Ira, Titãs, Ultraje a Rigor, Azul 29. Depois de um show desses, ele nos procurou. Eu também fazia parte do Voluntários que foi sondado por ele e, de uma forma até sábia, acabou recusando. O Ira assinou o contrato sem ler. Ele era padrão para os artistas, mas meio draconiano. Dizia que a gravadora iria gravar o compacto, que tinham direito a três discos e, se eles não quisessem lançar, não lançariam e acabou. Na ingenuidade, caímos naquela história. Porque a gente pensava que eles não iriam contratar se não iriam gravar, e a gente acabou tendo esse problema... Até hoje não sabemos se houve uma censura política em relação à *Pobre paulista*. Nos falaram que não tinha condições de usar essa música porque ela falava sobre greve. E é claro que o Pena não tinha culpa disso. Ele era um cara contratado pela Warner para descobrir, conhecer e eventualmente até gravar.

O disco demorou pouco mais de um ano para ser lançado. Quando saiu, a gravadora não se esforçou nem um pouco para promovê-lo e distribuí-lo.

Dino Nascimento: Esse tempo de geladeira causou muito desgaste interno na banda. Os dos outros grupos estavam rolando e só o nosso parado... Quando resolveram lançar, teve uma pequena divulgação, mas nada muito forte.

Nasi: O compacto saiu no final de 1984, a nossa fase cult. Pela pressão da mídia, a gravadora lançou o compacto. Eles lançaram tipo, vamos nos livrar disso aqui, porra!

No lado A do vinil tinha *Pobre paulista*. No B, *Gritos na multidão*. Demorou, não fez sucesso, mas rendeu uma grande polêmica.

Em junho de 1984, era exibido na TV Gazeta paulista um programa chamado *Olho Mágico*, produção com nomes já consagrados como Ruy Castro e apostas em gente nova como Serginho Groisman, Fernando Meirelles e Marcelo Tas interpretando o mítico e engraçadíssimo repórter Ernesto Varela. Um dos quadros do programa falava de música e era dividido pelos críticos Mauricio Kubrusly e José Ramos Tinhorão. Tinhorão batia firme na nova geração, Kubrusly tentava amenizar. Com o compacto do

Ira nas mãos, Tinhorão não teve pena e taxou o grupo de "fascista". Os fatos: uma banda chamada Ira, um vocalista chamado Nasi, um guitarrista que usava um bracelete com a bandeira de São Paulo e versos como *eu quero ver gente da minha terra / eu quero ver gente do meu sangue / pobre São Paulo / pobre paulista.*

Edgard escreveu a canção aos 17 anos. Já era um hit nos tempos do Subúrbio e, claro, foi desde sempre um grande sucesso do Ira. Desde então o compositor tenta se explicar. Nem sempre consegue, como nesta entrevista a um dos autores:

Edgard: Eu tinha uma agressividade grande típica da adolescência. Fiz essa letra que provoca reações nas pessoas. Fiz meio que consciente disso. Era meio difícil de defender que não tinha nada de fascismo ali... Você pegava o verso e estava toda a violência: *Não quero ver mais essa gente feia/ Não quero ver pessoas ignorantes/ Eu quero ver gente da minha terra/Eu quero ver gente do meu sangue.* É dura, mas eu trabalhava todos os meus conhecimentos de como era o punk. Eu via bandas usando a suástica e ao mesmo tempo tocando reggae e música negra, lutando contra o racismo e contra o fascismo, então existia uma ambiguidade que era uma coisa de provocar, de querer produzir reações nas pessoas de forma agressiva, através dos alfinetes. Era uma coisa que eu tentei fazer da minha maneira, que era fazer uma letra polêmica para ver que fantasmas que vão surgir de cada um. Aí pintaram os fantasmas mais horríveis. Morei em Recife, tive amigos de todas as cores, todas as raças, nunca tive preconceito com ninguém. Só quis trabalhar com polêmica, falar de São Paulo. Quis levantar essa lebre e paguei um preço meio caro... Se perguntar para muita gente qual a música que mais gosta da banda, qual a primeira que vem na cabeça, vão dizer *Pobre paulista.* Mas eu concordo que ficou uma mensagem dúbia. Aproveito para pedir desculpas pelas pessoas que se sentiram agredidas pela música.

Um clássico. Polêmico como o rock precisa ser. Mas não com o preconceito que nada merece ter.

14

Pegue essa **arma!**

Nasi: A primeira vez que usei droga foi maconha. Fumei e não achei nada. Nada. Pensei: "Todo esse barulho só por isso?". Mas em minutos já estava rindo de besteira. A ficha demorou a cair que era o efeito da maconha. Quando entendi, entrei fundo. Não só na maconha.

Ele achava que usar droga era coisa "de hippie", datada, ultrapassada. Nasi era punk.

Nasi: Só comecei a fumar cigarro depois de usar maconha. Fumava até para maneirar o tanto que fumava a erva. Foi em 1983. Eu já tinha 21 anos. Até beber para valer eu não bebia. Quando eu tinha 17, as baladas não tinham bebida. E eu ainda bebia pouco nelas.

Antes de experimentar maconha, ele sofria com os amigos. Eles o trancavam no carro e fumavam até fazer um *fog* londrino-jamaicano de fumaça. Usavam deliberadamente em casa e no estúdio. Zoavam, mas não o forçavam a provar. Ninguém nas primeiras brumas do Ira ofereceu droga ao vocalista.

Nasi: Mas um dia eu resolvi usar. Parei de dizer que era coisa decadente, de gente alienada, que eles tinham que se foder por fumar, por cheirar. Parei de xingar, de dizer que eu não precisava daquela merda para viver. Resolvi provar. Ninguém me forçou. Acho que eu estava me sentindo muito deslocado por não usar, ficava fora do ar, sei lá. Foi no comecinho de 1983 que resolvi provar. Aí foi tudo de uma vez: maconha, cigarro, cocaína, heroína, bola, anfetamina, mais bebida. Não parei mais.

Nasi dividia um apartamento com o amigo André Jung, baterista dos Titãs do Ie-Iê, na Rua Cristiano Viana, em Pinheiros, perto de onde moravam Edgard e a namorada, Sandra Coutinho, na Cunha Gago. O bairro era o Greenwich Village paulistano, com artistas plásticos, músicos, jornalistas e os hoje chamados "descolados". Era a Disneylândia das drogas. O acesso era muito fácil. O local, na verdade, era mais para reunir os amigos e dormir, quando era possível dormir.

Nasi: Antes de um ensaio, eu me animava para fumar um. Acabava o ensaio, acendia outro. Cocaína também pintava. Ela dá uma "sociabilidade" falsa. Você se sente o cara, o tal. Você fica mais falante. Como eu estava numa fase artística, me sentia mais seguro para ensaiar, tocar, gravar. A coca me ajudou a ser mais confiante – falsamente. É uma droga do ego. É muito perigosa.

Heroína também fissurou rápido. Tinha para dar com pau em São Paulo na época, em 1983. Era cara. Mas sempre havia alguém disposto a fazer *speedball*, uma mistura de cocaína com heroína.

Nasi: A mistura dava um balanço legal. Era um equilíbrio ótimo entre o agito e a calma.

Quando mergulhou de nariz e veias nas drogas, Nasi descobriu um novo mundo com novas pessoas. Entre elas uma jovem de família tradicional e rica do Jardim Europa.

Nasi: Na (casa noturna) Rose Bom Bom havia uma mistura fina de gente. Até meninas mais patricinhas, de famílias ricas. Entre elas, havia uma com quem eu saía de vez em quando. Não era namorada. Mas a gente fazia muita coisa junto. Cocaína, em especial. O melhor era quando os pais da menina viajavam. Juntávamos uma puta turma na casa dela. Parecia mansão de cinema. Foi a primeira vez que vi um controle remoto para abrir o portão da garagem! Fizemos grandes festas lá. Tipos daquelas de filmes americanos. Quando os pais chegavam e pegavam a gente de cueca no meio da sala... Desse nível.

Em maio de 1983, Nasi e a amiga saíram tarde de uma balada. Estavam relativamente sóbrios e limpos.

Nasi: Não tínhamos usado nada. Até porque estávamos indo comprar droga para usar...

O carro dela vinha pela Alameda Lorena, nos Jardins. No cruzamento com a Avenida 9 de Julho, o farol piscava amarelo na madrugada.

Nasi: Pegamos de frente um ônibus. Ela guiando, eu de passageiro, na frente. Eu pude ver o ônibus chegando. Na hora você não sente nada. Pum! Apagou. Acordei na ambulância, como se estivesse alguém apertando um botão. Só lembro a convulsão dela ao meu lado. Apaguei de novo. Voltei a ter consciência no hospital. Eu tinha um corte profundo na cabeça. Fratura no maxilar. Mas estava melhor que ela. Eu era o passageiro. Sempre fui. Não dirijo. Ainda bem. Na pior época das drogas e bebedeira já teria morrido em acidente. Meu anjo da guarda me tirou a paixão por automóveis. Acho que puxei isso do lado da minha mãe. Ela tem dois tios que não dirigem. Nesse caso, ainda bem. O ônibus acertou em cheio o lado do motorista. O lado dela. Tive sorte. Ela não.

O carro ficou em pedaços. A amiga ficou em coma, com fraturas múltiplas, e traumatismo craniano.

Nasi: Fiquei no corredor do hospital. Não tinha condições financeiras e nem plano de saúde para ser internado lá. Meus pais me levaram para outro lugar. Só então souberam que eu usava drogas. Aquela coisa do médico perguntar se você é usuário e eu, meio grogue, só tive a consciência de dizer que sim. Mas bem na frente dos meus pais... acho que eles já imaginavam, né? Tinha outras coisas mais traumatizantes naquela hora. Inclusive na minha cabeça.

Passsaram os dias e a amiga não melhorava do coma. A família dela pressionando a de Nasi nas semanas seguintes. Queriam que ele, já de alta do hospital, testemunhasse contra o motorista do ônibus, que ele teria atravessado o sinal vermelho. Seria o "culpado".

Nasi: Os pais dela forçaram com a gente para ferrar o motorista. Minha mãe ficou muito humilhada. Disseram que eu havia sido encontrado com drogas, outras mentiras. Meus pais me ajudaram demais. Deram todo o suporte para eu segurar a barra. Era um absurdo, gente com todo aquele dinheiro fazer uma coisa dessas com a família do motorista inocente, e mesmo com a minha.

A recuperação do acidente não foi fácil. Ele parou de ensaiar e tocar com a banda.

Nasi: Fiquei 50 dias com ferro na boca para consertar meu maxilar. Cinquenta dias me alimentando com canudinho. Teve uma hora que não aguentei. Comprei um yakissoba, bati no liquidificador, e tentei tomar aquela coisa. Entupiu o canudinho e comecei a chorar. Mas não se compara ao sofrimento dela. Foram quase três meses em coma.

Quando já estava voltando a falar e viver normalmente, Nasi foi ajudar a amiga.

Nasi: Uma psicóloga veio conversar comigo e me orientou como fazer para ajudá-la a se recuperar. Eu e mais alguns amigos íamos visitá-la no hospital. Eu deveria falar coisas bonitas, de esperança, de amor, que eu a estaria esperando, coisa e tal. Aí acho que exagerei... Disse que a amava, que seríamos felizes para sempre... Mas a gente nem namorava! Falei pro bem dela, da recuperação dela. Tinha que a estimular.

Duas semanas depois, ela saiu do coma.

Nasi: Acho que ela acabou impregnada de mim. Aquela ladainha minha meio que a hipnotizou. De dez palavras dela, sete eram "Nasi". Parecia que eu tinha enfiado um chip na cabeça da menina. Ela perdeu bilhões de neurônios no acidente. Estava com idade mental de uma criança, com várias sequelas. E ficava pedindo toda hora para me ver. Então, o motorista vinha me pegar em casa para eu ficar um tempo com ela. Não era fácil. E ficava ainda pior porque, na época, em 1984, eu estava usando muita droga. Ela, claro, não podia mais. A fissura dela era eu. A menina ficou um bom tempo indo aos nossos shows com enfermeira, motorista. Nos piores inferninhos eu tocando e ela com a enfermeira nos shows...

O relacionamento não era profundo antes do acidente. Não poderia ficar depois. Virou um problema ainda maior.

Nasi: Os pais dela evidentemente não gostavam de mim e do nosso relacionamento. Já o grupo de amigos dela achava um absurdo a gente não estar namorando depois de tudo aquilo. Achavam que eu era obrigado a ficar com ela. Mas como? Eu não a amava. Eu não a namorava. Era uma coisa de balada, só isso. A psicóloga acabou me preparando mal para aquilo. Menti para ajudar a menina, dizendo que todos a estavam esperando – o que era verdade – e que nós dois faríamos muitas coisas juntos – o que não era verdade. Tudo isso acabou levando a uma situação insustentável. Eu também deveria ter feito de outro jeito. Acabei ficando muito pirado. Mas aquilo tudo ajudou a abrir os meus olhos. Além de ter sobrevivido ao ônibus, de certo modo sobrevivi às drogas. Foi um modo que Deus achou para me dar um toque dos meus excessos. Tive de passar por um puta cuidado dos médicos e de minha família. Parei de cheirar cocaína na época. Por livre e espontânea vontade. Só fumava maconha. Os meses de boca fechada me ajudaram a fechar o nariz também.

15

Eu vou **tentar**

Pouco depois de voltar ao rock, Nasi teve uma discussão dura com Charles Gavin. A treta começou por conta de um acordo com o amigo Ciro Pessoa, *frontman* do Cabine C: antes do acidente, os dois haviam combinado uma reforma na casa de Ciro, para que as bandas dos dois ali pudessem ensaiar, economizando grana com estúdios – o que fazia sentido até porque as bandas compartilhavam dois integrantes. Nasi, com a pouca grana que tinha, bancou toda a reforma, com direito até ao isolamento acústico de primeira.

Depois do desastre, com Nasi se recuperando, Ciro declarou que só o Cabine C ensaiaria em sua casa dali em diante. Querendo seguir a vida, o cantor do Ira começou a cobrar Charles (que também tocava no Cabine C) de marcarem novos ensaios em outro lugar. Charles desconversava, justificava com "não vai dar para ensaiar". Poucos dias depois, o baterista procurou Edgard e comunicou sua saída do Ira.

O vocalista não acha que esse desentendimento com Ciro foi o único motivo para a saída de Charles Gavin da banda.

Nasi: Isso aí pode ter sido uma desculpa. Na verdade, o Charles começou a se revelar um baterista legal, criativo. Começamos a ter gostos musicais e objetivos de banda muito diferentes. Ele começou a ficar numa linha meio new romantic, meio pop. Até as drogas não batiam. Ele sempre foi supercareta, até hoje é. Quando foi ser baterista dos Titãs, a gente pensou "Agora vai ver o que é bom pra tosse..." (risos). Tínhamos estilos de vida muito diferentes. Não deu liga.

Pouco tempo depois o baterista teve uma passagem-relâmpago pelo RPM, antes de assumir as baquetas nos Titãs – bandas que tinham um perfil bem mais *new wave* do que o Ira. Mais pop. Mais comercial. Para Edgard, Charles Gavin justificou que estava saindo porque queria encontrar outras batidas. O perfil dele tendia muito mais para o pop e para o rock clássico (o tal "rock Pompéia", zona oeste paulistana) do que para o punk.

Mesmo com as diferenças e falta de afinidades, Nasi tem carinho por Charles. Ele capitaneou o projeto de relançamento do catálogo do Ira! no começo da década de 2000, remasterizando os discos e relançando-os em CD com o tratamento merecido, um esmerado trabalho acústico e a participação dos membros da banda na análise do material que seria incluído na nova edição dos discos.

Nasi: Era difícil pra ele, careta do jeito que o Charles era careta, eu quero dizer num sentido até legal, um cara responsável que tinha esse pragmatismo todo. Pô, entregar a vida dele nas mãos de nós, caras totalmente rock and roll... A gente levou nossa vida sempre no limite. Ele não. Agiu como artista, agiu como profissional. Mas acho que as coisas têm um motivo de ser.

Pouco antes da saída de Charles, o Ira passou por um dos momentos mais bizarros da história do rock e do jornalismo brasileiro. Nasi montou ao lado de Sandra Coutinho e do DJ Marcos Morcef a lendária Cooperativa do Mundo Moderno. Compraram um horário numa boate gay chamada Val Improviso, que ficava no Centro de São Paulo. Nasi era o DJ. Vídeos de bandas pós-punk eram exibidos e no palco tocavam Ira, Voluntários da Pátria, Mercenárias, Inocentes, Cólera, Smack, Cabine C e o melhor do rock paulistano. As coisas aconteciam na base do mutirão: os membros da Mundo Moderno dividiam tarefas como iluminação, projeção de vídeos e discotecagem, revezando-se dentro e fora do palco. A iniciativa deu rock: incentivou as bandas a continuarem, ajudou na formação de um público cativo e foi capa dos suplementos culturais de todos os jornais da capital.

Uma nova banda liderada pelo ex-voluntário Guilherme Isnard não entrou, em nenhum momento, na programação. O Zero de Guilherme se sentiu isolado. Ele mandou uma carta para a *Folha de São Paulo*. Ela foi parar nas mãos do jornalista Pepe Escobar. Um artigo com trechos da missiva de Isnard foi publicado em 28 de outubro de 1984. Isnard dizia coisas como "quero denunciar a programação deste pulgueiro que é o Val Improviso, que, no final, é uma armação para alimentar algumas bocas, isso porque, de onze ou doze grupos, sete são a maçonaria do rock, uma cooperativa que exclui novos instrumentistas que se inibem diante da presença dos egos multi-instrumentistas". Pepe, durante o texto, chamou Nasi de "neo Nazi rides again" e aproveitou para desancar todo o rock paulistano. Disse que só RPM, Voluntários e Zero prestavam e o "resto é de lascar".

Pepe Escobar fez, a partir da carta escrita por Isnard, um verdadeiro libelo contra a divisão da cena rocker paulistana em guetos, mencionando o sucesso do RPM como prova de que esse "modelo" inexistente de segregação era fracassado, e que todas as bandas envolvidas estariam condenadas ao ostracismo e ao *underground*, tocando para meia dúzia de pessoas...

Nasi: Todo mundo tem direito à opinião, mas na época eu não tinha essa consciência. Eu estava tão envolvido com a coisa e tomei a coisa como pessoal. O Pepe Escobar usou as palavras do Guilherme para me tratar como se fosse o líder da máfia.

Quase todos os músicos das bandas que faziam parte do projeto no Val Improviso e a produtora Mundo Moderno ficaram revoltados com o texto. Na semana seguinte, se encontraram e, juntos, foram à redação da *Folha*, na Alameda Barão de Limeira, centro da capital, para se manifestar contra o jornalista. Mais de dez bandas presentes, praticamente cem pessoas na portaria do edifício do jornal. A direção autorizou que uma comitiva de dez pessoas subisse para conversar na *Ilustrada*. Miguel Barella, Sandra Coutinho, Alex Antunes e Nasi estavam no grupo.

Criou-se o mito que Pepe teria sido agredido por Nasi assim que se encontraram. O que não aconteceu. Seguranças do jornal e fotógrafos estavam prontos para registrar o embate que não aconteceu.

Nasi: Hoje, mais adulto, eu jamais faria isso em relação a uma crítica de jornal. Ela não merece tamanha repercussão. Não precisávamos ter ido até lá, então, foi aquilo tudo. Mas não bati nele. O que aconteceu é que, quando fui me manifestar naquele grupo de dez, o Pepe Escobar me chamou direto de "terrorista", usando minha camiseta do Clash como exemplo (risos). Mas rapidamente deu para sacar o baixo Ibope do Pepe Escobar lá dentro da redação. Logo depois, eu estava num corredor saindo dali, e o Boris Casoy, na época, articulista do jornal, chegou e me deu um conselho: "Deixa eu te falar uma coisa: da próxima vez, faz assim, ó" (e fez um movimento de um cruzado de direita no queixo do oponente).

Alex Antunes: Naquela briga na redação com o Pepe, eu fui lá, para dar razão ao Pepe, mas ninguém sabia. Como eu era do movimento estudantil e tinha *know-how* de negociação sindical, assim que cheguei à frente da *Folha*, me botaram na comissão que seria recebida na redação. Fiquei sem graça de dizer que era solidário ao Pepe Escobar e, ao mesmo tempo, estava curioso pra ver no que ia dar lá dentro. É que, apesar de ter conseguido encaixar o Akira S na programação do Val Improviso, que deu origem à carta do Guilherme Isnard e à matéria do Pepe, eu achava que, de certa forma, as reclamações deles tinham razão de ser. Tipo a de que o Edgard tocava em 66% das bandas da turma e tal.

O incidente acabaria ajudando a melhorar as relações entre o rock paulista e a redação. Logo depois, o jornalista Matinas Suzuki Jr. assumiu a chefia de redação da *Folha* e promoveu um debate entre jornalistas e músicos do rock. A maioria da imprensa musical passaria a adotar novo posicionamento, com maior distanciamento em relação às bandas, e resolvendo a difícil relação entre relatar o movimento e participar do próprio.

16

Aqui não é **o meu lugar**

No disco de estreia do Voluntários da Pátria os vocais de Nasi foram gravados com metade de seu maxilar preso com ferro por conta da recuperação do acidente na 9 de Julho. Lançado pela gravadora Baratos afins, de Luiz Carlos Calanca, um dos maiores batalhadores na preservação e sobrevivência do rock brasileiro, o trabalho independente foi um marco de qualidade e coragem.

Nasi: Ele nasceu cult e continua sendo. Mais de 25 anos depois ele continua sendo muito contemporâneo. O disco faz parte de algumas poucas coisas do rock dos anos 80 que estavam muito à frente do tempo. Infelizmente.

Ainda em 1984, Edgard gravou *Ao vivo no Mosh*, com o Smack. A primeira vez que o guitarrista registrou a participação em um LP cheio – não apenas um compacto. O álbum, que traz grandes canções de Edgard e do amigo Pamps, foi recebido com entusiasmo no meio do rock. Ainda hoje é item de colecionador.

Os trabalhos paralelos de Nasi e Edgard davam certo. A principal razão de ser, não. Charles já tinha pedido o boné do Ira. Aproveitando o momento sem baterista, logo após um show no Val Improviso, também o baixista deixava a banda.

Dino: O Edgard e o Nasi entraram numas de mudar para o Rio, pois seria melhor para a banda. Eu falei que não me mudaria para lá de jeito nenhum. Além disso, eu estava precisando ganhar dinheiro e os shows do Ira não estavam mais repercutindo. Comecei a tocar com uma garota onde rolava uma graninha. Saí do Ira e depois montei o Narcotráfico, o Vultos...

Sem baterista e baixista, sem norte, o Ira perigava acabar. Preocupados, logo após uma noitada no Val Improviso, Edgard e Nasi decidiram caminhar até o Madame Satã. No percurso, pensaram que era preciso fazer alguma coisa, tomar uma decisão.

No Rio de Janeiro, seria mais fácil gravar, tocar em rádio, fazer mais shows e dinheiro. Para isso, porém, teriam de deixar de lado os trabalhos paralelos e focar no filho predileto. Mesmo que continuassem em São Paulo – como continuaram.

Nasi: Foi uma opção que fizemos. A gente entendia que se a gente fizesse sucesso com o Ira ia ser bom pra elas (as outras bandas) também. Pensamos: "Se a gente ficar agora vamos afundar juntos, porque chega uma hora que não desenvolve: não pode tocar no sábado porque o outro está tocando, não pode gravar no domingo porque o outro está gravando com o outro projeto, não pode ensaiar porque o outro tá ensaiando com a outra banda". Não tinha clima assim de ciuminho. Eu era fã do Smack, fã das Mercenárias. Mas tudo aquilo acabava desgastando. Estava na hora de a gente concentrar num só projeto. Todas as outras bandas eram boas pra cacete. Mas eram mais radicais, mais sofisticadas. Não iriam vender como o Ira. A gente tinha potencial para elevar as coisas. Mas para isso era preciso a gente focar. Cada um tinha de falar com a sua turma.

A primeira banda que Edgard comunicou a saída foi o Ultraje a Rigor. De longe, a que era mais bem sucedida. *Inútil* caiu nas graças das campanhas pelas Diretas Já, no primeiro semestre de 1984. O memorável riff de introdução é criação de Edgard – "uma das minhas maiores obras-primas". Por outro lado, a irreverência do grupo não tinha muito a ver com o tipo de trabalho que Edgard fazia no momento. Ele gostava muito do Ultraje, mas era um som e uma proposta bem diferentes das outras bandas dele na época. O Ultraje a Rigor tinha produtos licenciados nas lojas Sears. Foi a primeira banda que trouxe equipamento de fora. Não batia muito com o estilo mais calado e sisudo dele.

As Mercenárias entenderam a posição de Edgard. No fundo, pretendiam se estabelecer como banda inteiramente feminina. O adeus ao Smack veio em seguida, mesmo com um grande álbum na praça e a amizade e parceria com Pamps. Com o Cabine C foi mais duro. Eles se sentiram traídos, acreditavam que o grupo tinha potencial e precisavam da guitarra criativa de Edgard. Achavam que fariam mais sucesso que o Ira.

A saída de Nasi do Voluntários da Pátria foi menos complexa. Ao menos para o vocalista.

Nasi: Embora eu não ouvisse rádio, no fundo eu queria tocar em rádio. Não aquelas rádios comerciais, mas as que tocavam rock. A decisão que eu e Edgard tomamos em 1984 foi madura. Víamos o rock nacional se transformar numa imensa bosta, sendo vendido como mercadoria de quinta categoria. Tínhamos a pretensão de mudar isso aí, sem precisar que a gente se vendesse. Focar no Ira era a melhor coisa a fazer. Não foi fácil falar com o Miguel Barella. Aquele homem chorava como criança (risos). O cara de 2m10 parecia um nenê. Chorava de fazer buuuuu. Até por sentir que era um processo irreversível. O Thomas Pappon também estava saindo para formar o Fellini com Cadão Volpato. Foi um efeito cascata que acabou sendo positivo para todos. Porque com tanta gente se dividindo entre várias bandas, tinha vezes que, para uma trabalhar, as outras tinham de ficar paradas.

O vocalista do Ira não apenas deixava o Voluntários. Trazia junto o baixista da banda. Ricardo Gaspa assumiu o baixo.

Com novas convicções, vontade de crescer e um repertório de músicas cada vez melhor, o Ira partiu para o voo decisivo para se estabelecer, para marcar seu nome na história do rock brasileiro. A agressividade punk se aliava ao personagem existencialista, em busca da felicidade, em busca da alegria ao lado da sua turma. Foi nesse momento que o Ira partiu em busca de sua afirmativa. De seu ponto-de-exclamação.

17

Eu procuro acordar **e perseguir meus sonhos**

Com a disposição de enfrentar o que viesse para dar vida ao Ira, ficou óbvio para Nasi e Edgard quem deveria assumir o baixo no grupo. Ricardo Gaspa, que já dividia um apartamento com Edgard, era muito mais do que um belo instrumentista. Era também um amigo que conhecia tudo do Ira. Pouco antes do fim do relacionamento do guitarrista com Sandra, Gaspa já estava de olho na vaga que abriria no apartamento. Em dois dias já estava de casa nova.

Gaspa deixou o Voluntários mesmo sem ter recebido um convite expresso para entrar no Ira. Mas, de alguma maneira, ele sabia que era ali que estava o seu futuro. Ele e Edgard frequentavam o mesmo brechó, usavam os mesmos ternos e capotes, tomavam os mesmos comprimidos feitos por um amigo farmacêutico.

Descobriam juntos bandas como Translator, que foi uma grande influência para eles. Até lambreta comprou.

Nasi: O Gaspa não fez parte da conversa que eu tive com o Edgard para a gente focar no Ira. Mas ele, diferentemente do Charles, depois que a gente tomou a atitude de ficar só numa banda, ele fez a mesma coisa. Saiu do Cabine C e também do Voluntários. E nem era do Ira ainda. Mas ele sabia que ia ser chamado. O Dino Nascimento era um baixista muito legal, nosso amigo, mas era um cara que a gente só encontrava em cima do palco. O Gaspa era uma sombra do Ira. A gente fazia os shows e ele estava lá. A gente fazia tudo junto. Foi com ele, aliás, que fui fumar maconha pela primeira vez. Eu peguei o cigarro dele. O Gaspa sacou que uma hora a gente iria falar "bicho, é com esse cara que a gente troca figurinha, é com esse cara que a gente sai e conversa sobre música, por que que esse cara não está na banda também?".

Tratava-se do homem certo, no momento certo, com os discos e influências exatas debaixo do braço. Esse mod nasceu Ricardo Gasparini em 28 de maio de 1958, em São Paulo. Filho de Emilio Amos Gasparini e Neusa Pizzotti Gasparini. Tradicional família italiana. E palmeirense.

Estudioso, era bom aluno. Mas gostava mesmo de brincar com os amigos na rua.

Gaspa: Tive uma infância muito boa. Eram outros tempos, onde se brincava na rua, sem medo. Poderia brincar de Polícia e Ladrão realmente de brincadeira (risos). Eu jogava taco, andava de carrinho de rolimã, passava fins de semana no sítio. Nas férias eu sempre ia para a praia em Santos. Ali no Embaré, canal 4, foi onde dei meus primeiros beijos.

A infância pacata foi abalada com a chegada do rock and roll à residência dos Gasparini. Começou com Fábio, o mais velho. Beatles, Roberto Carlos e quase toda a Jovem Guarda faziam parte do cardápio tanto quanto o spaghetti.

Fábio montou uma banda com os amigos e ensaiava em casa – sob os olhos atentos do pirralho Ricardo. A admiração logo deu espaço à curiosidade. E à vontade de participar daquilo tudo.

Gaspa: Tive aulas de violão aos sete anos. Meu irmão mais velho tocava guitarra e foi uma pessoa que muito me influenciou. Ouvia os discos dele. Um dia pedi se alguém poderia me ensinar aquele instrumento grave, que ouvia nos discos, que fazia "tum, tum, tum". Ele arrumou para o baixista do seu grupo me dar aulas e, em seguida, conseguiu um baixo (Fender Mustang, escala curta) para que eu comprasse. Não larguei mais.

Led Zeppelin, Cream, Deep Purple, The Who, Pink Floyd, King Crimsom já faziam parte dos almoços de domingo. Quem mais se sentava à mesa nessa época era um inglês que tinha acabado de chegar ao Brasil e não tinha onde ficar. Richard David Court. Mais conhecido como Ritchie.

Ele nasceu em Beckenhan, Inglaterra. No fim dos anos 60, participou de um projeto hippie chamado *Everyone involved*, que chegou a gravar um LP, que fora distribuído gratuitamente como forma de protesto contra as reformas do Picadilly Circus, em Londres. Em 1972, conheceu Rita Lee e Liminha, membros dos lendários Mutantes, além da fotógrafa Sandra Werneck. Liminha o convidou para vir ao Brasil e fazer parte da comunidade hippie que a banda montava na Serra da Cantareira, em São Paulo. E ele veio.

Ritchie: Quando se fala para um inglês "passa lá em casa", ele realmente passa (risos). Foi uma loucura. Um dia, o Mike Klein, que era o guitarrista da minha banda, convidou uns amigos dele brasileiros para ver o ensaio. Este pessoal era a Rita Lee e o Liminha, que estavam em Londres comprando equipamento para a banda. Estavam comprando um *mellotron.* E tinha também a Sandra Werneck, que ainda não era cineasta. Fiquei encantado com os brasileiros. Os cabelos pegando fogo da Rita, que ficou num canto vendo a gente tocar. A gente viajou muito em todos os sentidos. E no topo de uma montanha, no País de Gales, o Liminha me falou para pintar lá na casa dele. Vendi umas ações que a minha madrinha me deixou e vim pro Brasil.

O inglês caiu por aqui. Primeiro tentou dar certo com uma namorada no Rio. Não deu. Depois, sem ter onde ficar, recebeu o convite para morar na casa dos Gasparini. Rogério, o irmão mais velho, costumava tocar com os Mutantes e frequentar a comunidade da Cantareira.

Ritchie: Eu não tinha onde cair morto. Cheguei ao Rio e levei um pé na bunda da namorada. Vim para São Paulo de carona com os Mutantes. Primeiro fiquei na casa do Arnaldo Baptista, depois na casa do irmão, o Sérgio. Aí conheci o Fábio e fui morar com a família Gasparini.

Nessa época, Gaspa já tinha 15 anos e também montara sua própria banda: Mescla. Um grupo de rock psicodélico-progressivo. Uma banda para o inglês ouvir e ficar impressionado com a categoria do jovem baixista.

Ritchie: Ele tinha 15 anos e usava uma Fender Mustang. Era engraçado, porque ele era pequenininho e o instrumento grandão perto dele. Ele fazia um som pra lá de bom. O Mescla tinha um tecladista impressionante, o Bartô, que infelizmente morreu um tempo depois.

A hospitalidade dos Gasparini impressionou o inglês. Com um visual roqueiro, *glam*, cabelos compridos, o inglês era um alienígena que ocupou o sofá da casa por mais de dois meses.

Ritchie: Eu me sentia alguém da família. Mesmo quando montei com o Fábio uma banda chamada Scala Dácida, que ensaiava na Rua Motuca. Bandeirosíssima! (risos). Eles me tratavam como um deles.

O nome diz quase tudo. Vivia-se um período psicodélico. Quando chegou ao Brasil, Ritchie trouxe um carregamento de três mil ácidos camuflados no salto de sua bota. Era o seu ganha-pão por aqui.

Gaspa: Todo mundo ia comprar lá em casa. Era um ponto de encontro de doidões. Foi quando eu tomei um ácido pela primeira vez, aos 15 anos. Era uma loucura. Todos nós chapados comendo macarrão no almoço de domingo com meus pais. A gente fritando... (risos).

Ritchie: Fizemos muita música boa. Descobrimos que o Brasil era o país mais musical do mundo. A gente enlouqueceu, mas nem tanto. Estamos aí, fortes, até hoje. Desde 1986 eu não tomo mais essas coisas. Mas naquela época foi a inspiração para muita gente.

Mescla e Scala Dácida fizeram shows de qualidade no Museu de Arte Moderna de São Paulo. Chegaram a fazer parte de uma produtora musical que apostava em nomes novos como eles. E como os Novos Baianos.

Ritchie: O problema é que naquela época tinha poucos lugares que aceitavam a gente. Achavam que todos nós éramos maconheiros, que não prestávamos. De uma certa forma eles tinham razão (risos). A gente quase assinou com a Continental, mas eu não tinha o visto de trabalho no Brasil e não pude fechar contrato. Isso levou às brigas. A Scala Dácida acabou aí.

Chapado de rock e ácido, Gaspa já tinha dado um chute na escola havia muito tempo. Começou a frequentar a Faculdade de São Caetano, no ABC paulista, onde estudava baixo acústico com uma professora que fazia parte da Orquestra Sinfônica.

Gaspa: Nessa época, o que mandava era o jazz rock, com Miles Davis e aquela turma. Não curtia, decidi me dedicar ao baixo acústico. Para mim, então, baixo elétrico não tinha muita razão de ser.

Ele começou a se arriscar na noite paulistana. Fez parte de diversas bandas de bar até que, contaminado por Ramones e Clash, percebeu que não tinha a ver com aquele mundo musical todo certinho. Ao mesmo tempo em que o compasso acelerado de *Rocket to Russia* fazia sua cabeça, a precoce iniciação no mundo das drogas começou a cobrar o seu preço. No fim dos anos 1970, Gaspa pirou. Sofreu uma espécie de ataque de nervos e ficou alguns anos fora de circulação, tentando se recuperar.

Quando voltou ao mundo real, seu irmão Fábio já era Ted Gaz e participava de uma das bandas mais criativas de um cenário roqueiro movimentado na cidade de São Paulo: o Magazine, liderado por Kid Vinil. Através do irmão, começou a frequentar esse mundo.

Primeiro, entrou no KGB, a famosa banda dos tais rocks esquerdistas do Nasi. Mais tarde, engrossou as fileiras do Voluntários da Pátria - onde gravou seu primeiro disco - e do Cabine C - o *dream team* do rock paulistano. Mas Gaspa queria sempre mais. Tinha ira.

Gaspa: Entrei na banda de forma natural, pela amizade e identidade musical. Foi a hora de centralizar forças para que aquilo desse certo. Eu apostei no Ira do mesmo modo como eles fizeram comigo.

18

A burguesia me atinge, **me atira contra a parede**

Só faltava um baterista desde a saída de Charles Gavin.

Apesar de toda uma cena roqueira bem construída no *underground* paulistano, encontrar alguém para assumir as baquetas era missão complicada. Para agravar a situação, Nasi e Edgard não faziam a menor ideia de quem convidar. Os bateristas conhecidos e que eles acreditavam ter potencial para tocar na banda ou já estavam em outros grupos ou não tinham interesse em levar a sério, de maneira profissional, aquela história de roqueiro.

Um baterista dividia desde 1983 o apartamento com Nasi, em Pinheiros. Um ano antes ele assumira as baquetas dos Titãs. Naquele 1984, a banda dele era sucesso no país com *Sonífera ilha*. Um sonho para André Jungmann Pinto. Ele nasceu em 12 de maio de 1961, em Recife, mas toda sua formação foi em São Paulo. O pai Sílvio Jungmann era militante de esquerda na capital de Pernambuco. Em 1º de abril de 1964 foi preso, um dia após o golpe militar. Conseguiu ser liberado por conhecer gente da delegacia. Chegou em casa, explicou a situação para Celina Limaverde, mãe de André, e decidiram tocar a vida para São Paulo.

André decidiu ser músico durante o primeiro ano de Jornalismo na USP. Vendeu o baixo que tinha e comprou uma cuíca e uma zabumba e saiu por aí. Tocou no embrião do Sossega Leão. Trabalhou como recenseador do Censo de 1980 só para levantar uns trocados para comprar um par de congas. Quando fez 20 anos comprou uma bateria arrebentada. Ficou um mês a reformando. Logo que começou a martelá-la foi chamado pelo Titãs.

Apesar dos Titãs do Iê Iê não beberem na sonoridade punk, a atitude era semelhante. Quase ninguém na banda sabia tocar alguma coisa com profundidade. Como percussionista, André já tinha tocado com quase todo mundo da banda. Em 1980, André, Paulo Miklos e Lanny Gordin – guitar-hero da MPB do início dos anos 70, que gravou excelentes álbuns com Gal Costa – fizeram uma temporada de um mês no Lira Paulistana. Depois, André tocou no Trio Mamão, composto por Branco Mello, Fromer e Tony Bellotto. Já tinha também gravado jingle com Arnaldo Antunes. Foi natural o convite para ser um titã do ieiê.

André conheceu Nasi já com as baquetas dos Titãs. Eles frequentavam os mesmos ambientes, iam aos mesmos shows, casas noturnas. André começou a ver os ensaios do Ira, aprendeu o repertório e estava no gargarejo das apresentações da banda. Desde a primeira vez ficou com a alma e as armas roqueiras do Ira.

Mas a sintonia era grossa com os Titãs. Fora Nando Reis, quase todos eles tinham questões e interrogações com André. Eles queriam soar como uma banda pesada. Para eles, um bom exemplo de banda pesada era o Ira. E eram apenas três irados contra nove músicos dos Titãs...

O maior problema de André era com Ciro Pessoa, também do Cabine C. O clima ruim e os egos elevados levaram à saída de Ciro. Mas as coisas não melhoraram para André. Por aqueles dias, Charles Gavin abandonou o Ira para tocar no RPM. Branco Mello já o conhecia. Sérgio Britto se impressionara com o vigor dele no Ira. Paralelamente aos Titãs do Iê-Iê, Branco tocava em uma banda de rockabilly chamada Jetsons, com Charles e Ciro. A cada divergência que surgia com André Jung, o nome de Charles Gavin ganhava entre a banda o peso que tinha como baterista. Depois de muita conversa e discussão por alguns meses, os Titãs decidiram que André não continuaria.

Durante o almoço de Natal em 1984, Branco Mello ligou para Charles Gavin. Ele topou na hora trocar o som mais pop e eletrônico do RPM pelos Titãs. André ficou uma semana na banda sem saber que seria sacado. Havia um show marcado para o réveillon no Rio de Janeiro, na Mamão com Açúcar, boate na Lagoa.

André estava ficando com a musa dos anos 80, Alice Pink Pank, que agora tocava com Lobão. Tinha planejado ficar com ela no Rio até 5 de janeiro. Mas uma reunião às 9 da manhã do primeiro dia de 1985 acabou com o sonho de André. Por seis votos a um ele estava fora dos Titãs. Sérgio Britto deu o resultado da votação para André. Nando Reis o acompanhou até o final, na saída do hotel.

O *Day After*, porém, não foi apocalíptico para André. Em 2 de janeiro de 1985, o Ira estava em Bagé – onde Edgard escreveu *Longe de tudo*, primeiro sucesso do primeiro disco da banda. Eles ficaram sabendo do ocorrido com André. Era muita coincidência! O Ira sem baterista e André, amigo e parceiro de apartamento do vocalista, era um baterista sem banda.

Nasi: Eu meio que sabia que isso ia acontecer. Na época, eu namorava a irmã do Tony Belotto e ela tinha me dito que eles estavam tramando isso. O problema é que eu não podia dizer isso para o André. Se não rolasse nada dessa história, eu ia ficar com fama de fofoqueiro.

Para o baterista foi um choque ser chamado pelo Ira. Para os Titãs, uma provocação. Como aquela banda que tinha o peso ideal ia chamar para tocar "aquele baterista sem pegada"?

André adorava a banda. Uma vez passou o som com os três quando Charles Gavin não pôde ir por causa de um imprevisto no emprego.

Nasi: Ele sabia todos os arranjos, mandou bem. Olhei para o Edgard e falamos: "Caramba, o cara sabe tudo".

Até mesmo a coisa mod logo foi incorporada por André. Passou a curtir os discos, a ideologia, todo o conceito passado por Edgard. Sem contar a garra, a vontade e toda a gana de passar por cima do que acontecera com ele e os Titãs.

Nasi: Quando a gente passou a morar junto, além de ouvir as mesmas coisas, inclusive o hip hop que quase ninguém ouvia então, eu mostrava todos os shows do Ira que eu gravava com meu blaster. Eu tinha tudo aquilo em fita cassete. Se tinha um tema novo que a gente estava trabalhando, eu mostrava pro André. Ele criticava, elogiava, falava: "Pô, do caralho, muito legal...". Mesmo sendo dos Titãs, ele estava muito mais no dia a dia do Ira.

O vocalista insistiu muito com Edgard e Gaspa para que André assumisse a bateria. O guitarrista e o baixista eram resistentes à ideia. Diziam que um baterista que não conseguia dar peso ao som dos Titãs tinha ainda menos chance de dar potência ao som do Ira... Os três chegaram a pensar em Felipe Lemos, do Capital Inicial. Outros nomes foram cogitados. Mas o lobby de Nasi deu mais peso ao nome de André Jung. O vocalista trouxe o colega de lar em Pinheiros para o Ira.

Os quatro de São Paulo estavam formados.

19

Mudança de **comportamento**

Apesar do trabalho malfeito com o compacto de *Pobre paulista / Gritos na multidão*, que não teve divulgação e, por consequência, um bom retorno de vendas, o Ira continuou fazendo parte do cast da WEA. Ao lado dos companheiros do Ultraje a Rigor, aguardavam pacientemente na fila para serem gravados e lançados. Quem não tinha paciência com essa história toda era a crítica paulista. O Ira já fazia muito e ótimo barulho no *underground* com sua guinada pós-punk. Com a entrada de André e Gaspa, virou de vez o xodó udigrudi. Era comum ver em reportagens na *Ilustrada* ou no "Caderno 2" de *O Estado de S. Paulo* farpas atiradas às gravadoras. Tanto tempo e talento desperdiçados em discos ruins enquanto bandas como o Ira estavam a todo gás pelos ares.

Os quatro queriam sair do gueto e mostrar suas músicas para um público maior. As composições de Edgard ficavam mais existenciais, atemporais, tratando de um universo identificável pelo jovem da época. Além de mudar para o Rio, pensaram em mudar de nome. Aquele negócio de Ira era uma coisa punk demais para a nova proposta sonora. Nasi era veementemente contra a mudança de nome.

Encontraram num papo com Pena Schmidt a resposta no fim do túnel. De fato, uma exclamação: ele sugeriu colocar uma exclamação no final da palavra. Mais um elemento gráfico, algo para chamar a atenção. A banda topou no ato.

Nasi: A gente repensou a estética do Ira. Era uma banda com mais dissonâncias, ainda com influências punk, mas com uma virada mais romântica, mais melódica, mais sessentista.

O Ira virou Ira!. Supermod. E todos os quatro estavam completamente mergulhados nessa influência. Iam juntos a brechós paulistanos à busca de roupas características. Sem contar a lambreta de Gaspa. Os terninhos encontrados eram levados a alfaiates para que fossem ajustados aos corpos. A influência do The Jam e The Who era clara. Era a maior banda mod do rock brasileiro. Para não dizer a única entre punks e *new waves*.

Em 24 de fevereiro de 1985, a banda começava a gravar o primeiro disco do Ira!. O álbum saiu antes do *Televisão*, primeiro disco dos Titãs sem a presença de André nas baquetas.

A empresária Leninha Brandão foi essencial para sintonizar a banda e a gravadora.

Nasi: Ela levou o Ira! na raça e ao sucesso. Ele era top, muito bem relacionada. Foi fundamental pra gente, enfim, conseguir gravar o primeiro disco. Ela conversou e convenceu o Liminha, o André Midani, toda a cúpula da gravadora WEA a tirar a gente da geladeira.

Antes de iniciar as gravações, no início de 1985, o grupo resolveu fazer uma pré-temporada no sítio de Gaspa, no litoral paulista. O retiro serviu muito mais para unir de vez os quatro do que para ensaiar ou finalizar algum arranjo – aquelas músicas, na verdade, já estavam afinadíssimas e não precisavam de mais ajustes. Passaram quatro dias fazendo ensaios, preparações, uma pré-produção. De carona numa Kombi, trabalharam em um estúdio-móvel de quatro canais levado pelo Peninha. Dormiam em sacos de dormir e a única coisa que faziam era tocar o dia todo. Ou não.

Nasi: Nem trabalhamos tanto no sítio. A gente ficava ali fumando maconha o dia inteiro. Foi mais como uma concentração de futebol, onde a gente aproveitou para conversar e trocar ideias, muito mais do que trabalhar e compor alguma coisa.

O gás e a fumaça eram totais. Não tinha como dar errado. E não deu. A gravação do primeiro disco do Ira! foi da maneira que todos sonhavam. O clima do estúdio era ótimo e os quatro estavam prontos para aquilo. Em 12 dias fizeram tudo. Três dias com as bases, três dias para as vozes e overdubs de guitarra, violão, trompete, percussão. Três dias mixando. Foram nove sessões em 12 dias no Rio.

As músicas apresentadas também tinham frescor raro no panorama do rock dos anos 80. Falavam de amor sem ser piegas como o pop ruim das rádios. Falavam de revolta sem pisar no panfletário exacerbado. Questionavam a vida, as entidades, as mulheres, os amores, a existência. Era um inventário da vida jovem urbana. E tudo muito mod. À moda da casa.

Nasi: Se algum dia eu encontrasse o Paul Weller, o cabeça do The Jam, gostaria de dar esse disco para ele.

Eram os quatro no estúdio mais a companhia do produtor Peninha. Chegaram com o tempo curtinho, no estúdio Nas Nuvens, que pertencia a Liminha. Com a voz seca de Nasi avisando a todos que está "longe de tudo", o disco começa. A frase chama o riff de pegada sessentista, marcante e empolgante.

Na sequência, *Núcleo base*, uma das canções que Edgard fez na época do exército. Hino que quase virou fumaça anos antes, no início do Ira!, no mesmo dia em que Adilson fora demitido pelo núcleo base da banda.

Nasi: Foi um dia de muita dor no coração pelo amigo. Mas era algo que precisávamos fazer pelo bem da banda. Naquela mesma noite, o Edgard me mostrou a letra de *Núcleo base* e a ideia geral da canção. A música era legal, eu havia gostado. Mas, então, aquela letra com "Meu amor pra lá, meu amor pra cá"... Pensei comigo... Acho que não vai dar não... Falei pro Edgard que iria guardar a letra. Mas eu guardei só para ele esquecer aquilo. Eu não iria cantar aquela porra, não! Era muito romântica para aquela nossa fase. Éramos muito Ira, muito punk. Éramos mais terroristas que músicos. No fundo, acho até que o Edgard não estava muito convencido da música. Até hoje não sei como não queimei ou não fumei aquele papel com a letra (risos). Uns anos depois eu achei aquilo jogado numa gaveta de casa e lembrei a música. Era outro momento. Ainda bem.

A terceira canção é a que dá nome ao álbum. Melodiosa, impensável para punks genuínos, mas absorvida pelos fãs do rock britânico. Quem nunca sofreu com a mulher que pede um tempo e não se sabe se esse tempo é o nunca mais? *Tolices* segue o clima de balada, com um violão em destaque e backing vocals sofridos. *Coração* é um punk rock da fonte batizada do Clash. *Saída* é uma história do cara que perdeu a garota, ficou triste com isso, mas que agora está convicto de que quem perdeu mais foi a parceira. *Ninguém precisa da guerra* é um funk torto, como se James Brown estivesse meio morgado. O mod circulava bem com o R&B – esse era a raiz daquele. O que impediria mods oitentistas de flertar com o funk? Outra de pegada punk vem na sequência. *Por trás do sorriso* é uma porrada nos políticos cheios de pose e de podres. A primeira canção assinada pelos quatro e por Peninha. *Como os ponteiros de um relógio* é a referência mais direta ao The Who. *Sonhar com quê* é a primeira parceria Edgard-Nasi. O solo de guitarra com wah-wah é destaque de *Ninguém entende um mod*, que fecha o disco. Um hino da turma, daquela turma.

Nasi sofreu com a virada musical. Sua voz, nascida e castigada com o cortante impacto punk, precisou mudar para se alinhar ao repertório mais "leve" e mod. Tem gente que acha que o cantor dos primeiros sucessos do Ira! era outro. Um tal de Marcos Valadão – a assinatura usada por Nasi no disco de estreia e no seguinte, de 1986. Vã tentativa de se livrar do apelido incômodo.

Nasi: Foi uma fase em que eu tateei muito como cantor. Tinha uma formação punk e estávamos embarcando numa onda romântica, meio soul. Tive de mudar completamente. Eu também comecei a estudar canto nessa época. Muita gente me cobra a mudança de voz que passei, mas quando eu gravei os maiores sucessos do Ira!, eu tinha só 22 anos. Minha voz mudou muito desde então. A minha e de muita gente.

O repertório do disco cheira como espírito adolescente. É mod. Não é moda. Não mofa. A mixagem, precária, deixou uma sonoridade única em *Mudança de comportamento.* Um som que divide opiniões. André Jung detesta. Para ele, o som era baixo, sem peso, mais para gravar MPB que rock.

Muita gente botou a culpa em Peninha por esse som pasteurizado. Uma injustiça.

Nasi: Eu prefiro o som do nosso primeiro que o do segundo. O primeiro foi mais pesado... Sei lá.

Para o ensaio fotográfico que renderia material para a capa e a divulgação, os quatro capricharam nos terninhos. Edgard teve a ideia de fazer a foto pulando (qualquer inspiração em Pete Townshend não é mera coincidência).

Quem assinou a foto era outro "uspiano" conhecido da cena roqueira paulistana: Rui Mendes. Apaixonado por cinema e fotografia, Rui sacou que aquele era o momento da música em São Paulo e resolveu dar a sua contribuição.

Rui Mendes: Eu criei o conceito do Ira!. Muito da foto da capa do disco foi ideia minha. Eles pulando, se movimentando. Aquele era o clima mod que eles mesmos estavam procurando. O Ira! sempre foi uma das minhas bandas favoritas.

A responsável pelo figurino do grupo foi Rita Locatelli, que tocara na banda. As lindas e era uma das cabeças da grife Kaos Brasilis. Ela acabou caindo no papo mod... Ricardo Gaspa e Rita Locatelli se casaram ainda em 1985.

Só não existiu lua de mel entre o Ira! e o público. A WEA, mais uma vez, não acreditou no potencial do grupo. Logo de imediato, as rádios não tocavam. Poucas, de fato, executavam rock. A banda começou a ficar apreensiva, era difícil entender como aquelas composições, aclamadas no *underground* e pela mídia antenada não funcionavam para a massa. Resolveram ir até a WEA conversar com o chefão.

Nasi: O André Midani era foda. O maior nome do show-business da América Latina ficou ouvindo uns moleques cobrarem porque o disco não tocava. Ele explicou: "Como vocês querem que toquem? Tem uma música que chama *Ninguém precisa da guerra*. Nem tem guerra no Brasil!". E ele falando: "Vocês ficam que nem aquela banda, o Engenheiros do Hawaii. Tem uma música que ele fala assim: "Oi mãe, eu tenho uma guitarra elétrica". Desde quando roqueiro vai falar com a mãe?" (risos). O Midani poderia até falar uma imensa besteira, mas ele falava com convicção. Diferente desses caras que têm por aí que dão tapinhas nas nossas costas nas reuniões e depois falam mal pra caralho da gente. Ele, não. Dava um puta esporro na gente de cara. Do nosso primeiro disco ele sempre falou que era bom, mas que a gente precisava ser mais contundente. Mais rock. Ele não gostava de *Núcleo base*. Acho que ele tinha a mesma impressão que eu tinha quando o Edgard me mostrou a música pela primeira vez. Meio que por falta de opção eles optaram por trabalhar essa música. E deu no que deu: sucesso.

Gaspa: Eu estava ficando muito ansioso. Eu queria acontecer, já chegava de ficar tocando para as mesmas pessoas sempre. Eu queria fazer sucesso, aparecer na TV. Na verdade, eu queria mesmo era tocar no Ultraje a Rigor (risos).

Núcleo base começou a tocar de forma espontânea nas rádios. Ela começou a despontar no Rio Grande do Sul, um Estado tradicionalmente roqueiro. A salvação gaúcha chegou numa boa hora. André Midani estava propenso a fazer apenas um compacto com duas músicas como próximo trabalho do Ira!. Mas *Núcleo base* estourou. A gravadora teve de fazer um promo por que a música havia arrebentado. A banda se achou ainda mais por ter vencido a opinião dos senhores dos botões. Era difícil segurar no chão os egos dos jovens irados.

O som que Nasi curtia não tocava nas grandes cidades. Ele não entendia muito daquilo.

Nasi: Não lembro quando ouvi nossa primeira música em rádio... Sei que foi *Pobre paulista*, ainda em 1984, que tocava na FM 97, de Santo André, que ainda era roqueira, mas não tinha um sinal muito forte na capital. Mas eu não era um cara de ouvir rádio. Lá no apartamento de Pinheiros, quem gostava era o Barmack, que até compôs canções pros Titãs. Ele devia me achar meio estranho ouvindo Joy Division pela casa (risos). Isso não tocava nas rádios. Eu pensava em fazer um som diferente do que tocava então. O FM, para mim, era parâmetro do que eu não gostaria de fazer. Mas daí eu e o Edgard começamos a entender que seria possível tocar nessas emissoras uma música forte, com identidade, conteúdo. O som do Ira!.

20

Dias de **luta**

O show de lançamento de *Mudança de comportamento* foi na danceteria Pool, em São Paulo. Mais tarde, apesar de uma grande resistência, levaram o mesmo show para o Museu de Arte de São Paulo. Utilizando o efeito de projetar luz através de uma mistura de água e óleo, o artista plástico Antônio Peticov criou toda uma aura psicodélica. Os ingressos se esgotaram em poucas horas. Junto com *Mudança de comportamento* também foi lançada, em São Paulo, pela editora Abril, a revista *Bizz*. Ela seria a maior publicação musical do Brasil em todos os tempos. O projeto foi elaborado pelos jornalistas Carlos Arruda e José Eduardo Mendonça, com a consultoria de escribas egressos do *underground* paulistano, como José Augusto Lemos, Alex Antunes, Thomas Pappon, Bia Abramo, Celso Pucci (o velho Minho K, do Voluntários) e as principais fotos a cargo de Rui Mendes. O primeiro número, de agosto de 1985, trazia Bruce Springsteen na capa e vendeu 100 mil exemplares. Na seção de lançamentos de discos, um texto louvava *Mudança de comportamento*: "O Ira! é a versão brasileira, atualizada e passada a limpo, dos mods ingleses – elegância a dar com pau, estilo a perder de vista e uma mescla de funk e rock tão maciça e musculosa que por pouco não deixa que se descubra o romantismo sonhador das letras. Um álbum para os neurônios e para os quadris, com adrenalina jorrando desde os primeiros sulcos", dizia a crítica.

Na página 47 da mesma edição, a jornalista Sônia Maia foi mais fundo na história do Ira!. Alguns trechos: "Antes era Ira. Agora é Ira! A exclamação serve para sinalizar o fim de uma fase e o começo de outra. Não foi à toa que batizaram seu LP de *Mudança de comportamento* (...). Edgard é um capítulo à parte. Instrumentista polivalente, já foi baterista das Mercenárias, é autor da maior parte das músicas do Ira!, é um backing vocalista supremo e mais – canhoto, é considerado por muita gente o grande guitarrista do rock no país."

"A parceira inseparável de Edgard é uma velha Giannini Stratosonic, com um Who escrito à esferográfica junto aos captadores. Nem no estúdio ele trocou sua 'Gianola' (como a chama carinhosamente) pelas Fender, Gibson e Ibanez descoladas pela produção. E o resultado você ouve no disco."

"Os rostos novos da banda são o baterista André (ex-Titãs) e o baixista Gaspa (ex-Cabine C e Voluntários da Pátria). Perfeitamente sintonizados com o lema da banda – segundo Edgard, 'tudo menos uma música passageira, descartável."

"(...) Não que caiba ao Ira!, porém, o rótulo de 'grupo mod paulista', como querem alguns. O grupo acha que a desinformação, o besteirol generalizado, fazem parte de um horizonte negro que está se desanuviando. Aponta como grande responsável pela mudança na qualidade de informação na música o Rock in Rio. 'Ele afinou os ouvidos', diz Nasi, ressaltando que 'os grupos estrangeiros (que tocaram no festival em janeiro de 1985) entraram com muito mais garra e profissionalismo'. Estes ouvidos afinados estão proliferando. É que o Ira! sente pela receptividade do público desde que, no começo do ano, a banda esquentou as turbinas para o LP tocando em danceterias do Rio, São Paulo e Minas Gerais."

Nasi: Era uma época em que o rock nacional foi levado mais a sério, começava a sair daquela coisa de "blábláblábla, titititititi" pra virar uma coisa mais consistente.

Com maior visibilidade, apresentando-se em novas casas e tocando em outras rádios, o disco também começou a frequentar os espaços mais nobres das revistas e jornais. Foi o segundo melhor de 1985, segundo a revista *Bizz*. Ficou entre os três melhores do *Jornal do Brasil*, *Folha* e *O Globo*. Em um ano em que o páreo era duríssimo, com o rock nacional em um momento de rara inspiração: *Batalhão de estranhos* (Camisa de Vênus), *Exagerado* (o primeiro solo de Cazuza), *Tente mudar o amanhã* (Cólera), *O adeus de Fellini* (Fellini), *Educação sentimental* (Kid Abelha & Os Abóboras Selvagens), *Sessão da tarde* (Leo Jaime), *Normal* (Lulu Santos), *Revoluções por Minuto* (o primeiro do RPM) e *Nós vamos invadir sua praia* (a estreia do Ultraje a Rigor) foram frutos desse ano. Pouco antes, Legião Urbana tinha acabado de lançar seu primeiro disco e era considerada "safra 85".

Nasi: Foi uma vitória muito grande. No páreo com o primeiro disco do Legião, o primeiro do RPM que estourou... Um disco gravado e mixado em pouquíssimo tempo. Assim, ó: "Faz aí, garoto, você tem uma semana. O estúdio está vazio, faz aí". É um disco que até hoje é cultuado. E aí a WEA se convenceu... Mas, por um lado, acabou sendo ruim. Nós passamos a achar que sabíamos tudo.

O primeiro show do primeiro disco fora de São Paulo foi em Belo Horizonte. O mais marcante foi no anfiteatro da PUC de Porto Alegre. Um jogo de luz improvisado pela banda foi inaugurado justamente nesse show, criando um clima de psicodelia anos 60 no palco. Foi a segunda data.

Logo após esse show, enquanto Nasi dava uma entrevista para uma emissora de TV, Gaspa chegou perto e cuspiu, sem razão aparente, no pé do cantor. Ao chegar no quarto que dividiam, Nasi perguntou de forma não muito educada a razão daquilo. Quase saíram no braço.

Nasi: Naquele período conturbado do Gaspa em que ele parecia o Robert de Niro em *Taxi Driver*, ninguém queria dividir o quarto com ele. Era como se virasse o Jack Nicholson em *O Iluminado* (risos). Sobrava sempre pra mim. Naquela noite eu berrei: "Chega! Se não eu quebro o abajur na sua cabeça".

Naquele momento, o homem do baixo passava por um momento muito difícil. Mais uma vez, as chapações mandavam a conta. Gaspa voltava a passar por um colapso. No meio dos shows, chegava a jogar o baixo no chão e sair, deixando o trio. Para completar, sentia a mudança abrupta da vida de casado em seu cotidiano roqueiro.

Nasi: Eu lembro que o Gaspa e a Rita chegaram na minha casa e eu dei na mão deles um convite para uma noite que eu ia fazer em São Paulo. O Gaspa pegou o convite e o rasgou em pedacinhos na minha cara (risos).

A situação ficou tão complicada que chegaram a pensar na expulsão de Gaspa. Começaram, inclusive, a ensaiar com um novo baixista. O problema foi na hora de contar isso para o Gaspa.

Nasi: A gente falou: você vai ter de sair. Ele respondeu: não saio. E a gente ficou morrendo de medo (risos). O Edgard, que morava com ele, dormia com um olho aberto (risos).

A lenda conta que Gaspa, depois da recusa em abandonar seu posto, se jogou contra as paredes do apartamento, rolou escada abaixo, aprontou o escarcéu para lembrar que do Ira! não arredava pé.

Gaspa: Os caras contam, mas isso não aconteceu. Eu só falei que não ia sair e acabou. Eu enfrentei todos os problemas, roí o osso e agora que estava fazendo sucesso eles me tiram? Não...

Com a ajuda da mulher Rita, Gaspa começou a melhorar e abandonar as drogas de forma contínua. Dois anos depois, nascia Guilherme Locatelli Gasparini. Hoje, Gaspa encara, no máximo, uma catuaba selvagem. A paz voltou a reinar no mundo mod. Só o que ninguém aguentava era a arrogância do sucesso. Estavam vivendo o sonho roqueiro. E não aprendendo nada.

21

Não quero me casar, apenas **quero ser seu homem**

A primeira vez de Marquinhos foi num bordel, em São Paulo.

Nasi: Foi na zona. Clássica. De 13 para 14 anos. Num lugar bem podreira. Foi com uma negra linda. Acho que ela percebeu que era a minha primeira vez e não foi profissional, foi uma rainha.

A primeira namorada, Bete, foi marcante na vida de Nasi. A maioria dos relacionamentos foi intenso como a vida e a carreira.

Nasi: No início da banda, resolvemos implementar uma espécie de "socialismo sexual" (risos). Não preciso entrar em detalhes. Mas lembro de um show em Minas. Mal chegamos ao quarto do hotel e duas loiras lindas bateram na minha porta. Daquelas com cara de devassas. Bem, depois de um tempo em que ficamos os três, uma falava que ia dar uma saidinha e depois voltava. Daí era a outra que saía do quarto e voltava. À noite, no show, lá estavam as duas. Acenando para toda a banda. Todo mundo as conheceu naquela tarde (risos). Não só lá. Era muito comum as meninas das cidades do interior se hospedarem no mesmo hotel da gente. Ficava mais fácil o acesso.

Ele não gosta tanto de falar da vida sexual. Pelo menos nesta chegada aos 50 anos, e ao reencontro com um grande amor.

Nasi: Quando saí em 1983 da casa dos meus pais para o apartamento da Cristiano Viana (Pinheiros), que dividia com o André Jung e com o Carlos Barmack, começou a se espalhar que eu era bem dotado e bom de cama... Não vou negar (risos). Mas a fama era maior do que realmente eu sou. Eu transava com muita mulher. Eu tinha uma empregada que ria da situação. Cada um de nós tinha um quarto e uma sala com um sofazinho. Se ele falasse... Tinha época que marcava com três para a mesma noite. Em turnos. Era quase um consultório médico. A diferença é que eu não cobrava (risos). Mas para registro: na época, lá por 1984, 1985, fim do sexo livre, da libertinagem sexual e início da AIDS, isso era até comum. E as meninas sabiam o que estava acontecendo, o que os roqueiros faziam. Na época, nós éramos o que são os jogadores de futebol hoje. Só que ganhávamos bem menos dinheiro que eles (risos).

A maledicência também comia mais solta que o apetite sexual de Nasi. Ele tinha de mostrar serviço – e jogo – sempre.

Nasi: Eu fazia o máximo e tentava de todo jeito: era gol bonito, gol feio, gol de canela, gol de placa, não tinha problema. Mas eu também perdia muito gol naquela época... Uma vez saí do Napalm com uma garota que tinha uma cicatriz no rosto quase inteiro por conta de outra punk que passou a navalha nela. A cicatriz era horrível e cobria grande parte do rosto. Então, a gente entrou na primeira boca de porco e transamos e, no fim, ela me falou que achava que eu era viado. Eu perguntei por que e ela me disse que foram os punks que falavam que eu era viado. Falavam que o jeitinho que eu cantava era de gay.

Ele não reclama da vida que teve a dois, a três. Até a quatro.

Nasi: Sempre fui solteiro. Sobrava mais para mim nas excursões. Mas não era só para o vocalista que ficava uma maravilha. Claro que sempre o cantor acaba sendo mais assediado. Mas teve muito roadie e contrarregra que acabou faturando umas meninas, além dos meus queridos colegas de banda.

Qualquer passeio de Nasi pela cidade, qualquer cidade, comprova que a fama já deitou na cama. Literalmente.

Nasi: Exagerei naquela famosa entrevista para a *Playboy*, em 2006, quando disse que tive 1.150 mulheres na vida. Foi uma jogada de marketing. Só não tive mais relacionamentos no tempo em que casei com as drogas... Ainda assim tive muitas "amantes". Só não fiquei nunca com cantora de axé porque havia um limite para as drogas (risos).

22

Vivendo e **não aprendendo**

O ano de 1986 era para ser do Ira!. Foi. *Mudança de comportamento*, contrariando expectativas da WEA, chegou à marca das 60 mil cópias – um bom número. A carta de intenções dera certo. O que a banda acreditava parecia ser realmente o certo. Não precisava "se vender", entrar em esquema de programa de televisão. Poderia gravar a música que achava mais legal (*Núcleo base*) que ela estourava sozinha, graças ao ouvido menos comprometido de alguns programadores de rádio. O caminho estava pavimentado.

O Ira! tinha moral. Mas também muita arrogância. Quando se preparavam para gravar o segundo LP, pediram a produção do maior nome da área no Brasil: Liminha. Arnolpho Lima Filho. Baixista da mais brilhante e reconhecida banda brasileira, os Mutantes, ele já tinha duas décadas de estrada e estúdio. Era o produtor de 11 entre 10 grandes nomes do rock. Trabalhou com Lulu Santos, Titãs (era quase um membro honorário da banda), Blitz,

Ultraje a Rigor, Kid Abelha e quase tudo que se ouvia de rock nos anos 80. Seu estúdio, o lendário Nas Nuvens, era referência. Um oásis num deserto de pouca informação e tecnologia de gravação de discos. Humberto Gessinger, vocalista do Engenheiros do Hawaii, dizia que "a maior banda do rock brasileiro é o Liminha". Ele também era diretor-artístico da WEA. Era preciso respeito. Ele já havia dado alguns toques na gravação de *Mudança de comportamento*.

Juízo não fazia parte dos predicados dos quatro rapazes do Ira!. Quando desembarcaram no Rio de Janeiro, em maio de 1986, o grupo tinha um rei Momo na barriga e a certeza de que poderiam fazer um disco histórico. Na cabeça de Edgard, queriam produzir um som ainda mais mod, mais existencial. "Com guitarras sobrepostas, detalhes escondidos na mixagem."

Nasi: Entramos no Nas Nuvens acima delas. Com um puta ar de superioridade. Meio que dizendo para o Liminha: "Dá licença que eu já sei o que quero, só comanda os botões aí, por favor".

Como se tornou praxe nos melhores discos do Ira!, existia antes de entrar no estúdio um conceito bem-definido na cabeça dos quatro. Queriam resistir ao que eles rotularam de "puta-som". Tratava-se do padrão de som muito comum no rock brasileiro da época, com teclado e voz num volume maior do que o resto dos instrumentos – e ainda com uma participação bem grande de sintetizadores, aparelhinho que ficou mais acessível financeiramente nos anos 1980 e por isso virou febre. O Ira! queria o contrário: usar a tecnologia para fazer algo simples, com alguns efeitos de estéreos e truques quase minimalistas, apenas para ouvidos mais atenciosos, como um solo de guitarra que começa na caixa direita e termina na esquerda, uma batida que varia de lado, instrumentos separados. Liminha seguia na via contrária: caminhava cada vez mais em direção à tecnologia, ao poder sinfônico, que era uma marca do pop oitentista e realmente fazia muito sucesso. Os egos se chocaram logo de cara.

Na cabeça do Ira! vinham grupos sessentistas, The Who e a grande influência do The Jam. Quando colocaram o disco do Jam para o Liminha, o produtor fez cara feia.

Nasi: Ele falava que estava desafinado, a harmonia era errada... Acho até que já era. Mas éramos os "reis do *underground*"! Ninguém baixou a bola. Quando ele colocava Rush para a gente ouvir, como exemplo de técnica, produção, som, coisa e tal, a gente ficava puto. A gente odiava o Rush! Gostávamos mais ainda de fazer uma guerra sonora com o Liminha. Coisa de arrogante.

O que era para ser uma parceria se tornou uma queda de braço de luta livre. Liminha se tornou aquele professor xarope, conservador, contra os meninos mais rebeldes e descolados da classe.

Edgard queria usar muito violão no disco. Pensou numa sonoridade próxima a que Roger McGuinn e sua Rickenbacker fazia com The Byrds nos anos 60. Liminha não gostou. Propôs algo totalmente diferente. Edgard bateu o pé. Liminha lembrou para todo mundo que "o que Edgard tinha de anos de vida ele tinha de rock". O clima pesou. A banda, de sacanagem, começou a chamá-lo pelo nome de batismo: Arnolpho. Ele detestava.

O enfrentamento continuou. Para *Flores em você*, Edgard pensava num arranjo de cordas delicado em meio à batida poderosa do rock. Tinha em mente um trecho com notas breves, próximo ao que o produtor George Martin fez em *Eleanor Rigby*, dos Beatles. Levou um disco do Jam com a canção *Smithers Jones*, na mesma linha. Jacques Morelenbaum, nome tradicionalíssimo de mestres da MPB, fez o arranjo. Ao fim da gravação, Liminha não poderia deixar barato: "E aí, Nasi, como é cantar com um acompanhamento afinado?". Foi a última faixa em que todos trabalharam juntos.

Na canção *XV anos* (*Vivendo e não aprendendo*), Liminha cismava que a harmonia estava errada. A banda já fazia assim havia um ano. Bateram boca e o pé. Virou guerra. Liminha deu um tempo e deu no pé: "Senti que não podia colaborar muito. Para ficar sentado numa cadeira, assistindo, seria melhor não fazer", contou no livro *Dias de luta*.

Enquanto o chefão saía de cena, Peninha sugeriu que o grupo terminasse o disco em São Paulo no estúdio Transamérica. Recrutaram para auxiliar na cada vez mais dura missão o produtor português Paulo Junqueiro.

Mais problemas. Quando as fitas chegaram em São Paulo, foi detectado um grave erro técnico. Os sons da bateria estavam todos juntos em um mesmo canal: tom-tons e pratos estavam unidos. Não dava para equalizar dois instrumentos separados.

Nasi: Tiveram reduções absurdas nas fitas. Redução é assim: quando você tem de juntar dois canais em um, geralmente você une guitarra com guitarra ou guitarra com baixo. Coisas que têm a ver. Eles fundiram tom-tom e prato! O que é isso? Fodeu. Ficava o tom-tom grave e quando entrava o prato: xuáá...

Paulo Junqueiro viera de Portugal em 1985. Em um ano começou a trabalhar nos estúdios Transamérica. Já tinha trabalhado no remix de *Núcleo base*, que a WEA teve que fazer às pressas para atender a demanda do surpreendente sucesso. Em Portugal, produzira o Xutos e Pontapés, lendária banda que o Ira! curtia. Leninha Brandão, que empresariava o grupo também o tinha convidado para gravar um show e tirar duas faixas. Começou aí a amizade.

Com a ajuda de Paulo, *Vivendo e não aprendendo* foi finalizado, mas faltava acertar até a ficha técnica. Liminha merecia parte do crédito. Assim como Paulo Junqueiro e Peninha. Se o Junqueiro ia assinar, Liminha exigiu que seu técnico de som, Vítor Farias, também assinasse. E se o Vítor assinou, pensou Nasi, a banda também deveria assinar. Sendo assim, a produção do segundo disco é de Pena Schmidt, Liminha, Vítor Farias, Paulo Junqueiro e Ira!. Ufa! Oito produtores para dez faixas. Até mesmo no encarte os irados aproveitaram para dar uma alfinetada. Depois do quesito "equipamento de gravação", cravaram um "nas neblinas", em alusão ao estúdio de Liminha.

Décadas depois, a banda voltou a se unir. Desta vez para concordar com a pisada no microfone que deram em 1986.

Nasi: Foi um desperdício. Eu não culpo o Liminha porque a gente chegou com um puta rei na barriga. Ele era um cara consagrado, um puta produtor. A gente perdeu uma oportunidade de ter feito um disco marcante. Sabe quando um baita técnico não bate com um grupo de jogadores? Foi o que aconteceu... Foi coisa de jovem que acha que nasceu sabendo tudo. Mas se você não é arrogante quando jovem, vai ser quando? Foi isso. Mas eu não briguei com o Liminha. Eu ainda estava tentando dar certo no curso de História da USP. Fazia algumas provas. Cheguei ao estúdio depois de todo mundo e o clima já estava uma merda. Acabei, claro, ficando ao lado da banda e contra ele. Mas nem sei ao certo o que estávamos fazendo.

Vivendo e não aprendendo começa com *Envelheço na cidade*. Numa época em que o rock se destacava pelo bom-humor praiano das bandas cariocas, o Ira! colocava a mão na ferida da solidão metropolitana.

Nasi: O rock brasileiro era coisa mais alegre, mais comercial, mais colorida. Coisas até que eu gosto, como Kid Abelha, Magazine. Mas nós éramos da primeira levada de bandas mais pro preto, pro cinza. Nós, a Legião Urbana e, logo depois, os Titãs, a partir do terceiro disco.

A gravadora queria que o grupo incluísse as faixas do primeiro compacto, que tinha *Gritos na multidão* e *Pobre paulista*, dois grandes sucessos dos shows do Ira!. A banda achou "nada mod" acrescentar as canções tais quais eram no compacto. Principalmente porque tinham mudado muito, tanto instrumentalmente (o baixista e o baterista eram outros), como o estilo de cantar de Nasi. Resolveram colocá-las então numa versão ao vivo na casa de shows Broadway, em São Paulo. A introdução de *Gritos na multidão*, como não poderia deixar de ser nesse disco, também se tornou clássica. Só que, no fundo, a intenção foi gravá-las ao vivo para não ter que fazer playback dessas canções na TV.

A capa de *Vivendo e não aprendendo* nasceu de um conceito de Edgard, que queria cada um dos integrantes representados por desenhos, como que numa história de quadrinhos, velha paixão do guitarrista. O desenho de Edgard foi composto por Dora Longo Bahia; o de André por Ana Ciça; Gaspa por Paulo Monteiro e Nasi por Camila Trajber, uma das paixões do vocalista.

O responsável pela crítica de V*ivendo e não aprendendo* na revista *Bizz* foi Alex Antunes.

"O Ira! é um grupo inatacável. Não tanto pelo som – vigoroso, mas contra o qual poderiam pesar algumas acusações de pouca originalidade – ou por suas letras – sinceras, mas eventualmente ingênuas. Acontece que o Ira! é um grupo honesto (com perdão do termo desgastado), um bom tapa na cara dos idiotas envolvidos nesse jogo mesquinho chamado 'rock nacional'. Um disco fluente, sem truques, sem destaques. Um dos melhores guitarristas do Brasil, Edgard, também bom vocalista; o vocal sólido de Nasi; o baixo poderoso e adequado de Gaspa; a bateria eficiente e gentil de André Jung; estilo próprio, ira tranquila."

23

Um presente **pra você**

Para o lançamento de *Vivendo e não aprendendo* foi planejado um show gratuito, na Praça do Relógio, na Universidade de São Paulo, em 11 de outubro de 1986. Uma ousadia daquela banda que ainda nem tinha emplacado um sucesso maciço.

No dia da apresentação, a previsão era de chuva. E, em São Paulo, significa o fim de qualquer evento, ainda mais ao ar livre. Só que, quando pisaram no palco, 40 mil pessoas os esperavam.

Nasi: Foi a nossa beatlemania, com gente seguindo o carro, batendo na janela. A Leninha Brandão, nossa produtora, agitou tudo. Ela conseguiu apoio da rádio Jovem Pan, equipamento, uma puta produção. E de graça! Na noite anterior, fui ver os caras montando o palco. Era um negócio mágico. De madrugada, uma puta chuva e, na hora do show, diferente do previsto, uma noite linda.

Renato Russo veio do Rio para ver o show. Paula Toller também. Era o dia de Morumbi lotado para o Ira! E eles venceram de goleada.

Nasi: Mas foi um parto. O show atrasou. O Gaspa se perdeu na USP e ficou parado com o puta trânsito que teve na Cidade Universitária por conta do evento. O Edgard estava mais nervoso que o habitual antes de entrar no palco. Tivemos mais uma puta briga. Mas, na hora, deu tudo certo. Foi nosso Woodstock.

Bia Abramo assinou a reportagem *Contra as armações*, na *Bizz.*

A Praça do Relógio é um descampado enorme no meio da Cidade Universitária. O palco estava montado em frente à torre de 60 metros, na qual ficava o relógio. Ele foi roubado e no seu lugar, como uma piada cínica, está pichado "Anarquia".

O Ira!, já no fim da apresentação, ia começar *Pobre paulista.* Nasi, que de resto não perdeu a oportunidade de falar o que lhe veio a sua cabeça, se saiu com a constatação do que as pessoas presentes provavam que "ninguém precisa de armação nenhuma para reunir uma puta moçada num puta show de rock". Claro que precisa de uma produção eficiente, de boa divulgação, de equipamentos decentes. Tudo isso estava em cima. Mas precisa, também – e sem isso não há produção que sustente – de boas canções, de uma banda com vontade de fazer a moçada pular, carisma de palco. Tudo o que não falta ao Ira!.

Eles começaram com duas músicas do novo LP, mas a festa começou de fato quando tocaram *Envelheço na cidade* (o melhor clip nacional em circulação na TV). Na sequência, aquela mistura bem equilibrada que não é novidade nos shows da banda – competência e garra, virtuosismo e simpatia, romantismo e peso. Edgard fazendo a exibição pública do relacionamento íntimo e intenso que tem com a sua guitarra. Nasi, bem-humorado e não deixando o público um minuto em paz – encantando os corações com sua interpretação, fazendo brincadeiras com a voz, prestando homenagens a Deus e todo mundo, das rádios livres aos garotos do ABC.

O destaque dessa vez ficou para André, que botou as manguinhas de fora e desceu o cacete na bateria. Ricardo Gaspa quase faz o baixo existir por si só, quieto feito um rato, quase imóvel, mas levando o imprescindível diálogo baixo/bateria. O Ira! tocou uma hora e meia, alternando músicas do primeiro e do segundo LPs, mais uma inédita (*Poder, sorriso e fama*), e ainda desenterrou um hit da sua fase mais irada, *Nasci em 62*. As músicas novas, mais açucaradas, de um namoro meio comprometedor com o brega, não melaram o prazer de ver uma banda madura, que faz de tudo para fazer de um lançamento de disco o puta show para a moçada.

O clipe de *Envelheço na cidade* foi mesmo um sucesso, estreando no programa *Fantástico*, da TV Globo.

As músicas do novo disco foram bem aceitas no rádio, e o grupo já chegava na casa das 100 mil cópias vendidas. Um sinal da fama foi o convite da produção da Globo para participar do especial de Natal do *Cassino do Chacrinha*

Com o Ira!, várias outras bandas foram convidadas. Poucos minutos antes de ir ao ar, uma ordem da produção: todo mundo que aparecesse no vídeo era obrigado a usar um meigo gorro de Papai Noel. Os roqueiros todos vestiram. Menos o Ira!. A produção bateu o pé. O Ira! puxou o carro da Globo.

Nasi: Ninguém acreditava que a gente estava fazendo aquilo. Esnobamos um dos maiores programas da história da TV brasileira. Os Titãs, a Legião Urbana, todos ficaram lá de toquinha (risos). Nada contra o Chacrinha, que revolucionou a TV, mas o programa dele naquele momento era somente uma máquina de tomar dinheiro das gravadoras. O problema do gorrinho era a obrigação, a imposição e a nossa geração tinha vindo para mudar tudo isso. Por isso, resolvemos peitar aquilo. A gota d'água foi quando o Chacrinha deu um puta esporro no Biafra que havia tirado a toquinha por uns instantes. Cacete, esporro no Biafra (risos). Imagine então os roqueiros! Ficou um clima chato, músicos e assessores dizendo que "a gente não respeitava o velhinho, que era uma instituição". Já tínhamos feito playback lá antes, era um clima péssimo, ninguém conhecia o seu trabalho, o Chacrinha ficava falando "dança, dança" para o Edgard. Quando nos recusamos a tocar com o gorrinho, achei que a Globo certamente tinha fechado suas portas para o Ira!.

Fazer playback nunca foi um dos programas favoritos do Ira!.

Nasi: Nós fizemos o mínimo de televisão possível. Não gostávamos muito de fazer playback, programas de auditório. Hoje em dia tem MTV, naquela época era uma salada. A gente era uma banda com conceitos de música muito fechados. Mesmo assim a gente conseguiu vender e tocar bastante. Foi o nosso primeiro disco de ouro.

O Ira! não gostava de televisão, mas a televisão – e a Globo – resolveram investir no namoro com a banda. E o melhor ainda estava por vir. Em 20 de março de 1987, estreava no horário das oito (que já não era beeeem oito...), a nova novela da Globo: *O outro*, de Aguinaldo Silva, protagonizada por Francisco Cuoco. Na história, o milionário Paulo Della Santa (Cuoco) passava por uma crise conjugal com a sua esposa Laura (Natália do Valle) e também com seus negócios. Só que, sem saber, ele tinha um sósia, Denizard de Mattos, dono de um ferro-velho. Viúvo, pai da adolescente Zezinha (Cláudia Abreu), ele mantinha um caso amoroso com Índia do Brasil (Yoná Magalhães). Misteriosamente, Paulo desapareceu e Denizard, com problemas de amnésia, ocupou o seu lugar, sem que ninguém desconfiasse. A troca de identidade dos sósias não era segredo para Glorinha da Abolição (Malu Mader), uma jovem à procura do pai e de suas origens, e que já fora apaixonada por Paulo Della Santa.

José Bonifácio de Oliveira Sobrinho, o Boni, todo-poderodo da toda poderosa emissora, quando ouviu *Flores em você*, sentiu que aquela letra era a sinopse da novela. Pediu para colocá-la como o tema de abertura. Coincidentemente, o produtor da trilha era Liminha.

Nasi: Foi o primeira tema de abertura de uma novela da Globo que a música não era inédita. Até então, o tema de abertura tinha que ser música inédita: primeiro a novela, o disco da novela, aí o disco do artista. Mas, com o nosso caso, saiu no nosso disco, aí entrou na novela. Foi algo improvável, mágico. A letra era realmente a sinopse da novela.

O disco, que já vinha vendendo bem e tinha emplacado *Envelheço na cidade* e *Dias de luta* nas principais rádios, estourou de vez e para novos públicos. Na abertura do programa mais visto do país, todos aqueles que não conheciam procuraram por aquele tal grupo Ira!. Para apoiar ainda mais a venda do disco (e do mercado fonográfico em geral), o Brasil vivia o Plano Cruzado. Em 28 de fevereiro de 1986, foi decretado pelo presidente José Sarney um pacote de medidas que estabeleciam, entre outras coisas, a substituição da moeda cruzeiro pelo cruzado, com corte de três zeros; congelamento de todos os preços (e salários); extinção da correção monetária e a criação do seguro-desemprego.

O plano foi elaborado pela equipe do ministro da Fazenda Dílson Funaro. De cara, contou com o apoio da população, entusiasmada com as perspectivas de estabilização econômica. O povo foi incentivado a colaborar, fiscalizando estabelecimentos e comerciantes que praticassem preços acima da tabela. A inflação foi reduzida, o desemprego diminuiu, o poder aquisitivo da população cresceu – o que gerou uma sensação de crescimento e fartura.

Só que essa sensação de grande poder aquisitivo e dinheiro na mão logo passou. No entanto, deu tempo de muita gente comprar o disco do Ira!: as 250 mil cópias foram superadas.

Era o sucesso, como eles sempre sonharam.

Gaspa: Minha avó não acreditava que eu tinha uma banda, que eu gravava discos. Ela só acreditou quando eu apareci na televisão.

Sucesso de público e crítica, o ano seguinte foi prolífico para o Ira!. O grupo chegou a fazer mais de 120 apresentações pelo país em 1987. Pela primeira vez, cidades mais distantes puderam ver a energia da banda ao vivo. Nem o forte sotaque paulista foi barreira. Muita gente fora do eixo Rio-SP não tinha nem ouvido falar da banda antes da música na novela. Depois, hordas de fãs se formaram e muita gente se identificou com os problemas urbanos das letras de Edgard.

A maior exposição da banda também fez com que pipocassem em alguns lugares uma das características mais apregoadas ao Ira!: a de cópia do The Jam. Jornalistas de vários lugares repetiram isso, mesmo aqueles que nunca tinham ouvido Jam na vida – principalmente, esses. *Flores em você*, que tem o arranjo central de cordas semelhante ao de "Smithers-Jones", do Jam, era o carro-chefe do comentário. Edgard se emburrava no começo, mas depois começou a achar tudo aquilo mod. Dentro do conceito de que a imitação, por vezes, poderia ser mais interessante que o original.

24

Estou farto do **rock and roll**

Desde o Rock in Rio, em janeiro de 1985, o Brasil não organizava um grande festival de música. Apesar da hegemonia e do sucesso maciço de diversas bandas do gênero, o país passou três anos sem um evento de grande porte. Em janeiro de 1988, com o Hollywood Rock, o rock voltava ao mapa.

Supertramp (em final de carreira), Simply Red, Simple Minds, The Pretenders e UB-40 (no auge) eram as atrações internacionais. No Rio, a Praça da Apoteose era o palco. Em São Paulo, o Estádio do Morumbi. Completava o *cast* do festival os consagrados Paralamas do Sucesso, Titãs, Lulu Santos, Ultraje a Rigor e Marina.

E Ira!. A banda tocaria nas duas noites de abertura do evento, dia 6, na Apoteose, e 13, no Morumbi. Os Titãs fechavam a parte brasileira e o The Pretenders encerrava a noite. O Ira! se mudou para o estúdio Nas Nuvens para ensaiar, sem parar, e a sério, para os shows. Mas o lugar já estava reservado para os Titãs. Liminha, o dono, era tido como um titã honorário. Uma cabeça de dinossauro para adivinhar quem ficou de fora do estúdio.

O despejo foi só o início da *bad vibe*. Durante a entrevista coletiva para o festival, no Rio, o Ira! declarou que o tratamento dispensado às bandas brasileiras era infinitamente inferior às gringas (claro!), que muita gente que estava tocando nem recebia cachê – ou se recebia, era somente simbólico. A declaração (heróica e corajosa, claro, porém kamikase, como quase tudo na trajetória do Ira!) causou desconforto tanto com a produção, quanto com o resto das bandas brasileiras (que concordavam com o Ira!, mas não podiam e não tinham a coragem de se manifestar publicamente). O festival resolveu se vingar. O Ira! se queimou com o Hollywood.

Edgard, Nasi, André e Gaspa subiram ao palco armado em frente aos arcos da Praça da Apoteose às 19h35 de 6 de janeiro, com exatos 35 minutos de atraso. O dia nem tinha se posto, ainda. Plateia enchendo e meio que de saco cheio. O show não empolgava. O som estava ruim. Quando a guitarra não sumia, era a voz. Se o baixo desaparecia, a bateria era o instrumento mais ouvido. Na última canção, justamente *Gritos na multidão*, a produção do Hollywood Rock não prejudicou somente um instrumento: resolveu acabar com todos. Simplesmente desligou totalmente o som no meio da música.

Edgard saiu puto, arrebentando sua guitarra no chão. O público ficou pedindo bis, enquanto Nasi gritava para a multidão: "Falem com a direção!". No camarim, promoveram uma quebra total. Pancadaria que Gaspa só veio a entender agora.

Gaspa: Desligaram, é? Eu estava tão concentrado que nem percebi. Não entendi nada quando cheguei ao camarim e o Nasi e o Edgard quebravam tudo.

Na *Bizz* de abril de 1988, Edgard e André tentaram justificar.

Edgard: A gente teve muitas dificuldades durante a passagem do som, limites, cobranças de tempo para montar o palco, não teve luz... Mil coisinhas que foram alimentando um nervosismo. E tudo explodiu em *Gritos na multidão*. Depois daquela guitarrada ficou tudo mais tranquilo.

O show no Morumbi foi ótimo. Mas o Ira! só voltaria a ser chamado para participar de outro festival deste porte anos depois.

25

Vitrine **viva**

Em 1987, uma velha paixão resolveu aparecer com força total nos ouvidos de Nasi. A cultura hip hop, um novo movimento que compreendia a música rap, a dança do break e o grafite. Símbolo da periferia norte-americana, o movimento só bateu no Brasil em meados dos anos 1980, com a febre do break. Em 1985, era fácil ver nos trópicos típicos norte-americanos usando roupas coloridas, óculos escuros, tênis de cano alto, luvas, bonés e um enorme rádio gravador para embalar o break – o *ghetto-blaster.*

Em São Paulo, as festas eram organizadas por empresas de som, como a lendária Chic Show. Todo o pessoal – assim como os punks haviam feito cinco anos antes – se encontrava na rua 24 de maio, centro de São Paulo. De lá passaram para a Estação São Bento do metrô. Outra turma também se encontrava na Praça Roosevelt. Era uma divisão racional: no metrô se reunia o pessoal que dançava break; na Praça Roosevelt, os rappers.

Nasi já curtia rap desde a época em que dividia o apartamento com André em Pinheiros. Os primeiros discos do Public Enemy e do Run DMC, com mais frequência. A gravação hip hop de *Walk this way*, do Run DMC, em 1987, ajudou a tirar o Aerosmith do limbo. Era todo um novo som excitante, surpreendente, que pirava metade do Ira!.

Nasi: Eu enxerguei ali, naquele movimento, o novo punk. Na estética, na novidade, sabia que aquela música ia mudar tudo.

Nasi se empenhou na produção de uma megafesta em São Paulo chamada *Festa my baby* – alusão ao Espaço mambembe. Juntamente com Skowa, Theo Werneck e Otávio Rodrigues. Tinha como mote reunir várias tribos dançantes, de gêneros diferentes. Nasi e Skowa passaram o domingo vendo a molecada dançar no centrão de São Paulo. De cara, atraíram a desconfiança dos presentes.

No meio deles, Nasi observou um talento em especial, um tal de Altair Gonçalves, mais conhecido como Thaíde, que fazia parte da gangue Back Spin.

Na época, André tinha um pequeno estúdio em casa. Aproveitou para alugar uma bateria eletrônica, comprar um baixo e começou a compor algumas bases. Mais tarde, Nasi levou um gravador de quatro canais, juntaram uns periféricos e microfones e começaram a gravar o *groove* que faziam. Chamaram Thaíde e começaram a unir ritmo à poesia. Outros artistas da mesma turma e que estavam na mesma situação, com boas letras e sem uma boa música para sustentar, também começavam a frequentar o estúdio e fazer gravações por ali. A *Festa my baby* acabou sendo um sucesso com a presença dos rappers e b.boys. Foi nela que Thaíde cantou para um grande público pela primeira vez. Nascia ali, pelas mãos iradas, uma lenda.

Ainda mais empolgado, Nasi se dedicava minuciosamente ao rap. Conseguiu fazer vários temas, adaptar e emular diversas bases, trabalhar com jovens talentos. Começou a cristalizar o que poderia se tornar um disco. E se tornou, graças ao apoio financeiro da gravadora Eldorado. A coletânea *Hip hop – cultura de rua* foi lançada e é o histórico registro inicial do rap brasileiro. Produzida por Nasi, Skowa e Akira S, a bolacha reunia nomes pioneiros como MC Jack, Código 13 e, claro, Thaíde, ao lado de um novo parceiro, um *deejay* conhecido da periferia: Humberto Martins, vulgo...

DJ Hum: Eu fazia bailinhos em casa de família. Era uma baita distância para o mundo de Nasi e para o centro de São Paulo. Mal tínhamos transporte. Mas, pelo meu trabalho no São Bento, acabei convidado para ir a uma festa onde estava o Nasi, o Skowa, o jornalista Otávio Rodrigues... Foi uma quebra de barreiras. Existia uma linha imaginária que dividia as rádios e as festas de negros e brancos, em 1986. Não tinha miscigenação ou integração como hoje. Tinha muita divisão cultural e social. A hora em que eu vi o Nasi foi demais! Foi a primeira pessoa que eu tive contato que tinha fama, glamour.

O jovem de 18 anos de Ferraz de Vasconcelos ficou impressionado com o roqueiro branquelo que conhecia James Brown e tocava hip hop como DJ. Ele queria impressionar Nasi com o remix que fizera de *Pobre paulista*.

DJ Hum: Ele estava tocando na festa e eu disse que tinha vindo especialmente para entregar a minha fita cassete com o remix da música do Ira!. Era a grande oportunidade de mostrar meu trabalho. Quando ele me deu atenção, o mundo mudou para mim. Ele me apresentou um monte de gente, me deixou tocar na cabine de DJ que eu nunca tinha chegado perto... Foi demais.

Nasi o aconselhou a trabalhar com Thaíde. Convidou o DJ Hum para tocar na casa dele, mexer nos equipamentos. Ele pintava no pedaço mesmo se o dono da casa estivesse dormindo.

DJ Hum: Eu era office-boy. O Nasi me abriu as portas. Também na formação cultural e emocional. Era muito avançado para a época. Não sei qual era o lance dele, mas foi muito integrador em um momento em que era rock de um lado contra a black music do outro.

Ter feito o meio-campo com gravadoras e mercado ajudou muito.

DJ Hum: O Nasi influenciou toda geração de rappers dos anos 80. Pela ousadia, pelo interesse, pela ajuda mesmo, ele plantou a semente do movimento. Ele nos deu condição técnica e até o espaço físico. A banda foi muito importante para todos nós. Para mim, então, foi demais quando o Nasi me convidou para ser DJ num show do Ira!. Foi a primeira vez que usaram ao vivo no Brasil um toca-disco como instrumento musical. Devo a ele a chance de ter acreditado num cara da periferia para dividir alguns minutos de um show de uma banda superpopular.

26

Psicoacústica

As intenções para "o difícil terceiro disco", um real clássico do rock, eram bem claras: psicodelia, experimentação e modernidade. Era o momento de fazer o mais maluco registro do grupo. Também o mais bem acabado e produzido álbum. O disco psicodélico. Vivia-se virtualmente a onda sessentista em suas canções, agora era a hora de fazer o *Sgt. Pepper's lonely hearts club band* deles.

A cena musical paulistana jurava que o grupo iria fazer um disco inteiro de funk. O boato ficou mais sério quando descobriram que Nasi tinha comprado uma pick-up e planejava se especializar em scratches (os arranhões, efeito que os DJs obtêm ao fazer o disco ir para frente e para trás no prato). A coisa estava ficando bem interessante – e muito dançante na cabeça dos irados. Mais uma revolução se anunciava no front do Ira!.

Eles queriam fazer nesse novo disco tudo o que não puderam no *Vivendo e não aprendendo*. Misturar instrumentos acústicos com guitarra, dar peso, abusar de efeitos sem lançar mão das melodias e harmonias bem-construídas.

A viagem começou em novembro de 1987 e se estendeu até janeiro de 1988, no já conhecido estúdio Nas Nuvens, no Rio. Se a ideia era apostar na maluquice, não poderiam ter escolhido melhor momento. Em 14 de setembro de 1987, os tripulantes do navio Solano Star foram nada sutilmente avisados de que a Policia Federal e a Marinha já sabiam da nada discreta carga de maconha que traziam nos seus porões. Desesperados, os tripulantes despejaram nas costas do Rio de Janeiro e São Paulo cerca de 20.000 latas com 1,5 quilo de maconha prensada com mel e glicose. A Marinha só conseguiu recuperar menos de três mil dessas latas. A boa sobra ficou na mão da rapaziada e, de outubro de 1987 a fevereiro de 1988, o período ficou conhecido como o *Verão da lata* que deu nas praias e campos brasileiros. Uma homenagem à ótima qualidade da maconha desses recipientes que fizeram a cabeça geral. Mesmo vazio, o navio foi confiscado e os tripulantes presos.

Não precisou de muito esforço para que os quatro irados acrescidos do produtor Paulo Junqueiro dessem de cara com uma boa quantidade de erva egressa da lata. Dessa vez, trabalhando tranquilos e sem pressão no Nas Nuvens, tinham tempo de sobra e gás e fumaça para pirar e experimentar novos sons, batidas e pulsações. Melhor: tinham conquistado todo o moral possível com a gravadora. Carta branca para gastarem tempo lapidando o novo álbum. Tanto que, apesar do rascunho de algumas canções, a maioria do disco nasceu em estúdio. Muitos efeitos e arranjos nasceram em cima da hora, no auge da chapação.

Nasi: A gente colocava conhaque e maconha no narguilé e fumava.

O que resultava dessa mistura eram longos solos de guitarra e músicas sem refrão. Em busca de uma informação sonora, Nasi se trancava em um quarto escuro e ficava assistindo a filmes sem parar, o dia todo, fumando um atrás do outro.

Gaspa: Também foi um momento de união muito grande, a gente estava feliz de estar junto, de tocar junto e de fazer aquele disco juntos.

O entrosamento só não era total porque as influências se chocaram. Enquanto Nasi e André vinham cheios de grooves e loops do rap, funk com rock, hip hop, Edgard e Gaspa estavam imersos e regressos ao mod e aos anos 60. O guitarrista, mais do que não gostar, torcia o nariz para aquela modernice toda. Esse choque musical acabou sendo fundamental para que o disco lisérgico se tornasse revolucionário. O trabalho também só saiu do jeito que os caras queriam graças à ajuda do produtor Paulo Junqueiro.

Ele embarcou de cabeça na viagem. Muitas vezes as mixagens eram feitas a dez mãos. Naquela época, não existia automação na mesa e o grupo ensaiava uma mixagem. Aquele ensaio logo virava a música em si. Quando dava certo, rolava uma pausa para seções de aplausos.

Nasi: Foi a droga certa, no estúdio certo, na hora certa, com a banda certa.

O produtor assina embaixo.

Paulo Junqueiro: Psicoacústica era uma palavra que eu falava muito. Foi tudo superlativo nas gravações. A guitarra que era gravada com 17 microfones e quatro amplificadores. Tinha coisa que ficava uma merda, mas muita coisa genial. A Warner deu três meses pra gente trabalhar, na maior liberdade. A gente fumava pra caralho. Era o que mais rolava. De resto, a gente dava um teco ou outro, mas o grosso era a maconha da lata no narguilé do Edgard. Foi uma sintonia fina, afinal, na época, pouca gente conseguia trabalhar com o Ira! e eles também confiavam em poucas pessoas. Principalmente numa ousadia como essa.

Um dos principais destaques do disco é *Advogado do diabo*. A primeira que o grupo grava que não tem a assinatura de

Edgard Scandurra. A música é de Marcos Nasi Valadão e André Jung. Uma joia. André e Nasi cantam em dupla, com uma mistura de funk com repente. Ao fundo, Edgard faz solos sensacionais e extremamente distorcidos, quase que desconexos. Parece ter sido composta e gravada 15 minutos depois do lançamento deste livro.

Escolhida para abrir o disco e cravar um ponto de interrogação na cabeça do ouvinte, *Rubro Zorro* nasceu das viagens de Nasi com o filme *O bandido da luz vermelha*, de Rogério Sganzerla. Áudios retirados da película pontuam a canção – também a primeira assinada pelos quatro integrantes do Ira!. A linha de baixo poderosa de Gaspa é responsável pela introdução. Pesada, Edgard faz um genial trabalho de guitarra, que explode no refrão.

Foi o primeiro disco do Brasil a usar sampler (o aparelho que copia um som e o reproduz durante uma música) e a usar o toca-disco como mais um instrumento.

O jornalista Marcel Plasse fez para a *Bizz* longa reportagem a respeito das gravações. A entrevista chamada *A idade da razão?* expunha a ideia da banda.

Bizz – Nesse novo disco não há nenhuma balada com quarteto de cordas (risos). E ele acabou se chamando *Psicoacústica*. O que é psicoacústica?

Nasi – É o estudo das influências que ambientes de tamanhos diversos causam num mesmo som, numa mesma música. Esse nome saiu no final das gravações. (...)

Bizz – Que sons foram sampleados?

Nasi – Tudo começou com uma pesquisa sobre o "bandido nacional" que acabou se tornando uma mistura de vários personagens, inclusive do bandido da luz vermelha americano – ou seja, um cara que foi condenado injustamente e executado. Encontrei com o Rogério Sganzerla (autor do filme *O bandido da luz vermelha* nacional, de onde foram extraídos alguns tiros e falas para a música) e foi uma sincronicidade de ideias incrível! Em *O advogado do diabo* tem um final de um discurso religioso captado em AM, que eu não queria que falasse que é da (...). Eu nunca vou declarar isso! Não tem nome de ninguém lá. E eu não quero fazer propaganda desse órgão que eu acho terrível, tá? A música é *O advogado do diabo* e nós pensamos em colocar o verdadeiro diabo no fim dela: o discurso religioso moralista desses caras, uma coisa muito perigosa (o discurso diz: "Tem que haver pobre, tem que haver rico, tem que haver preto, tem que haver branco..."). Mas é algo que eu quero que entre como acidente. Como qualquer pessoa que ligue o rádio AM e capte uma mensagem dessas a qualquer hora. Foi o que eu percebi. Eu peguei superacidentalmente na madrugada antes de colocar isso no disco.

O que Nasi não explicou, a fundo, nessa entrevista foi o termo "psicoacústica". Trata-se, de fato, da falsa sensação de estar ouvindo um ruído. Como a impressão que se tem de passos ou de uma porta ter se fechado. No caso, depois de tantas experimentações no estúdio, os quatro pensavam ouvir ruídos inexistentes em várias músicas. A paranoia acabou titulando a obra.

Nasi: Estávamos chapados, né? Alucinações aconteciam o tempo todo. A gente estava viajando o tempo todo, mas também estávamos concentrados na música que estávamos fazendo. A gente queria se reinventar, se livrar das amarras do disco anterior.

27

Serve-se **morto**

Psicoacústica só foi, realmente, compreendido anos depois. A melhor resenha veio do jornalista Alexandre Matias, publicada em *Trabalho sujo*:

"O Ira! transpirava rock clássico. Como o Clash, o Jam, o Husker Du e o Who, o quarteto paulistano saiu do rock tosco e primitivo de seus primeiros discos para mostrar-se um grupo afiado e robusto, com todos os músicos dando o máximo de si para um público fiel e cativo. Marcos Valadão – o Nasi – era um vocalista excepcional e de uma personalidade literalmente gritante. Berrando ao microfone, Nasi não transformava notas em urros, aumentando apenas o volume e a carga de energia em cada sílaba que cantava – sendo agressivo ou passivo se quisesse.

Ao seu lado, um dos maiores guitarristas da história do Brasil, o canhoto Edgard Scandurra tocando sua Fender Stratocaster para destros de cabeça para baixo, com as cordas posicionadas ao contrário do que deveriam – as agudas acima, as graves embaixo. (...). Técnica, conhecimento musical, afinação, pureza sonora – tudo isso era acessório comparado ao ímpeto urgente que o rock imprimia nas pessoas. É a música da alma: soul music. Foi quando ele começou a entender os mods. (...).

Scandurra aplicou o mod sobre seu estilo de vida e transformou o Ira – ainda sem a exclamação – na única banda mod do Brasil. Seguido por Nasi, os dois formavam uma dupla imbatível, a melhor resposta brasileira às duplas 'vocalista visceral e guitar hero' como Page e Plant, Bono e Edge, Joey e Johnny, Jagger e Richards, Morrisey e Marr. Perto deles, Cazuza e Frejat pareciam tão inofensivos quanto calouros de programas de auditório. Auxiliado pela cozinha firme e forte do baixista Ricardo Gasparini, o Gaspa, e pelo baterista André Jung, o Ira era um dos maiores segredos do *underground* paulistano. E o guitarrista era sua arma secreta. (...).

Psicoacústica é um trabalho conceitual e cerebral, aprofundando e dissecando a revolta que o Ira! via como revolução nos anos da adolescência. Mas sem deixar de lado a pegada rock and roll, quilômetros à frente de grupos que o levantavam como bandeira (vide Made in Brazil, Golpe de Estado, Barão Vermelho ou Tutti-Frutti), e ao mesmo tempo, procurando outras possibilidades sonoras.

Psicoacústica traduz o mod para o Brasil de forma definitiva e pessoal. Ao optar pelo marginal como símbolo da cultura nacional, o Ira! pinça *O bandido da luz vermelha*, filme de Rogério Sganzerla, como centro de seu disco, como o jovem Jimmy (Phil Daniels) de *Quadrophenia*, do Who. No filme de Sganzerla, um amontoado de referências culturais e populares narrado como um radiojornal ininterrupto ajuda-nos a entender a história do personagem do título, um Robin Hood à brasileira baseado num homônimo verdadeiro-assassino, estuprador e assaltante, o verdadeiro Luz Vermelha não tinha o carisma do ficcional. (...).

Vilão? *Psicoacústica* pergunta-se o tempo todo quem é o vilão da história. Questionando todas as autoridades, o disco busca a redenção do brasileiro, cada vez mais marginal, sem ter pra quem recorrer. Ao contrário do punk que arrebanhava a classe operária enquanto um todo, seguindo o caminho inverso da exploração capitalista, o Ira! buscava a reflexão individual, forçando o ouvinte a comparar seus sentimentos com os que o grupo cantava. Esta terapia de autoconhecimento é típica da cultura mod e o Ira! traduzia esta metodologia analítica para a vida do brasileiro urbano, seu principal público-alvo. (...).

Não sobrava ninguém de pé: o bom-mocismo (*Receita para se fazer um herói*), a autodepreciação moral (*Pegue essa arma)*, a limitação intelectual (*Farto do rock and roll*), a repressão social (*Manhãs de domingo*), a agressão disfarçada de ordem (*Rubro Zorro*) e justiça (O *advogado do diabo*) e o esquecimento (*Mesmo distante*); todos eram postos no banco dos réus e tinham suas máscaras tiradas frente a sentimentos que poderiam dar margem ao egoísmo, mas que eram simples afirmações de individualidade contra uma sociedade repressora.

Rubro Zorro abre o disco com golpes pesados, mostrando que o instrumental do grupo não apenas estava afiado como sólido e coeso. 'Trata-se de um faroeste sobre o terceiro mundo', narra o locutor do filme de Sganzerla, sobre a segunda introdução, mais lenta e tensa que a violência rocker que abre o disco. (...). Musicalmente, *Rubro Zorro* é um rock vigoroso e tenso com referências flamencas (com vários violões se encontrando em canais diferentes, postos por baixo dos outros dois dedicados ao ápice guitarrístico de Edgard). (...).

Um coral sampleado dá um tom religioso ao início de *Manhãs de domingo*, logo trucidado por um riff tocado com firmeza e agressividade. Nas manhãs de domingo, parece que todos olham pra você – o clima de paranoia é o mesmo de *Sunday morning*, do Velvet *underground*, mas a ressaca não é moral, parece que a noite valeu a pena (...).

A marcial *Poder, sorriso, fama* dá sequência à descoberta da maturidade – Estou aprendendo muito/ Confiando nas pessoas/ Um tiro pelas costas/ Poder, sorriso, fama. Paredes de guitarra e vocais são construídas ao lado da melodia, como uma trilha sonora de ruídos rock. (...). A fusão da psicodelia Beatle (graças à introdução *Dear prudence* e o trompete mezzo *Penny Lane* mezzo jazzy) com ska de Receita para se fazer um herói encerra o lado A, explicando-se didaticamente como a sociedade cria seus mitos. (...).

Uma linha de baixo soturna entre chocalhos e chimbaus tratados na mixagem cria suspense para a entrada de *Pegue essa arma*. A guitarra decompõe-se em ruídos até os primeiros disparos de um solo que surge como o sol alto de um duelo caubói. (...). Um riff AC/DCiano contesta o próprio rock em *Farto do rock and roll*. (...). Rock pesado, ele mostra por que o grupo optou por tantas diferenças sonoras mesmo sendo um grupo de rock. O scratch, feito por Nasi, substituiu o solo, enquanto André Jung bate latas procurando novas percussões. (...).

Advogado do diabo é fruto da faixa anterior. Samba de roda com rap, ela coloca André e Nasi rappeando sobre a verdadeira justiça (...). O solo de guitarra é um dos melhores do disco, fundindo metal, pós-punk, noise, punk, rock e psicodelia.
(...). A psicodélica *Mesmo distante* visita o primeiro disco do Pink Floyd (*The piper at the gates of dawn*) e o disco lisérgico dos Rolling Stones (*Their satanic majesties request*) numa balada sobre memória. Ela fechava o disco olhando para o passado como se este fosse o futuro."

O Ira! nunca mais iria tão longe. As más vendagens do disco - que não tinha um hit sequer, causando desconforto na reunião de apresentação do álbum à gravadora, e não vendeu mais que 50 mil cópias - colocaram o grupo como vilões do sucesso. Mas com um disco de capa dupla, com direito a uma capa altamente enigmática (uma espiral em verde e vermelho, cujo efeito saltava aos olhos quando colocávamos os óculos 3D que acompanhavam o vinil), o Ira! alcançava sua maturidade musical e entrava de vez para a história do rock brasileiro. Com um disco perfeito, sem pontos baixos, sem defeitos ou lapsos - à altura da fase áurea que o grupo passava. Procure-o em sebos de vinil - o LP tem um sabor especial comparado às versões em CD. E ouvindo-o no volume máximo, encontre uma banda ímpar no cenário nacional.

A crítica da época não engoliu o disco. Para muitos, *Psicoacústica* era uma viagem demasiadamente pretensiosa para o rock brasileiro de então. Os jornais paulistanos caíram de pau. Até mesmo o release do disco, um texto de apresentação do álbum para a imprensa, geralmente feito em um tom elogioso, deu algumas pauladas na própria obra. E era assinado pelo amigo Thomas Pappon. Nasi e André, que foram até o apartamento de Pappon encomendar o trabalho, foram os que ficaram mais chateados com a história.

Thomas: O episódio do release foi chato pacas. Eles detestaram, ficaram putos. Deveria ter recusado, mas, na verdade, fiquei honrado com o convite. O problema é que não gostei do disco, e deixei transparecer isso, meio que nas entrelinhas. Tentei ser sincero comigo mesmo, e deu no que deu. Escrevi, passei para eles. O Nasi e o André foram na minha casa pedir satisfações. Ficamos uns dois ou três anos sem nos falar depois disso. Só nos reaproximamos quando o Fellini e o Ira! tocaram em Nova York, em 1990.

O disco não passou das 50 mil cópias vendidas (o que para os números do século XX seria sucesso). Uma decepção para o grupo e, principalmente, para a gravadora. A WEA tinha apostado muito no Ira!.

Nasi: Hoje, quando alguém fala de discoteca básica do rock, o disco está sempre lá. Merecidamente. Mas quando estávamos gravando naquela nuvem de fumaça de maconha da lata, não sacávamos que estávamos fazendo um trabalho de vanguarda. Não achávamos que tínhamos de guardar o disco como se fosse vinho para ser lançado dez anos depois. Só realmente percebemos a qualidade e, digamos, a vanguarda dele anos depois. Pena que pouca gente na época tenha dado o valor merecido ao disco.

Para completar ainda mais a zica que parecia acompanhar *Psicoacústica*, Edgard foi acusado de plágio na seção de cartas da *Bizz*. A letra de *Receita para se fazer um herói* seria de outro autor. Um colega de Edgard no Exército, o soldado Lacerda, apresentou-lhe um poema com esse título, que o guitarrista achou sensacional. Edgard lembrou a letra, musicou e tentou entrar em contato com o colega de caserna. Sem sucesso. O colega de farda com quem Scandurra havia perdido contato ganhou uma parceria na letra e um carinhoso "Lacerda, cadê você?" em meio aos créditos do disco. Nos programas de TV que iam, costumavam chamar por Lacerda. Com a banda em seus dias de glória, Lacerda achou por bem reaparecer, dizendo que a banda havia gravado seus versos sem ter autorização. Ameaçava embargar a obra, e pedia cinquenta mil dólares para "liberar" a faixa: um verdadeiro motim.

Quando o disco foi lançado, uma leitora da revista *Bizz* acusou o Ira! de plágio na mesma canção. A letra de *Receita para se fazer um heroi* estava num livro escolar. A "quartelada" só acabou quando a viúva do poeta hispano-português Reinaldo Edgard de Azevedo e Silva Ferreira (1922–1959), verdadeiro autor do poema, foi localizada e, através de um acordo, selou o armistício em torno da canção.

28

O que me **importa**

Se a crítica não tinha gostado e o público não tinha comprado *Psicoacústica*, entre os músicos o Ira! estava no topo. Todos os integrantes circulavam e transitavam entre as principais rodas musicais do Brasil. Edgard tinha produzido o segundo disco das Mercenárias, *Trashland*.

Junto com o suingue que tinha em *Psicoacústica* (além das sementes funky que vinham desde *Vitrine viva*), uma cena dançante e rock se desenhava em São Paulo. Gueto, Fábrica Fagus, Skowa e a Máfia eram alguns dos principais nomes dessa seara que, principalmente Nasi frequentava bastante. Os dois conheceram um adolescente chamado Ed Motta, que cantava muito, e que já tinha vendido muito cassete *bootleg* de shows do Ira!. A empresária Leninha Brandão os apresentou. O Ira! foi o (ir)responsável de apresentar a marijuana ao cantor. Logo Ed Motta e sua Conexão Japeri começavam a tocar e a fazer sucesso em São Paulo. Nasi costumava prestigiar a maioria dos shows. E, numa noite no

Aeroanta, casa do rock em Pinheiros, ele se encantou com uma jovem cantora. Marisa Monte,foi paixão à primeira vista e ouvida.

Nasi não conseguia desgrudar os olhos daquela garota. Cabelos, olhos, boca, que, convidada por Ed Motta, fazia um dueto primoroso na canção *The closer I get to you*, de Donny Hathaway e Roberta Flack. Como retribuição a tudo que lhe apresentou, Ed Motta chamou Nasi para pegar um cineminha com a amiga cantora junto. A faísca estava riscada, estavam apresentados, trocaram telefones.

Marisa Monte era a sensação dos palcos alternativos do Rio de Janeiro, São Paulo e Belo Horizonte. Suas temporadas costumavam fazer lista de espera, principalmente em casas como o Jazzmania (Rio) e o Aeroanta (São Paulo).

Carioca, Marisa já tinha chamado a atenção do mercado fonográfico aos 16 anos, quando fazia o circuito da noite carioca e frequentava os shows do Circo Voador, no comecinho dos anos 1980. Acabou recusando gravar um disco pela PolyGram, sob a supervisão de Roberto Menescal, por acreditar que não tinha um bom repertório para ser registrado. Foi para Itália, estudou canto, trabalhou e resolveu voltar em 1987. No caminho, encontrou na Itália um amigo de sua mãe, Nelson Motta. O jornalista e produtor a apresentou para muita gente do meio musical e incentivou a carreira de cantora. De volta ao Rio, Marisa firmou-se em temporada disputadíssima no Jazzmania. O sucesso foi tanto que, antes mesmo de gravar um disco, Marisa foi tema de um especial da TV Manchete, dirigido em película por Walter Salles. A apresentação viraria, tempos depois, seu primeiro disco. Nascia ali uma diva e uma nova sensação da música brasileira. Muita gente se apaixonou pela nova cantora.

Marisa no Rio, Nasi em São Paulo. Os telefonemas eram constantes. Mas havia Nelson Motta na linha.

Nasi: Tudo realmente começou com telefonemas. Eu fiquei encantado, ela é linda, maravilhosa, mas sabia da relação dela e fiquei na minha. De repente a coisa no telefone foi ficando mais constante. Foi quando ela me falou que não "tinha namorado, mas tinha um lance aí". Até então, não sabia muito da carreira dela. Comecei a acompanhar pela televisão. Depois, começamos a trocar cartas. Ela me mandou *Cartas a um jovem poeta*. Aos poucos, começou a se abrir comigo. Ela me dizia que achava o Nelson Motta bacana, mas que queria outras coisas para a carreira dela. Que não queria aquela coisa que ele queria criar dela, de ser a nova Gal Costa, de ser diva, de andar em tapete vermelho. Ela queria trabalhar com gente jovem, procurar novos produtores. A partir daí a coisa foi crescendo, crescendo, me absorvendo...

O produtor Nelson Motta viajou para Nova York, logo após o especial da TV Manchete. Marisa e ele estavam meio que rompidos profissionalmente, por isso, ela resolveu ficar no Rio de Janeiro. Nasi aproveitou para fazer uma visita à cantora. O conto de fadas chegava a um final feliz.

Nasi: Além do amor verdadeiro e bem intenso que foi, também aconteceu uma troca artística muito legal. Na nossa rotina, ou eu ia para a casa dela no Rio ou ela vinha para a minha casa. Quando íamos tocar, ela viajava com o Ira! ou então eu viajava com ela, quando a Marisa estava em turnê. A Marisa via no rock do Ira!, na estrutura do nosso show, uma coisa despojada que ela achava legal, não era como no show dela que tinha marcação de luz, cenógrafo e incenso no camarim. Ela gostava e eu, por um lado, achava legal prestar atenção nos detalhes das apresentações da Marisa. Foi legal para ver uma equipe grande, toda uma preparação técnica em vez da gente que se preparava indo para o bar encher a cara, falar merda (risos). Eram mundos muito diferentes que se encontravam e acabava sendo bacana. Comecei a dar valor a certas coisas da produção. Ela começou também a dar valor a certas coisas mais despojadas do Ira!

Para as colunas sociais, o namoro foi um baque. O que a namoradinha do Brasil tinha visto naquele roqueiro mulherengo?

Os passos do casal eram sempre acompanhados de flashes, que depois ilustravam notas maldosas nos jornais. Só que enquanto Nasi vivia uma lua de mel invejável, o show business brasileiro começou a desconfiar do Ira!. E, principalmente, a WEA. Toda a experimentação de *Psicoacústica* não soava nada como revolucionária, chapante, moderna. Soava como um disco difícil, sem uma música boa para tocar nas rádios. As vendas não iam nada bem, assim como o humor dos cartolas da gravadora.

Mas o Ira! contava, ainda, com o apoio do chefão André Midani, que gostava e entendia a viagem da banda. Era, também, um parceiro que costumava conversar de igual para igual com cada um do grupo.

Nasi: Em nenhum instante ele falou assim: quero refrão, quero corinho, quero backing vocal feminino, quero letras positivas falando sobre batata frita e chopinho na praia de Ipanema, entendeu? O André Midani era foda. E o cara tinha 60 e tantos anos e era o cara. Um doido, que entendia de música, que te respeitava, mas também que se tivesse que chegar pra você, falava. Fumava um baseado com você, dava vexame. A gente sempre teve uma relação legal. Ele foi um cara bacana, que bancou a gente.

Midani era um cara bacana. Mas não rasgava dinheiro. No final da década de 1980, o sonho consumista do presidente Sarney, de 1986, já tinha ido pelo buraco e as mesmas pessoas que gastaram comprando o LP de *Vivendo e não aprendendo* já pensavam três vezes antes de embarcar na viagem de *Psicoacústica*, dois anos depois. O Ira! perdia terreno entre as bandas mais populares do rock brasileiro, espaço que conquistaram à base de duras machadadas.

Espaço que Edgard meio que desdenhou, em janeiro de 1989, durante uma reportagem da *Bizz* sobre o futuro do rock nacional.

Para Edgard Scandurra, o grande inimigo do rock nem chegava a ser o brega, e sim o pop: "São pessoas que se vendem como rock. O rock é simples, uma música espontânea. O verdadeiro rock é aquele que não tem uma superprodução de Madonna. Com exceção do Led Zeppelin, não conheço nenhuma banda que tenha seguido seus princípios desde o começo e tenha virado sucesso estrondoso. O brega nunca vai tocar numa rádio de rock, ao passo que o pop sim, porque tem uma guitarrinha, uma bateria, os mesmos instrumentos do rock". (...).

"A virada para o pop das chamadas rádios-rock trouxe para elas músicas que deveriam estar inseridas em outro contexto. O INXS, que é pop, e não toca nas outras rádios, foi para a 89 (FM de São Paulo) e tomou espaço das Mercenárias, por exemplo. Eles deveriam tocar nas rádios em que se toca Rosana."

29

Amigos invisíveis **clandestinos**

Quando o Ira! renovou seu contrato com a WEA em 1988, Edgard conseguiu colocar um adendo permitindo um espaço para o guitarrista fazer um trabalho-solo – que poderia sair tanto pela gravadora de sua banda como estaria livre para oferecer o trabalho para outro lugar. Gravar um disco inteiro seu era um sonho antigo.

Ao lado de Paulo Junqueiro, foram até o estúdio caseiro de Roger Moreira (Ultraje a Rigor) e gravaram uma pequena demo, com algumas músicas, como *Abraços e brigas*, *Minha mente ainda é a mesma* e a versão de *Our love was*, do The Who. Edgard levou a demo para Midani ouvir. O chefão chapou. Deu sinal verde e Edgard e Paulo Junqueiro se trancaram durante três meses, entre abril e junho de 1989, no estúdio Nas Nuvens para dar corpo ao LP.

Edgard tocou guitarra, baixo, violão, bateria, violino, vibrafone, percussão e teclados. A única participação externa ficou por conta de um piano da mulher Taciana em *Abraços e brigas*. Era o disco que Edgard precisava fazer sozinho. E o título não poderia ser outro: *Amigos invisíveis*. Coisa de criança que brincava sozinha.

O disco tocou em rádios que não costumavam ter o Ira! em sua programação, como Cultura e Eldorado.

Paulo Junqueiro: O Edgard queria provar para o mundo que era um gênio. Discutíamos muito, foi muito sofrida a gravação. O pessoal da banda me tratava de forma esquisita, achavam que eu tinha mudado de lado. Com certeza, se o disco tivesse sido um sucesso, o Edgard tinha saído do grupo.

Os outros três Iras se sentiram ameaçados com o disco-solo de Edgard e acharam que era hora de também lançar um álbum com o Ira!. O guitarrista nem teve tempo de assimilar tudo o que lhe acontecia e se via encurralado por três cabeças quentes.

Nasi: Esse disco do Edgard causou uma grande apreensão na gente. De cara porque foi o primeiro trabalho-solo de algum membro da banda. A gente ouvia na gravadora pessoas dizendo: “Meu Deus, vai estourar!”. A gente pensava: “Se estourar, o que vai acontecer?”. Alguma confusão. A banda ia rachar, ele ia sair. O que causou mais insegurança foi que a gente embarcou num projeto muito radical no *Psicoacústica*. Aí o Edgard saiu com um disco praticamente para fazer sucesso. O disco dele era o que a gente não queria ter feito. O lógico seria o disco-solo do Edgard ter alguma coisa a ver com o *Psicoacústica*, mas o disco dele era uma continuidade imediata dos dois primeiros. A gente ficou no contrapé. A gente ficou puto.

Havia uma forte guerra interna, ainda que os conflitos não existissem de forma declarada. A banda preferia ficou de cara amarrada e fechada a abrir o bico. Eles se xingavam. Pensavam mal uns dos outros. Mas não discutiam a relação.

Os três acharam que era preciso sair com um disco novo do Ira!, de preferência cheio de sucessos ao velho estilo do passado, numa maneira de resgatar um espaço entre as mais tocadas e limpar a barra com a gravadora. Eles sabiam que um disco não se faz assim, da noite para o dia.

Gaspa: *Clandestino* foi o nosso *Let it be*. Era um conflito total, brigas o tempo todo. O Edgard muito tempo ensaiando com a banda dele. Era um pau direto, brigas o tempo todo. A gente cogitou chamar outro guitarrista para fazer uma base, para passar as músicas.

Edgard mal aparecia no estúdio e, quando vinha, estava com a cabeça em outro lugar. Em várias seções de gravação de *Clandestino*, o guitarrista chegava a chorar, dizendo "eu não posso fazer esse disco". O que recebia, em troca, dos outros, era um "nós vamos fazer esse disco, porra". Paulo Junqueiro, inclusive, acreditava no fim da banda. Foi o primeiro momento que ele achou que seria o fim do Ira!, em 1989.

Paulo Junqueiro: Existia uma divisão bem clara entre o Edgard e o Nasi com o André. Eu não achava que a banda fosse durar tanto depois desses discos. Mas eu achei que acabaria quando o Edgard gravou seu disco solo.

Até por serem os principais interessados num novo projeto da banda, o conceito do novo disco e o rumo de arranjos e novas canções ficaram nas mãos de Nasi e André. É uma parceria, dos dois, inclusive, a melhor canção do disco: *Melissa*. Uma mistura de rock com maracatu. Uma mistura do rock e o canto urbano de Nasi com as raízes pernambucanas de André. A letra de Nasi nasceu depois do vocalista ter lido um conto de Câmara Cascudo, que contava a história de uma tropa que era seduzida lentamente por uma indígena. Nasi transformou a silvícola numa guerrilheira que seduzia o soldado e ia trazendo-os para o lado da guerrilha. No final, *Melissa* se tornou uma canção moderna. Mais, se tornou o ponto de partida de um estilo musical, de uma fusão até então inédita na música brasileira. Tem o regionalismo forte, com berimbau, percussão e a levada. Mas também tem guitarra, pesada, estranha, sombria. Tratava-se de uma combinação deliciosa, mas que na época ninguém entendeu direito. Hoje, ela ficou muito melhor.

Para completar ainda mais o clima de regionalismo roqueiro, a parte falada, a locução de *Melissa* foi feita por ninguém menos que Paulo Villaça, lenda da dramaturgia brasileira, o próprio ator que incorporou o bandido da luz vermelha no cinema. O trabalho do ator em *Clandestino* foi um dos últimos de sua carreira. Ele faleceu em 24 de janeiro de 1992.

Se *Melissa* exalava um conceito inovador, o resto do quarto disco do Ira! sofria justamente de falta de um fio condutor. De um conceito, afinal. No fim, o álbum mais se pareceu com uma colcha de retalhos, tendo que resgatar canções antigas (e totalmente fora da então proposta musical do grupo) para preencher alguns sulcos do vinil. Canções que eram poderosas no período *underground* da banda, que se tornaram cult e lendas de um passado honroso. Só que perderam suas forças quando passadas a limpa em *Clandestino*. É o caso, por exemplo, da combativa *O dia, a semana, o mês*, que frequentava os shows da banda durante o período mais punk do Ira!. Tanto a letra de protesto quanto o arranjo ficaram deslocados e sem o mesmo impacto de antes.

Outras do passado também vieram no embalo, mais como um modo de preencher o espaço do CD do que por saudosismo do grupo. É o caso de *Nasci em 62*, a faixa-título, e *Consciência limpa*. Esta, uma das primeiras canções de Edgard, lá dos anos 1970. *Nasci em 62* foi um hino punk, um grito de guerra da juventude paulistana. Mas eram rocks crus que não tinham nada a ver com o conceito e o estilo que o grupo trazia para si naquele momento, na virada para os anos 1990.

Um outro tema antigo, mas que tinha a ver com o clima do Ira! em 1989-90, era *Cabeças quentes*. Um sambinha. Sim, o Ira!

tocando samba. Mas do jeito deles, claro. Trata-se de uma rara parceria de Nasi e Edgard, mas tocada com gosto pelos quatro. André, como o próprio Midani frisou, conseguiu fazer "samba com os pés e rock com as mãos" e Gaspa caprichou nos grooves de seu baixo. O resultado é um samba-rock moderno, tipicamente paulista, cheio de malemolência, mas com uma pitada de melancolia. Uma polaróide do paulistano classe média no começo da última década do século 20. O samba ainda contou com o auxílio luxuoso de Gigante Brasil nos tom-tons.

O grande sucesso do disco também foi uma canção do passado, *Tarde vazia*. Linda, com um crescente de violão na introdução, é uma parceria de Edgard e Gaspa, quando os dois dividiam o apartamento da Cunha Gago em Pinheiros. Nasceu num momento de ócio. Bateu fundo em muitos corações. Como o do locutor Marco Antonio, da Kiss FM.

Marco Antonio: Através de um som, a gente chega mais perto das pessoas e das coisas. Essas são uma música e uma letra que conversam comigo. Passa um filminho toda vez que a escuto. É o tédio de uma tarde.

A parceria entre Edgard e Gaspa se esvaziava.

Gaspa: Eu chegava na casa dele e não era recebido da mesma forma como a gente fazia quando morava junto. Parecia que o Edgard estava sempre de saco cheio, que fazia alguma coisa comigo só por obrigação.

Um imenso vazio se iniciou na carreira do grupo, no começo dos anos 1990. Junto com a eleição de Fernando Collor para presidente do Brasil, no final de 1989, o futuro da nação, do grupo e do rock para os próximos anos não era nada colorido.

30
Cabeças **quentes**

A crítica malhou *Clandestino* como Judas. Nem os amigos perdoaram. Com o fechamento de revistas clássicas de música dos anos 1980 como *Roll* e *Somtrês*, a *Bizz* se tornou o principal (único) veículo roqueiro do Brasil. Buscando falar de novos artistas e apresentar tendências desconhecidas das FMs e do grande público, a redação bebeu e se embriagou no *underground*. Os roqueiros "estabelecidos" se tornaram vítimas mais frequentes das críticas e pauladas pautadas pela *Bizz*. Como disse Alex Antunes, no livro *Dias de luta*, "a gente achava que tinha um papel para cumprir na história". Ele explica: "Queria que a *Bizz* fosse um veículo na contramão, com opinião própria, que não misturasse redação e departamento comercial. Queria investir no lado bad boy porque isso aumentaria nosso espaço de manobra. Fazer o papel de vilão nos emprestaria uma credibilidade a ser usada na hora de produzir coisas legais. Mas esse processo, às vezes, fugia do controle".

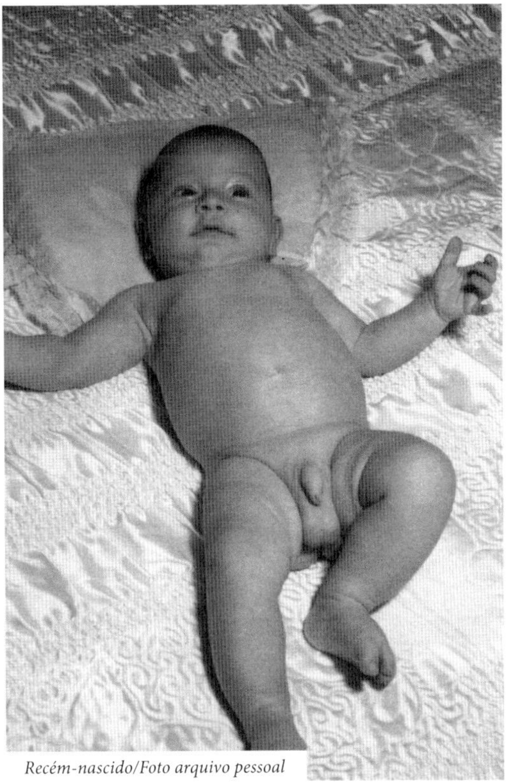

Recém-nascido/Foto arquivo pessoal

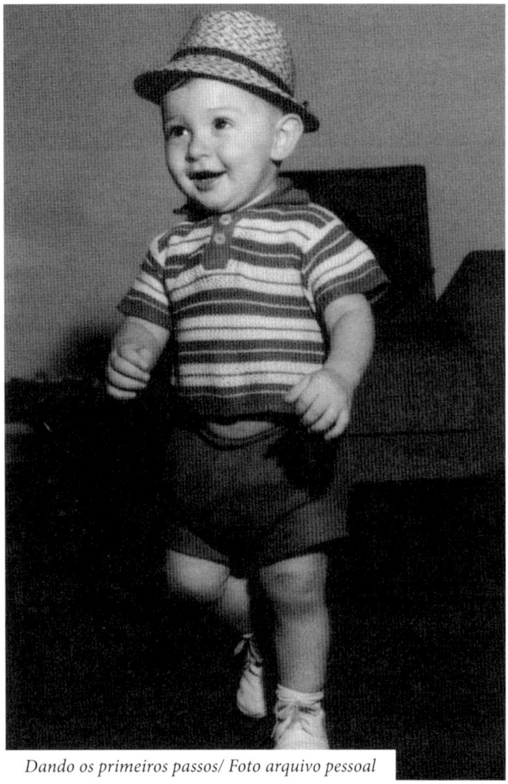

Dando os primeiros passos/ Foto arquivo pessoal

Primeiro aniversário/Foto arquivo pessoal

Primeira praia com primos/ Foto arquivo pessoal

Primeira Comunhão/Foto arquivo pessoal

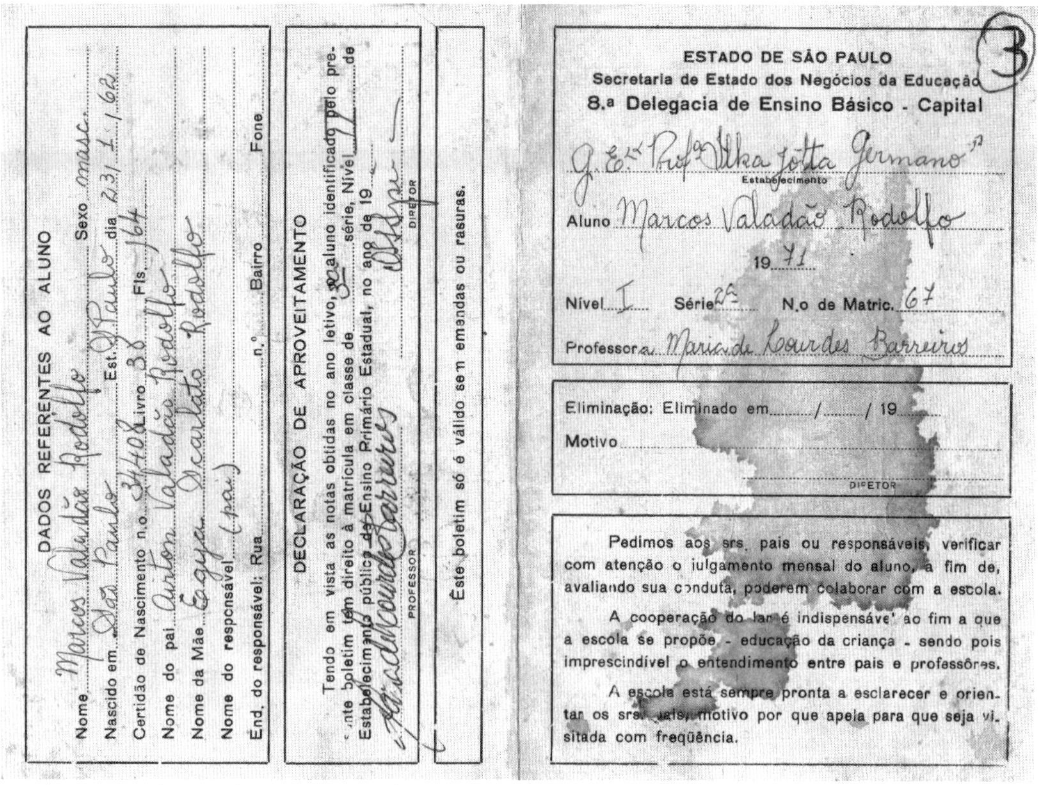

DADOS REFERENTES AO ALUNO

Nome Marcos Valadão Rodolfo Sexo masc.

Nascido em São Paulo Est. S. Paulo dia 23/1/62

Certidão de Nascimento n.o 3440 Livro 38 Fls. 164

Nome do pai Airton Valadão Rodolfo

Nome da Mãe Eguya Scarlato Rodolfo

Nome do responsável (pai)

End. do responsável: Rua n.º Bairro Fone

DECLARAÇÃO DE APROVEITAMENTO

Tendo em vista as notas obtidas no ano letivo, o aluno identificado pelo presente boletim tem direito à matrícula em classe de 3ª série, Nível II de Estabelecimento público de Ensino Primário Estadual, no ano de 19...

PROFESSOR DIRETOR

Êste boletim só é válido sem emendas ou rasuras.

ESTADO DE SÃO PAULO
Secretaria de Estado dos Negócios da Educação
8.a Delegacia de Ensino Básico - Capital

G. Esc. Profª Ilka Jotta Germano
Estabelecimento

Aluno Marcos Valadão Rodolfo

19 71

Nível I Série 2ª N.o de Matric. 67

Professora Maria de Lourdes Barreiros

Eliminação: Eliminado em ..../..../ 19....

Motivo ....

DIRETOR

Pedimos aos srs. pais ou responsáveis, verificar com atenção o julgamento mensal do aluno, a fim de, avaliando sua conduta, poderem colaborar com a escola.

A cooperação do lar é indispensável ao fim a que a escola se propõe - educação da criança - sendo pois imprescindível o entendimento entre pais e professôres.

A escola está sempre pronta a esclarecer e orientar os srs. pais, motivo por que apela para que seja visitada com freqüência.

Boletim – Notas altas em todas as matérias, notas baixas em comportamento.

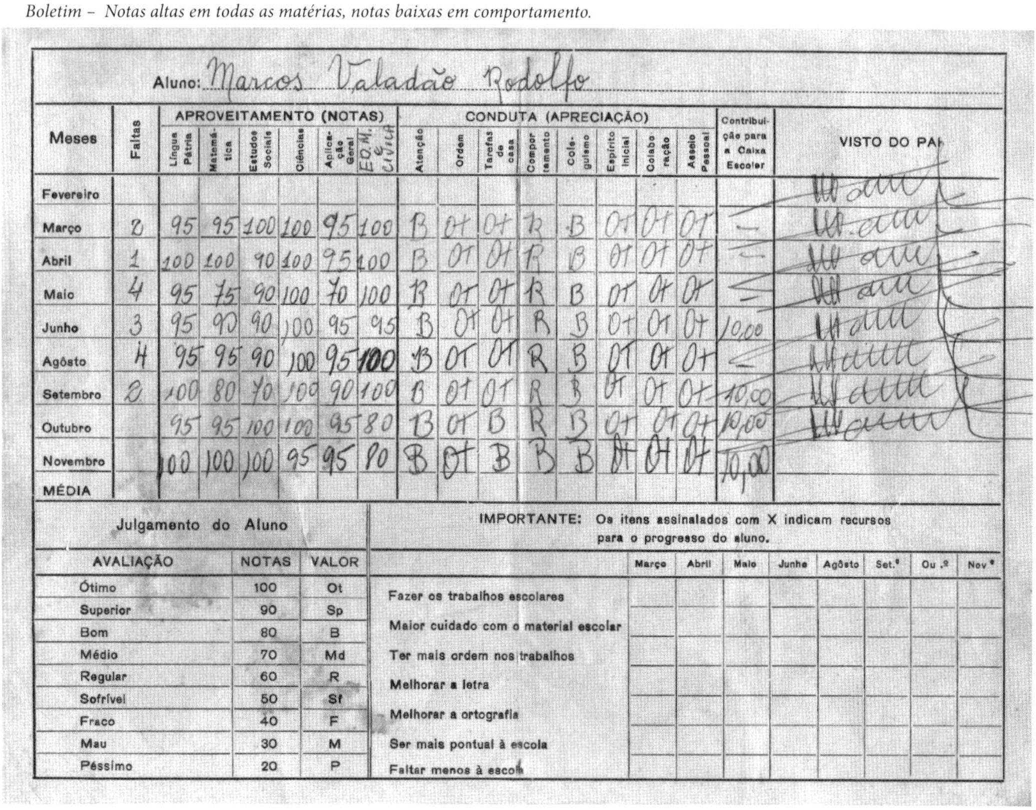

Aluno: Marcos Valadão Rodolfo

Meses	Faltas	APROVEITAMENTO (NOTAS) Língua Pátria	Matemática	Estudos Sociais	Ciências	Aplicação Geral	EO.M. e Cívica	CONDUTA (APRECIAÇÃO) Atenção	Ordem	Tarefas de casa	Comportamento	Coleguismo	Espírito Inicial	Colaboração	Asseio Pessoal	Contribuição para a Caixa Escolar	VISTO DO PAI
Fevereiro																	
Março	2	95	95	100	100	95	100	B	Ot	Ot	R	B	Ot	Ot	Ot	—	
Abril	1	100	100	90	100	95	100	B	Ot	Ot	R	B	Ot	Ot	Ot	—	
Maio	4	95	75	90	100	70	100	B	Ot	Ot	R	B	Ot	Ot	Ot	—	
Junho	3	95	90	90	100	95	95	B	Ot	Ot	R	B	Ot	Ot	Ot	10,00	
Agôsto	4	95	95	90	100	95	100	B	Ot	Ot	R	B	Ot	Ot	Ot	—	
Setembro	2	100	80	70	100	90	100	B	Ot	Ot	R	B	Ot	Ot	Ot	10,00	
Outubro		95	95	100	100	95	80	B	Ot	B	R	B	Ot	Ot	Ot	10,00	
Novembro		100	100	100	95	95	80	B	Ot	B	B	B	Ot	Ot	Ot	10,00	
MÉDIA																	

Julgamento do Aluno

AVALIAÇÃO	NOTAS	VALOR
Ótimo	100	Ot
Superior	90	Sp
Bom	80	B
Médio	70	Md
Regular	60	R
Sofrível	50	Sf
Fraco	40	F
Mau	30	M
Péssimo	20	P

IMPORTANTE: Os itens assinalados com X indicam recursos para o progresso do aluno.

	Março	Abril	Maio	Junho	Agôsto	Set.º	Ou.º	Nov.º
Fazer os trabalhos escolares								
Maior cuidado com o material escolar								
Ter mais ordem nos trabalhos								
Melhorar a letra								
Melhorar a ortografia								
Ser mais pontual à escola								
Faltar menos à escola								

Com Adilson na PUC/Foto arquivo pessoal

Napalm, em 1983/Foto Rui Mendes

Voluntários da Pátria, em 1984/ Foto JR Duran

Em 1984/Foto Rui Mendes

Em 1985/Foto Rui Mendes

Produção do clipe Envelheço na cidade, *em 1986/Foto Rui Mendes*

Em 1986/Foto Rui Mendes

Gravando o clipe de Envelheço na cidade, *em 1986/Foto Rui Mendes*

Em 1986/Foto Rui Mendes

Com Gaspa e Vitor Leite, KGB/Foto Rui Mendes

Em 1986/Foto Rui Mendes

Fotos arquivo pessoal

Sul da Bahia, próximo ao Monte Pascoal

Nas pickups em jam session no Aeroanta, em 1989/Fotos arquivo pessoal

Em 1991

Com Skowa em show de blues no Aeroanta, em 1991/Foto arquivo pessoal

No Aeroanta, em 1991/Foto arquivo pessoal

Foto Rui Mendes

Com a primeira formação do Irmãos do Blues/Foto Rui Mendes

Com Reles Pública no DVD MTV ao vivo/*Foto Marcos Hermes*

Réveillon de 2007, no Curuípe, praia do Espelho, Bahia/Foto arquivo pessoal

Com a banda na gravação do Vivo na cena, *em 2009/Foto Rui Mendes*

Para acentuar esse lado bad boy, a revista contratou o jornalista André Forastieri, um dos mais polêmicos críticos musicais, e especialista em descer o pau, principalmente, no rock brasileiro. Ficou a cargo dele a missão falar-detonar *Clandestino* na *Bizz*:

"Esse disco é muito chato. Excruciantemente chato. Ninguém que não seja fã de carteirinha do Ira! suportará mais que uma audição de *Clandestino*. É simples assim.

É um trabalho sujo dar um pau no Ira!, mas alguém tem de fazê-lo, e eu sou o cara indicado para isso. Sempre tentei gostar do Ira! e costumo me divertir paca nos shows deles pelo menos nas partes rápidas. Nada de preconceitos idiotas, portanto. Segundo, não sou músico, o que quer dizer que eficiência técnica não me impressiona em nada. Três e importante: não sou amigo de ninguém do Ira!, não bebia com eles oito anos atrás nos Napalms da vida. E, finalmente, se o Nasi quiser me dar um soco depois de ler isso como fez aquela vez com o Pepe Escobar, saiba que sou alto, forte, luto caratê e não saio de casa sem minha Magnum.

(...)

Clandestino mostra um Ira! obsoleto e irrelevante. Tenho poucas esperanças para o próximo disco – mas todo mundo merece o benefício da dúvida. Vamos lá, rapazes. Façam o impossível. Surpreendam-me."

Pau que bate em Nasi, pau que bate em Forastieri. Dentro do grupo, a impressão que ficou foi de que a crítica foi encomendada por alguém que não gostava do Ira!. Ninguém tirava da cabeça que o mandante da sova seria Alex Antunes. Acharam errado.

Alex: Não sei se o Ira! sabe, mas a briga que me levou a sair do cargo de editor da *Bizz* teve a ver com eles. O Carlos Arruda (diretor de grupo) queria dar o Michael Jackson (lançamento de *Bad*) na capa, e eu achava que esse álbum seria o início da decadência do cara. O pior é que eu tinha razão. Mas claro que o Arruda me mandou tomar no cu. Ele me perguntou: "E se não é o Jacko, então deve ser o quê?". Aí eu disse: o Ira!. E ele retrucou: "Puta que o pariu! Esta bandinha que nem com uma música em trilha de novela (*Flores em você*) estourou? Tu tá maluco?". Não saí da revista na hora, mas essa briga gerou um estresse que eu não segurei, e me demiti algumas semanas depois. Nunca tive nada contra os caras. Bom, eu por mim achava bizarra, anacrônica e sem pé nem cabeça essa coisa de mod, de terninho, de revolta estética da classe média. Eu dizia "ninguém entende um moddes". E também fiquei puto porque o Nasi comeu uma ex minha.

Nasi: Só rindo... Réu confesso!

A ira de Nasi foi contida, mas a batalha foi armada na seção de cartas da *Bizz*, por vários números. Os editores chegaram a batizar uma coluna de lateral de página como "Cantinho do Ira!". Uma matéria mais completa, intitulada *Clandestinos* e assinada por Bia Abramo e Marisa Adán Gil também foi publicada na revista, pouco antes da resenha demolidora de Forastieri. E ajudou, ainda mais, a botar lenha na fogueira. O primeiro a se manifestar publicamente na revista foi Nasi, questionando crítica negativa feita sobre um disco solo de Cazuza. Edgard veio em seguida, jogando o Milli Vanilli no ventilador:

"Estou escrevendo para apontar algumas das incoerências que encontrei na revista (*Bizz* 58). Comecemos pela capa: uma foto do Pink Floyd das antigas, com Syd Barrett e tudo mais. Eu acho ótimo, muito ousado e bonito graficamente, mas aí eu observo, ao lado da foto, destaque para uma matéria com o Milli Vanilli. Aonde vocês querem chegar com esta salada mal temperada? Aonde está a informação de uma revista que estampa sobre a foto de Jimi Hendrix o selo *Acid Pop*? O que é isso? *Acid Pop*? Eu nunca ouvi falar que Jimi Hendrix fazia parte de uma tribo, ou fazia parte de um estilo levando este medonho nome. O que vai achar um garoto de catorze anos que de repente não tenha ainda ouvido um disco como *Are you experienced*?. Provavelmente vai pensar que Jimi era um DJ que inventou a acid house. Medíocre. Continuando, li a crítica do show dos Paralamas do Sucesso no Olympia, do Sr. André Forastieri, que me deixou perplexo! Fala bem do show na matéria inteira e no fim diz que faltou sangue na apresentação da banda. Bem, eu vi o show e sei que não faltou energia aos Paralamas, que em mais de duas horas levaram a plateia ao delírio. Onde o jornalista quis chegar? É como se um doceiro fizesse um delicioso bolo de chocolate com nozes e avelãs e depois o cobrisse com merda. Incoerente. Chegamos então na seção de lançamentos onde lemos a crítica sobre o Fellini, com um destaque que acho que eles merecem, mas nem tanto. Afinal 99,9% dos leitores não conhecem a banda, não assistiram a um só show, nunca ouviram uma música sequer e provavelmente nunca encontrarão este disco em loja alguma. Pessoal, se mancar é bom. Agora vou chegar na matéria sobre minha banda, o Ira!. OK Bia, OK Marisa, valeu o esforço, mas o Ira! merece muito mais do que uma materinha digna de um trabalho de escola de primeiro grau. Duas páginas é pouco para uma banda como o Ira!, de quase dez anos de estrada e com quatro LPs e muitas histórias para contar. Merecíamos muito mais. Uma matéria em que não há uma palavra de nenhum de seus integrantes presentes à entrevista é de se estranhar. Também não fizeram nenhuma pergunta para o Gaspa. Bem, na verdade não fizeram perguntas a nenhum de nós. O Ira!, repito, merece muito mais e o público também. Chega de caretinhas de bom, regular, fraco etc. Vamos às informações, afinal vocês são os únicos nas bancas. PS.: Não me venham com as costumeiras respostas orgulhosas de quem não sabe ouvir críticas e vive se defendendo mesmo sem razão. Sem mariquices, por favor.

– Edgard Scandurra, Ira!"

A resposta da redação da revista:

"OK, Edgard. Vamos por partes: (1) Pink Floyd x Milli Vanilli. Acreditamos que a melhor resposta esteja na carta do leitor que publicamos abaixo. Acrescentaríamos apenas que, sob a égide de 'salada mal temperada', esconde-se uma democrática linha editorial que garante a viabilidade comercial da revista. Há leitores que detestam Pink Floyd e adoram Milli Vanilli e, com gostos e estilos tão diversificados como os do universo pop/rock, queremos manter a família unida nas páginas de *Bizz*. Se 'coerência' significa uniformidade de pensamento e limitação de pauta, seremos sempre incoerentes. (2) O box Acid Pop, na matéria *Renascença psicodélica*, não pretendia criar um novo rótulo e sim estabelecer o elo perdido entre os primórdios do psicodelismo, seus compactos mais representativos, o acid rock e a acid house. Mas isso o texto introdutório já explicava... (3) Sobre o show dos Paralamas, André Forastieri responde: 'Não gostei muito do show e critiquei; você não gostou da crítica e meteu o pau em mim. A democracia não é maravilhosa?' (4) Fellini. Repudiamos qualquer insinuação - e não é a primeira vez que ouvimos - de que a revista só deveria dar espaço a bandas conhecidas do grande público, com discos lançados por grandes gravadoras e músicas executadas nas rádios não alternativas. Se fosse assim, não teríamos publicado uma reportagem com o Ira! em nossa primeira edição, de julho/85. No mais, se até a revista italiana *Per Lui* deu destaque ao Fellini em sua matéria sobre pop brasileiro, por que nós não podemos? Só porque um dos membros da banda já trabalhou na *Bizz*? Vamos respeitar a banda independente que já está no quarto LP! (5) Concordamos que a matéria sobre o Ira! poderia ter ficado muito melhor, mas foi iniciada por Bia Abramo e concluída por Marisa Adán Gil, após a saída de Bia da revista. Ficamos devendo essa para futuro próximo, já que o Ira! – junto com Paralamas – está escalado para nossa série de matérias históricas, como as feitas no ano passado com Legião e Titãs, OK? Um abraço especial, e desejo que mais músicos/artistas escrevam para a revista, como fez o Edgard, em vez de ficar remoendo ressentimentos em silêncio. Este nível de diálogo é fundamental para o amadurecimento da produção e do jornalismo culturais do país."

Mas o que deu caldo mesmo foi a crítica de *Clandestino*. Nasi chegou a ligar para a redação e consultou um advogado para processar André Forastieri pela crítica. Mas desistiu. O vocalista acreditava que o que ele escreveu se caracterizava como uma ameaça. Nas páginas da revista, a discussão se arrastou por edições. Até mesmo o amigo Paulo Junqueiro entrou no papo.

Paulo Junqueiro: O *Clandestino* foi um sofrimento, não tinha repertório, o Edgard tinha gasto tudo que tinha de novo. É um retrato do mau relacionamento que a banda tinha na época e eu também estava de saco cheio do fogo cruzado em que eu me encontrava. Eles achavam que o mundo estava errado, só eles estavam certos. Todo mundo achava um saco trabalhar com o Ira! E, naquela época, eu também já não aguentava mais. Eu nem opinava, não tinha moral. Pra mim, é o pior disco da carreira deles.

O mar não estava para roqueiro, seja do Ira! ou de qualquer outra banda nacional. Depois de 36 anos, um presidente eleito pelo voto direto assumia o comando do Brasil. Em 15 de março de 1990, Fernando Collor de Mello vestiu a faixa. No dia seguinte, lançou o Plano Collor, um dos maiores atentados à economia brasileira. De uma tacada só, o presidente acabou com o Cruzado, trouxe o Cruzeiro de volta como moeda, congelou salários e mensalidades escolares e, como se não bastasse, confiscou todo o saldo bancário superior a 50 mil cruzeiros (algo em torno de 1.300 dólares) do cidadão.

O Brasil todo entrou em crise. Parou. O mercado fonográfico registrou queda de 40% em 1990. Os poucos sobreviventes restringiam-se a ícones popularescos, como Rosana, José Augusto, Xuxa e a nova onda sertaneja puxada por Chitãozinho & Xororó. O rock perdeu o apelo popular e voltava aos poucos para o gueto. E, para completar, seus representantes mais populares entraram na década com discos "difíceis" para os padrões radiofônicos cada vez mais contaminados com o que havia de pior: sertanejo, axé, lambada...

As rádios rock como a 89FM (São Paulo) e a Fluminense (Rio) tiveram que se moldar aos novos tempos – ou enfrentar o fechamento, como foi o caso da carioca. Se a coisa não pudesse piorar ainda mais, o começo dos anos 1990 marcou a institucionalização do jabaculê, o popular jabá. Aquela "contribuição" que a gravadora dá para a rádio executar determinado artista sem parar na sua programação, na esperança que essa massificação caia no gosto popular e se torne um enorme sucesso. Com a multiplicação de concessões de FM ocorrida em 1987 pelas mãos do presidente José Sarney e seu ministro das Telecomunicações Antônio Carlos Magalhães, as grandes redes de rádio estenderam seus braços e boa parte da mídia brasileira acabou na mão de alguns poucos, que decidiam o que deveria ser ou não ouvido. Definitivamente, havia algo de estranho no ar.

As bandas de rock tiveram de abandonar os holofotes, perder todo o mimo que ganharam quando o gênero era a cultura dominante e reaprender a viver com pouco. Os grandes shows acabaram, as plateias eram minguadas, e a guitarra só se fazia ouvir mesmo em pequenos espaços, como o Aeroanta, em Pinheiros, São Paulo. Ao lado do Largo da batata, os vencedores eram os remanescentes antes que a cortina fechasse a cena.

31

E nada **pudemos fazer**

Entre 1988 e 1990, o Ira! tentava botar a casa e o cofre em ordem.

Nasi: Tivemos de trocar de empresária. A Leninha Brandão vivia no Rio, tinha outros artistas, e estava ficando cada vez mais difícil vê-la. Contratamos outra empresária, mas ela teve problemas pessoais. Daí...

Em agosto de 1989 a situação ficou dramática para a banda. Para apagar o fogo administrativo, entrou como empresário no grupo Airton Valadão Junior, irmão de Nasi, cinco anos mais jovem. Airton Junior se saiu bem nas primeiras missões, mas não seria fácil impor seu estilo. Ser aceito por todos da banda, começando em casa.

Nasi: De verdade, nunca quis que meu irmão caçula trabalhasse com a gente.

O relacionamento mais próximo entre eles foi por conta das brigas de rua. Nasi descobriu seu lado "street fighter" protegendo Junior de bullyings no Bixiga. O caçula deixou de apanhar dos mais velhos quando o irmão bateu nos meninos do bairro. Mas quando Nasi não estava, Junior tinha mesmo de ficar em casa.

Nasi: O maior motivo para eu não querer o Junior no Ira! era uma proteção natural de irmão. Não queria ele no meio daqueles grandes tubarões, com aqueles caras de gravadoras. Mas eu acreditava na capacidade dele. Morria de medo de ele se machucar naquele meio podre.

Os pais forçaram o quanto puderam para que o vocalista desse espaço para o caçula no grupo. Eles sabiam que não havia muita intimidade, cumplicidade. Nem futebol jogavam juntos, pela diferença de idade. Não conversavam de amores, dores. Só foram realmente se aproximar quando o restante da banda aceitou Junior sem ressalvas. Depois da desconfiança natural.

Nasi: Eu só levava ferro de todos os lados. O Junior, querendo mostrar autoridade e imparcialidade, me cobrava mais que os outros. Eles pensavam sempre que eu teria algum mole pela relação familiar. Por exemplo, era insuportável quando o Edgard chegava num hotel de mau humor e ia checar o meu quarto só para ver se era melhor que o dele...

Além de administrar as finanças do grupo com mão de ferro, Junior também virou uma espécie de conselheiro e pau para toda obra. Até para baixar o pau. Ele também levou para trabalhar na linha de frente dos negócios do Ira! o irmão de André, Paulo Jung. Ele era o produtor do grupo. Ficou, na cabeça dos quatro, o pensamento de que poderiam ficar tranquilos porque a família estava tomando conta de tudo.

Junior: Entrei como bombeiro na crise com a outra empresária. Justamente na semana em que nossa mãe morreu. O Marcos tinha show no dia em que ela morreu. Ele foi ao velório, fez a apresentação, voltou ao velório. No dia seguinte foi ao enterro, fez um show em Amparo, e terminou a noite com outra apresentação na festa da rádio Jovem Pan.

O caçula trabalhou a vida em banco. Começou aos 12. Aos 20 anos já era gerente júnior da agência do Bradesco. Abriu negócio próprio. Ganhou e juntou bom dinheiro. Apesar dessa habilidade para lidar com o mercado financeiro, queria mesmo era saber de trabalhar com música. Frequentava ensaios do Ira! e das bandas pelas quais Nasi passou. Mas Junior não sabia tocar nada, afinar instrumento e coisa e tal. O seu negócio era gerenciar. E focar, incentivar, colocar as coisas nos trilhos. Montou uma agência de marketing, com um amigo que tinha contato com as gravadoras. Faziam *bottom*, camiseta, adesivo para as gravadoras. Naquela época, o marketing era investir em revista, comprar anúncio. Para tocar na rádio, Junior fazia uma camiseta diferenciada. Era o que dava dinheiro.

Nos primeiros meses com o Ira!, Junior era mais um no ônibus da banda. Depois ele ficou só no escritório, cuidando dos contratos e contatos.

32

O que há de **errado comigo?**

O namoro de Nasi com Marisa Monte nunca foi dos mais tranquilos. O poder de Nelson Motta sobre a cantora ainda rondava.

Nasi: Criou-se todo um clima subterrâneo. A colunista da *Folha,* Joyce Pascowitch, começou a me dar muita cutucada. Eu não estava nem aí, porque nem ligo para coluna social, mas a Marisa ficava chateada com frases do tipo "Marisa Monte foi vista sentada no colo do vocalista Nasi no Circo Voador". O biscoito fino da nata carioca sentada no colo do Wolverine, entendeu? E ainda no Circo Voador! Não era no Teatro Castro Alves...

Mesmo sem dar muita bola para as colunas sociais, uma nota de Joyce tirou Nasi do sério – o que não é muito difícil. O título dela era *Estupefatos.* A colunista dizia que os amigos de Nasi estavam boquiabertos com o fato de o vocalista, durante um show em Brasília, ter supostamente declarado seu apoio a Fernando Collor. Estupefatos, realmente, com Nasi, que era declaradamente um fã e eleitor de Leonel Brizola, do PDT, além de simpatizante do PT.

Nasi chegou até a brigar com Marisa por causa da nota, aos berros de "eu não faço parte desse mundo, o que eu estou fazendo aqui?". A intenção inicial de Nasi foi invadir a redação da *Folha* munido com latas de tinta e "collorir" Joyce e outros que aparecessem no caminho. Mais calmo, resolveu contratar um advogado. Chegou a notificar extrajudicialmente três vezes a *Folha* pedindo direito de resposta. Só teve êxito quando o jornal criou a figura do ombudsman. O jornalista Caio Túlio Costa, o primeiro a exercê-la, foi até a jornalista exigir que ela se retratasse na coluna. O pau comeu. Joyce jurou que nunca mais falaria tanto de Nasi quanto de Marisa. A gravadora tentou aliviar, mas o estrago já estava feito.

Nasi: Me disseram que muita gente queria estar no meu lugar saindo nessas colunas, tendo a mesma exposição... Não tô nem aí com isso. Mas mentir sobre a minha postura política é demais! Dizer que eu apoiava o Collor era um crime! Caralho, tinha sido um comentário jocoso, sarcástico, porra! Tinham mais coisas por trás disso. Quase que uma campanha para "collorir" o Brasil. Eu estava fora disso. O Caio Túlio me fez justiça.

Marisa foi para Nova York cuidar do disco novo. Nasi ficou no Brasil. O rock já não pagava tão bem. Ele voltava a exagerar nas drogas. Para matar a saudade, o roqueiro ligava de um orelhão na rua da sua casa, a cobrar, para a namorada.

Nasi: Era uma coisa de louco. Eu passava um tempão no telefone público e a fila atrás de mim. Muitas vezes reclamando.

As ligações ficaram tão caras que ela resolveu bancar a ida de Nasi aos Estados Unidos. Era mais barato, ou menos caro. Foi a primeira vez que o vocalista saiu do Brasil e pisou em Manhattan. Ele se sentiu culpado por estar ali, sendo bancado por ela. Num arroubo de honestidade, confessou que transava com outras garotas.

Nasi: Eu ali curtindo a cidade com ela, era a primeira vez fora do Brasil... Me senti mal com a situação. Não achava legal aquela parada, do jeito que estava. Resolvi contar. Nossa história começou a acabar ali, mas foi chique pra caralho. Contei no meio da Quinta Avenida. Coisa de cinema. Não me arrependo.

Foi um ano e meio com Marisa Monte. Em 1991, Nasi começou a namorar com outra Marisa com quem também conversou pela primeira vez no Aeroanta. Tinham amigos em comum. E ela também tinha uma vida profissional que começava a ficar muito maior que a dele. Era vocalista de um grupo alternativo chamado Luni. E fazia sucesso na novela global *Rainha da Sucata* interpretando Nicinha, uma moça fácil.

Nasi: A Marisa Orth foi um namoro complicado. Em 1991, eu já era um junkie. Já estava viciado pra caralho novamente na cocaína. Eu não dava atenção pra ela. Eu estava casado com uma mulher vestida de branco, a cocaína. A Marisa tentou me ajudar. Ela alertava que eu iria acabar morrendo daquele jeito. Sempre a agradeci pela força. Ela sofreu muito com isso. Meu avô também sofreu com minha avó quando fomos visitá-los... Ele meio que confundiu a Marisa com a personagem Nicinha e ele quase apanhou da minha avó (risos). Do mesmo modo que as pessoas estavam me confundindo com o Wolverine.

Em 1991, Nasi deixou a barba crescer. Jack Daniels, produtor da MTV, vocalista da banda Tres Hombres, olhou aquela figura emoldurada por fios espessos e sacou na hora o apelido: Wolverine. Personagem da Marvel Comics, foi criado em 1974 e apareceu numa história do Incrível Hulk. Ganhou vida e fama pela resistência à dor, pela regeneração celular que cicatrizava na hora os ferimentos, pelos sentidos aguçados como se fosse um animal caçando, pelas garras retráteis que apareciam e sumiam rapidamente, pela clarisciência que faz com que ele possa ver e sentir o passado.

Nasi: Eu curtia HQ erótica. Tipo Manara, Carlos Zéfiro. Quando o Jack disse que eu parecia o Wolverine, com aquela baita costeleta, fui ver. E me identifiquei bastante. Ele é meio neanderthal como eu (risos). É um personagem que não é nem bom e nem mau. É contraditório. Solitário. É também individualista. Quer conhecer a própria origem e, para isso, faz qualquer coisa. Até ser politicamente incorreto. E como se regenera facilmente, pode fumar e beber o quanto quiser. O que é ótimo (risos).

Ele acabou comprando e devorando os 100 primeiros números da revista do Wolverine. Anos mais tarde passou a coleção para frente para uma criança. Quando veio ao Brasil o ator Hugh Jackman, que faz o papel de Wolverine no cinema, produtores e imprensa armaram para eles se conhecerem.

Nasi: Foi legal, o cara é muito bacana. O "CQC" levou meu CD *Onde os anjos não ousam pisar*, em que estou caracterizado de Wolverine na capa. Ele fez o maior barulho durante a coletiva com isso. Mas, de fato, eu me pareço mais com a personagem original que ele.

No mundo do rock, um vocalista pode ser o Exu. O que os deuses da guitarra e de outros instrumentos criam, a voz transmite. Comunica. Une. Exu estabelece uma comunicação entre o devoto e os Orixás. Quando passou a estudar o culto tradicional iorubá, em 2007, Nasi encontrou muitas semelhanças com os X-Men, a turma de Wolverine nas histórias em quadrinhos e no cinema.

Nasi: O Stan Lee, os caras da Marvel, eles devem ler bastante sobre outras culturas para se inspirar. Existem muitas similaridades entre personagens e os Orixás. A Tempestade, por exemplo, é Iansã. Ela controla os ventos, os raios. Ogum é representado pelo ferro. O Magneto tem essa coisa bélica similar com Ogum, e também o controle sobre os metais. Professor Xavier parece Oxalá. Uma pessoa com capacidade para liderar, que quer a paz, e tem problema físico.

33

Um pobre diabo **é o que sou**

Um relacionamento proibido fez Nasi perder um velho amigo e quase a maior paixão também: o Ira!. Em 1994, Nasi namorava Sabrina, mulher bonita que trabalhava com moda. Edgard namorava uma bailarina, Beatriz. Os dois casais se davam bem. O guitarrista e a namorada gostavam de passar na casa de Nasi para ouvir um som e fumar um baseado.

Um dia veio só Beatriz. Edgard ficou gravando com Arnaldo Antunes. A namorada começou a criticar o guitarrista para o amigo.

Nasi: Então, era o velho ditado: a Beatriz era homem para mim. Zagueirão! Namorada de amigo meu não tinha jogo comigo. No início, achei que ela desabafava meio como coisa de amigo, de terapia de casal. Mas teve um dia em que a Bia pediu para que eu não comentasse com o Edgard que ela estava vindo até a minha casa. Eu deveria ter sacado...

Nasi era casado com a cocaína em 1994 e tinha como namorada Sabrina. A relação estava deteriorada entre os amantes. A aproximação com a mulher do amigo era cada vez mais perigosa. Beatriz cada vez mais frequentava a casa do cantor à noite.

Nasi: Mesmo namorando a Beatriz, o Edgard tinha um caso com a mulher de um amigo dele. Acho que a Bia, no começo, queria se vingar da traição ficando comigo... Aí, no feriado de Nossa Senhora Aparecida, Dia das Crianças, liguei pra minha namorada para sair. A Sabrina disse que não queria. Logo depois ligou a Beatriz. Perguntou se eu iria na festa que a Sabrina também iria... Fiquei puto! De madrugada, a Bia apareceu em casa. Nós dois estávamos levando bola nas costas. Fiquei enrolando até lá pelas seis da manhã, quando criei coragem e arrisquei um beijo na Beatriz. Ela então reclamou que só naquela hora eu havia me tocado da intenção dela...

Começou uma relação de "filme francês", segundo Nasi. O relacionamento deixou de ser uma vingança para ser algo mais sério.

Nasi: A Beatriz meio que se apaixonou. A gente viajava e ficava difícil se controlar. Por baixo da mesa do restaurante, no quarto de hotel no interior... Eu achava que o Edgard havia sacado esse movimento paralelo. Ou sacara e não queria falar. Porque ela dava muita bandeira. Parava o carro bem na frente da minha casa. Não era nada discreta.

Nas cartas que mandou a Nasi, Beatriz abriu o coração. Dizia que "havia cismado" com ele e "queria saciar os caprichos" dela, "conhecendo quem era aquele 'Gangster do amor', canção do primeiro disco com os Irmãos do Blues. "Meu encanto por você cresce a cada encontro. Agora eu vejo teu rosto, agora eu acho você cada vez mais bonito". Mas ela também sentia "culpa". "As pessoas querem ser livres e se aprisionam cada vez mais. Por quê?"

Um dia Beatriz decidiu morar na Espanha, no final de 1994. Porém, seguia mandando cartas apaixonadas na era pré-

-internet. Endereçadas apenas a "Marcos". Do tipo "Como é bom pensar em você". "Eu te adoro cada vez mais. Estou morrendo de saudade de ter você por inteiro. No meu sonho, você vem me visitar (em Barcelona)". "Você é meu companheiro das verdades, meu amor verdadeiro". "Você é muito mais que esse estereótipo de machão". "Tu és gentil, amável, agradável, criancinha, lindo, frágil, romântico, amoroso, perfumado"... "Eu quero te amar para sempre. Quero seu perfume guardado em meus pulmões". "Como é bom te beijar com maciez, sem pressa, sem culpa". "Você é meu príncipe dos pecados". "Por que é tão proibido sonhar? Que Deus é esse que nos sacrifica tanto". "Por que sofro se posso ser tão feliz amando e sendo amada por alguém que me diz palavras tão lindas, alguém que me conta ao telefone e me faz feliz com apenas alguns minutos de verdades". "Te amo todos os meus dias, todos os meus instantes e te quero puro e desarmado quando voltar (ao Brasil). Te quero ´virgem´ e sincero". "Eu quero te amar para sempre, nem que seja por algumas horas. Que o mundo me leve, mas não quero ir sem antes te dar todo meu amor".

Nasi-Marcos respondia e ela se derretia com as cartas que ele enviava. "Você é meu companheiro das verdades, que me diz palavras lindas e me faz sentir plena." Beatriz ligava muito a cobrar na época pré-celular. Normalmente de madrugada em Madri ou Barcelona. Foram meses de contas pesadas pagas por Nasi até ela sumir do mapa e do telefone. Beatriz se comprometera a pagar as ligações a cobrar. Ele disse que eles poderiam rachar as contas no futuro. Mas ela sumiu no mapa e no telefone.

Nasi: Eu agora a procurava para a gente tentar dar um jeito naquelas contas telefônicas. Eu estava mal de grana. Eram contas pesadas. Eu deixava recado para ela e nada. Até carta mandei. Nada. Um dia consegui a achar no bar onde trabalhava na Espanha. Disse que precisávamos acertar as contas. Ela nem aí. Pediu para falar com a mãe dela. Fiquei mais puto. A Bia sempre me perguntava quem era o "Gangster do amor". Então eu disse que ela iria saber quem era esse mafioso. E os pais dela também iriam saber. Fiquei louco.

Edgard, mais ainda. Dias depois o guitarrista ligou para o vocalista. Seco, perguntou quanto Beatriz devia em telefonemas. Nasi, sem gaguejar, falou quanto era. Na maior tranquilidade, Edgard disse que ele mesmo pagava a conta. E só pedia para o amigo não ligar mais para Beatriz na Espanha.

Nasi: Aí eu realmente fiquei puto com a Bia. Sempre tive uma relação de freio de mão puxado por motivos óbvios. Mas daí eu perdi o freio. Foi a primeira das muitas vezes que me arrependeria de deixar certos recados nas caixas postais telefônicas... Disse a Beatriz para ela se ligar, que eu tinha todas as cartas de amor dela para mim, para ela ver o que havia falado para o Edgard...

O guitarrista ligou uma segunda vez logo em seguida. O tom era outro. Xingou Nasi. Falou que iria pegá-lo na casa dele. Iria quebrar a cara do vocalista. Que iria deixar a banda. Não tocaria mais com o ex-amigo. O empresário do Ira! lembra o que teve de fazer para segurar as pontas e o guitarrista.

Junior: O Edgard me ligou e disse que a banda acabara. Ele faria os shows que já estavam contratados até o final do primeiro semestre de 1995. Mas não iria logo depois para o Japão. Era a 15ª vez que eu ouvia aquele papo. Era o 15º fim do Ira!. Mas desta vez não era fácil administrar. Chamei então o André para irmos conversar com o Edgard. Depois de três horas conseguimos convencê-lo a viajar.

Nasi: Avisei ao Edgard que ele deveria pensar bem no que estava fazendo ao deixar a banda. Que em relação à ameaça física que me fizera, que, pois bem, sabia onde me encontrar. Tentei argumentar que havia sido ela a me procurar primeiro. Mas o Edgard disse que não seria possível, que ela não gostava de um homem com tantas banhas como eu... De fato, eu estava pesado naquele tempo.

O clima na banda ficou ainda mais pesado. Dois shows em seguida foram horríveis.

Nasi: Pensava que não poderia nem virar de costas para o Edgard com medo de ser esfaqueado, de levar uma guitarra na cabeça.

As coisas foram (bem) aos poucos normalizando. Na excursão ao Japão, logo depois, em agosto de 1995, o ambiente ainda não era legal. Se Nasi estivesse andando em uma calçada, Edgard tinha de cruzar a rua e andar na outra.

Junior: Mas as coisas foram se ajeitando lá mesmo. Rolou uma vibe ótima. Mesmo com o Nasi sendo parado e revistado toda vez nos aeroportos japoneses. Acho que eles viam a gente com aquelas roupas, caras e instrumentos de roqueiros. Mas só o Nasi era parado pelas autoridades. Foi assim em seis aeroportos. Já na quarta vez ele se apresentava espontaneamente para a revista.

A banda lucrou muito com os shows no Japão. Também pelo que eles achavam nas latas de lixo.

Junior: Era uma coisa louca. A gente parecia mendigo mexendo no lixo. O pessoal encontrou rádio, um monte de coisa legal. O Nasi achou até um taco de beisebol... Foi um clima muito divertido. Ajudou um pouco na reaproximação entre eles. Nunca mais foi a mesma coisa. Mas deixou de ser aquela animosidade tão forte.

Nasi: Anos depois tentei falar melhor com ele a respeito da Beatriz, mas não deu certo. Isso acabaria minando a banda. Poderíamos ter superado isso, mas não deu.

A pior fase passou. Curou. Ou parecia ter curado. A banda se manteve e voltou a acertar o som e o tom. Um bom disco foi *7*, de 1996. Com a faixa de Edgard Scandurra *O girassol*, cantada por ele. Letra inspirada em Beatriz. *Sou agora um frágil cristal / Um pobre diabo / Que não sabe esquecer / Que não sabe esquecer.*

34
Rua **Paulo**

Brazilian Rock Night em Nova York. Outubro de 1990. Primeiro show do Ira! fora do país. Ao lado da seminal banda paulistana Fellini, de Thomas Pappon e Cadão Volpato. Mark Coleman, crítico da revista *Rolling Stone*, foi contratado pela *Bizz* para cobrir o evento. E gostou, como mostra o texto dele:

"Sete mil pessoas que supostamente pertencem à indústria fonográfica e mais de 350 bandas de todo o mundo vieram ao NMS na esperança de serem 'descobertas', em meio a toda a politicagem e tapinhas nas costas. Durante uma semana ininterrupta de shows, é mais difícil do que nunca ser notado. Ira! e Fellini não sabiam onde estavam se metendo.

O impacto causado pelo Ira! não foi tão sutil quanto o do Fellini. Misturando elementos de funk, punk, heavy metal superpotente e ultraje politizado, esse quarteto de São Paulo mereceu atenção. Nasi, o vocalista, conduziu a plateia zombando, cuspindo, movimentando-se como um lutador de boxe, fazendo jogos de sombra contra um adversário imaginário, vibrando e trepidando como um homem possuído pelo ritmo. Ele era um *lead singer* fascinante e agressivo, à maneira de Iggy Pop e Johnny Rotten. Mas o que tornou esse show especial era o sólido suporte rock da banda.

Por trás de toda a violência, esses caras são músicos espertos e inventivos. O guitarrista Edgard Scandurra trabalha como um atleta, extraindo fisicamente cada nota de sua guitarra, enquanto o baixista Gaspa permanece impassível durante todo o show: sombras de Pete Townshend e John Entwistle! As comparações com o The Who aparecem naturalmente: o Ira! é uma banda de rock and roll rebelde e agitadora nos moldes clássicos.

De qualquer forma, o Ira! não soa nem um pouco parecido com o Who. Na verdade, eles chegaram a uma posição semelhante a partir de um caminho completamente diferente. O melhor momento do show do Kenny´s foi um número apropriadamente chamado *Cabeças Quentes*.

O Ira! toma essa melodia e aos poucos a transforma em um ruído ensurdecedor de motor de avião a jato, sem perder sua essência – mesmo quando Nasi está deitado no palco, clamando, vociferando no limite permitido pelos amplificadores. Não foi pouca coisa.

Na manhã seguinte, acordei com grilos eletrônicos ainda zumbindo no meu ouvido: uma sensação familiar, mas decididamente com um novo toque."

Outros fronts foram conquistados. Mas era preciso arrumar a própria casa. O ano de 1991 começou com cara de filme de terror de baixo orçamento – sem humor involuntário – e com uma trilha sonora ainda mais deprimente que o filme. Guerra do Golfo entre Estados Unidos e Iraque. No rádio, além de notícias de guerra, o genocídio musical e artístico que o parceiro de geração Lobão sempre recorda: a cena em que as duplas ditas sertanejas, que dominavam a programação de rádio e televisão, subiram a rampa do Palácio do Planalto acompanhadas pelo então presidente da República, Fernando Collor de Mello. Um ano depois, ele teria de descer pela rampa dos fundos, desalojado do poder por causa de muitas denúncias de corrupção.

Mas, em 1991, Collor ainda era o presidente, planos econômicos se sucediam na tentativa de controlar a inflação, e *Pense em mim*, da dupla Leandro e Leonardo, dominava um espaço que até alguns anos antes era dedicado ao rock em português.

Nesse contexto, o Ira! lançou *Meninos da rua Paulo*. Se *Psicoacústica* era um trabalho ousado, e *Clandestino*, um álbum apressado, este mostrava uma banda mais madura, mais coesa. Com a garantia de gravar pelo menos mais um disco pela Warner, o quarteto esperava reconquistar o prestígio e contava para isso com a gravação de uma versão em português feita por Raul Seixas para *Lucy in the sky with diamonds*, dos Beatles. O roqueiro baiano morrera em 21 de agosto de 1989 e fizera essa versão no começo da carreira, quando assinava Raulzito e era acompanhado pelo conjunto Os Panteras.

A versão em português, chamada *Você ainda pode sonhar*, tinha muito a ver com o espírito da época. Pelo menos para quem ouvia rock e não votara em Collor. Mas nem o disco, nem a canção tiveram a repercussão esperada pela banda. No final das contas, a venda de apenas 6.430 cópias e resenhas como a de Arthur G. Couto Duarte na *Bizz* de novembro de 1991 – que dizia que estava passando da hora do Ira! "viver e aprender" – poderiam bastar para qualificar o *Meninos da rua Paulo* como fracasso de público e crítica.

Mas a banda gostou dele. Na bela interpretação de Nasi de *Prisão das ruas* já se percebe o tom rouco de voz que caracterizaria canções do Ira! nos discos seguintes, e que levariam a imprensa especializada, a crítica e os próprios fãs a seguidamente perguntar o que acontecera com o vocalista. Em entrevista a *Bizz* em novembro de 2005, ele comentaria.

Nasi: Cobram muito isso de mim. Gosto mais da minha voz hoje. Tenho consciência dos meus limites e das minhas qualidades. Cheguei a estudar canto e aprender a dividir melhor as palavras. Os maiores sucessos do Ira! foram gravados quando eu tinha 20 anos e a voz chega em sua plenitude aos 30. A rouquidão faz parte do cantor de rock.

Se as vendas e as críticas do disco não eram das melhores, outros fatores também não ajudavam. Entrevistado pela revista *Playboy*, em janeiro de 2006, Nasi comentava.

Nasi: Foi uma fase que juntou decadência e excessos. Na década de 1990, o ambiente estava ruim. Era um momento sem perspectiva no cenário do rock. Decadência, mesmo. Nossa relação ficou muito agressiva por muito tempo. Às vezes, pior do que sair na mão é ficar jogando indiretas um para o outro. (...) Naturalmente eu tenho uma personalidade agressiva, sangue calabrês. Mas eu e o Edgard nunca chegamos às vias de fato. A primeira vez que briguei com alguém da banda foi com o André, por causa de uma discussão de futebol. Muito loucos, nós começamos a discutir sobre São Paulo e Palmeiras e acabamos nos pegando.

Ao menos a turnê de shows estava indo bem, com públicos de 1.500, 2.000 pessoas. Foi quando a banda recebeu convite para participar de um especial da TV Globo, um tributo a Raul Seixas no Som Brasil. Depois de anos sem participar de um evento da emissora, a banda tocaria a versão *Você ainda pode sonhar.*

Depois de muitos ensaios, a direção do programa vetou a versão dos Beatles. Sugeriram *Mosca na sopa*. Seria carne assada com batata para a banda pela facilidade de execução da canção. Acabou sendo parada indigesta. Um Pacaembu lotado viu um gol contra do Ira! A banda errou e cruzou tudo duas vezes. Foram vaiados por quase 50 mil pessoas. Depois da péssima terceira tentativa, os quatro deixaram o palco vaiados.

Nasi: Eu fiquei triste, fiquei puto, queria brigar com o mundo. Mas não eram só os motivos que a gente tinha para isso. Era o sangue calabrês. Pior: era a cocaína.

35
Flerte **fatal**

1991. Geraldo D´Arbilly, músico e produtor inglês, fez de quase tudo no rock e no pop. No palco e no *backstage*. Nas noites de segunda-feira, cansado do poperô dançante do dia a dia da boate Massivo, nos Jardins paulistanos, convidou gente do rock para atacar de DJ e atracar novos sons na boate bombada. Kid Vinil mandava muito bem no brit pop. Nasi tocava outros sons e pulsações. De graça. Na farra. E de volta ao pó.

Nasi: A merda recomeçou aí. Foi quando voltei a usar cocaína que não cheirava desde 1985. O Geraldo falou que não tinha pagamento pelo serviço de DJ. Mas que sobrariam algumas gatas e coisas e tal. Entre elas a coca. Ele me desafiou e me esticou uma carreira. Me desafiou a cheirar. Eu cheirei. E não parei.

Logo foi apresentado o distribuidor do material de primeira. Um sujeito elegante, com pinta mezzo árabe, mezzo boliviano. Bigodão de Saddam Hussein. Sempre de roupa branca. Elegante. Um gentleman. O Boy.

Nasi: Ele chegava nas baladas sempre de táxi. Quase todo mundo tinha contato com ele. A primeira entrega era sempre de graça. Cortesia da casa. Para os mais chegados, virava *delivery*. O primeiro do mercado, com bip que era coisa de médico, então. Vai ver que por isso ele vinha todo de branco. Doctor Feelgood (risos). Ele só tinha produto do bom e do melhor. Até alguém ficar ruim e na pior de grana.

Num primeiro momento, Nasi conseguiu controlar a fissura.

Nasi: Quando voltei a usar eu ainda estava controlado. Dormia e comia sem problemas, sabia o que estava fazendo. Transava legal, numa boa. Via algumas pessoas se afundando e não entendia. "Poxa, se o cara fica numa pior, tem de parar. Eu não!" Eu me divertia, estava sempre numa ótima, ouvindo as pessoas, não só falando merda. Não via problema.

Mas a fase passou e o jogo virou. O bicho pegou na veia.

Nasi: A euforia inicial durou um ano. Aí você acaba desenvolvendo uma tolerância à droga. Precisa de uma dose maior. Vêm então a solidão, a depressão, a insônia e a incapacidade sexual. Vem tudo de uma vez. Você desce ao inferno. E o inferno não tem fim.

O vocalista ajudou a soprar o pó pela pauliceia e patuleia do rock. Eram os primeiros meses da MTV. Várias bandas e artistas caíram na mesma fissura. O vocalista virou uma eminência parda da branquinha.

Nasi: Minha casa virou a meca da coca. Teve uma noite em que o Nick Cave foi lá. Estávamos fazendo um som e acabou a droga. Chamei o Boy. Ele queria de verdade era ser músico. O que aconteceu quando ele viu aquele rockstar australiano no sofá de casa? O Nick tocando violão e o Boy pegou outro e começou a tocar junto com ele. O Nick Cave não se aguentou. Virou pra mim e começou a xingar o Boy. Ele falava, em inglês: "Quem é esse filho da puta que tá me enchendo o saco? Quem é esse idiota? Nós já não pagamos? Manda esse cara embora, caralho!". O Boy não entendia nada. E eu, para não contrariar meu *dealer* (fornecedor), dizia que o Nick Cave estava gostando da companhia... É a tal história: puta não pode gozar, traficante não pode cheirar.

A fissura de Boy pela música era tamanha que ele começou a espalhar que Nasi cairia fora do Ira! e ele assumiria os vocais... "Amizade" ele já tinha com o vocalista. Marisa Orth um dia teve de expulsar aos gritos Boy da casa de Nasi. Ela, esperando na cama, enquanto o traficante tomava café e cheirava com o cantor.

Nasi: Ficamos realmente amigos, muito próximos. De tanto que ele gostava de música, de tanto que eu estava gostando de pó. E de tantos clientes que ele arrumou por minha conta. Chegou ao ponto de eu ligar para ele sete da manhã pedindo droga e, em 15 minutos, ela já estava em casa. Lá virou um point. Qualquer roqueiro internacional que quisesse da boa e da melhor pintava em casa. Em 1991, veio o Skid Row. Quase quatro da manhã, me liga o Luiz Thunderbird, VJ da MTV, um parceirão. Logo ele pintou com o Sebastian Bach, vocalista do Skid Row. Ele chegou com dois seguranças maiores que um urso. O Boy estava em casa e ficou louco quando viu o Sebastian. Queria fazer um som com o cara. Desta vez consegui segurar o facho. Só não sei o que ele deu direito pro Sebastian que o Thunder, um dia, me contou que o cara ligou lá de Los Angeles mandando beijos pro Boy (risos). Estava apaixonado (risos).

A madrugada rendeu. Seis da manhã, Nasi ligou para o irmão empresário. Queria que Junior começasse a produzir um show com Ira!, Skid Row e Devotos de Nossa Senhora Aparecida, a banda de Thunderbird. Ideia abortada quando o sono chegou. Mas não o juízo. Horas depois, era preciso segurar o ânimo de Nasi. Ele estava num estado tão deplorável que dava medo em roqueiro. O apresentador da MTV conta a história desde o começo:

Luiz Thunderbird: o Mike Patton, líder da banda Faith No More, estava comigo no carro e vinha um bando de paparazzi nos perseguindo logo atrás... Aí dei uma despistada, tipo Batman (risos). No meio do caminho lembrei que ali perto era a casa do Nasi. Fiz umas manobras de Speed Racer e entrei com tudo na garagem da casa dele. Ela sempre estava vazia, já que o Nasi não dirige. Chegamos com aquele puta barulho de carro correndo, freada brusca, os pneus exalando fumaça, aquele puta cheiro de queimado. Aí o Nasi saiu para ver o que era e me viu. Ele até não estava mal, não (risos). Mas o Mike Patton falou na lata: "Fala pro seu amigo que não quero a cocaína dele". Eu fiquei puto! Quem era ele para achar que o Nasi era traficante?

Nasi: O Thunderbird apareceu com o Mike Patton. Eu saí pela garagem, descalço, descabelado, com o meu visual de Wolverine com dentes de sabre, completamente louco. Lembro ter falado qualquer coisa com o Thunder e mandado os dois subirem. Deu um tempo e nada. Voltei até o carro e o Thunderbird todo sem graça, do lado de fora. Eu insisti para eles entrarem logo. Fui até a janela ao lado do Mike Patton para animá-lo. Eu estava doido, mas consegui perceber que o cara estava com medo de mim. Um roqueiro internacional com medo de um maluco brasileiro! Fiquei xingando ele, dizendo que era um bunda mole... Hoje acho que ele, o Patton, fez certo, ele talvez estivesse tentando ser abstêmio. Ou eu que parecia mesmo o Tony Montana do Scarface (risos). Só sei que Deus foi grande comigo naquela época. Não sei como não morri ou não fui preso. Acho que até a polícia tinha medo daquela casa, daquelas festas (risos). Tinha vezes que eu subia com uma mina e o pessoal ficava lá embaixo derrubando todas e a casa junto. Os caras escreviam nas paredes, faziam uma puta zona, um barulho monstro, e nada acontecia.

Luiz Thunderbird: A casa do Nasi era sensacional, amiguinho. Muita música, muita batucada! Todo mundo aparecia lá para fazer um som ou alguma coisa. Se é que você me entende.

Boy poderia não se tocar quando resolvia tocar violão com Nick Cave, mas sabia tocar muito bem seu negócio. Era praticamente um intocável pela polícia. Conhecia quem usava droga em São Paulo. E muito bem que pessoas poderosas ele poderia usar. Ousar. E abusar.

Nasi: Um dia passamos por um carro de polícia. Eu estava com o Boy num carrão. Falei pra ele maneirar, que a polícia poderia vir atrás. Ele não teve dúvida. Apertou ainda mais fundo o acelerador. Não é que ele não tinha medo da polícia. Acho que os caras é que tinham medo dele, das conexões dele. Ele conhecia quem precisava conhecer. E ninguém mexia com ele. Ele tinha os caras que precisava na mão. Na política e na polícia.

Para não dizer no nariz. Na polícia, ninguém mexia. Na rua, era mais difícil. Boy poderia atrasar uma entrega por conta de outros serviços. Ou para acertar as contas com quem tentava roubar a clientela. No caso de polícia, roubá-lo.

Nasi: As minhas primeiras experiências com drogas, nos anos 80, não se comparam ao inferno que passei a partir de 1991. Eu até tinha perdido o barato pela cocaína. De verdade, quando eu era mais moço, nem mesmo de bebida eu passava tão mal. Nunca tive um treco além de vomitar, coisa normal. Acho que deve ter sido por orientação de meu avô calabrês. Ele sempre dizia que a gente tinha de tomar três cuidados na vida: com bebidas, com cigarro e com os amigos. Ele era genial. Colocava as amizades no mesmo nível de perigo que os cigarros! (risos).

O último disco do Ira! pela Warner, *Música calma para pessoas nervosas*, foi lançado em 1993. Feito apenas para cumprir contrato, é o patinho feio na discografia da banda. Registrava a letra inédita de Raul Seixas musicada por Gaspa e recusada pela TV Globo para o tributo ao roqueiro baiano, *Pai nosso da terra*, que parodia a tradicional oração cristã.

O disco também trazia regravações de Rolling Stones *(She smiled sweetly)* e da canção *Balada triste*, parceria de Dalton Vogeler e Esdras Silva gravada pela primeira vez em 1959, por Ângela Maria. Esta última evidenciava o namoro de Nasi com o blues – gênero que ele praticava em seu trabalho alternativo que começava, então, com o nome Nasi & os Irmãos do Blues.

Nasi: No Aeroanta tinha umas *jam sessions* de blues. Sempre fui fã do ritmo. Eu queria fazer um show só disso. Acabei juntando uns amigos que trouxeram outros amigos e deu nisso. Gerou uma vibe muito legal.

O disco também tinha a primeira parceira entre Edgard e Arnaldo Antunes – que deixara os Titãs e se preparava para lançar seu primeiro trabalho solo. Em *Perigo*, todos os versos terminam com a frase "é pra correr perigo". Mesclada a um instrumental acelerado e o vocal competente de Nasi, a letra funciona *Se nasceu é pra correr perigo/ Se abriu a porta é pra correr perigo/ Se tá na rua é pra correr perigo/ Se guia carro é pra correr perigo/ Se anda a pé é pra correr perigo* (...). No final das contas, se pediu letra para o Arnaldo Antunes é pra correr perigo mesmo.

Apenas uma composição do disco levava a assinatura de Nasi, *O homem é esperto, mas a morte é mais*, com parceria de Gaspa.

Nasi: Nem o Paulo Junqueiro, que era nosso amigo, aguentou a gente e largou a produção no meio do disco. A gente vivia se desentendendo do que queria, do que esperava do trabalho, principalmente em termos de mixagem, de captação de som. É o mais fraco disco do Ira!. Ninguém da banda gosta dele. Mas tem algumas coisas que acho legais. A versão dos Stones, por exemplo...

Ironicamente, no primeiro verso da canção que abria o disco – *Arrastão! (Ladrão que rouba ladrão)* – Nasi gritava: "É o princípio do fim". Não seria, mas parecia ser. Declínio do rock no mercado nacional, uma banda sem gravadora, lançando um disco que venderia pífias 1.840 cópias. Para piorar, a relação de Nasi com as drogas dilacerava o que houvesse pela frente. A própria banda conversava com ele. Mas não tinha muito papo. Só pó. Mas não só com Nasi. Quem o aconselhava metia mais que o nariz na conversa.

36

Você não sabe **quem eu sou**

Apesar de a cada disco novas referências somarem-se ao som da banda – e de terem até cantado estarem fartos do rock and roll –, nem tudo que os integrantes queriam compor, tocar, cantar cabia no Ira!. O guitarrista Edgard já havia feito o seu *Amigos invisíveis,* em 1989, e nos anos 90, seria a vez de Nasi iniciar um projeto paralelo com uma banda de blues. Esse trabalho rendeu, em 1993, o disco *Uma noite com Nasi & os irmãos do blues.*

Nasi: O que era para ser uma coisa despretensiosa para tocar com amigos no Aeroanta acabou ficando meio séria. O produtor Pena Schmidt foi a um dos shows, vibrou com a energia dele, e quis botar em disco. No começo era para ser só versões livres de blues americanos, uma ou outra coisa traduzida. Depois acabou sendo levado mais para um projeto autoral, com composições nossas. Algo que acabaria virando um esboço da minha carreira solo.

Mesmo não tendo grande repercussão, o álbum foi bem recebido pela crítica. Na edição de julho daquele ano, uma pequena resenha do jornalista Jefferson de Souza analisava o disco na revista *Bizz*.

Não é comum ouvir blues brasileiro em disco. André Christovam, Blues Etílicos... e é só. Por isso mesmo, Nasi & os Irmãos do Blues já sai com um ponto de bônus. O time é de primeira e mostra cacife para gravar ao vivo. O repertório também é bom: Johnny Watson, Professor Longhair, *Screamin* Jay Hawkins, Jimmy Reed e até Tim Maia. Agora os "poréns": Nasi se esforça para ser um bluesman autêntico, mas não é. Fica aquela voz rascante meio forçada. E as letras vertidas para o português ficaram meio sem sal. Mas é um disco honesto o suficiente para agradar fãs de blues.

Na *Folha de S. Paulo*, uma reportagem de Luiz Antônio Giron citava o trabalho paralelo de Nasi entre os de outros vocalistas de bandas dos anos 80 que se lançavam em projetos solo – Carlos Fernando (Nouvelle Cuisine), Renato Russo (Legião Urbana) e Tony Platão (ex-Hojerizah).

Quando pareciam ter as carreiras definidas (quando não sepultadas), quatro manjados e trintões homens de frente de grupos brasileiros dos anos 80 se lançam como reis da voz.

(...) Nasi prossegue na banda Ira!, a sorridente ditadora do rock honesto paulistano. Mas abre um nicho visceral com Nasi & os Irmãos do Blues, em que canta blues eletrificados em inglês e português (...). Assessorado por um septeto competente, ele dá conta de nove clássicos e resolve um dos problemas de interpretação de blues brasileiro: trazer para o português a mesma carga do original em inglês. Nasi traduz "baby" por "nega" (Erasmo nos anos 60 preferia "meu bem") e converte no estilo roufenho de Chicago a canção soul *Sofre*, de Tim Maia. Um CD que prima pela decência.

Logo depois, o tecladista Johnny Boy era escalado por Nasi para ser um irmão e parceiro mais fiel e comprometido do que acabariam sendo Junior e Edgard.

Johnny Boy: O Nasi sabia de mim por alto. Na primeira vez que dirigiu a palavra a mim foi firme, eu estava ensaiando, cansado, ele chegou bem sério (imita a voz dele), "pô, você que é o famoso Johnny Boy?". Sim, sou eu, respondi. "Eu sou o Nasi, ô véio, prazer, ouvi falar muito bem do seu som, gosto muito". E aí falou uma ou outra coisa, sobre Raul Seixas, sobre blues, e me convidou pra fazer parte da banda que ele tinha, Nasi & os Irmãos do Blues. "Faço questão que você faça parte dessa família". Voltei pra casa muito contente, era meados de 1994, o Raul (Seixas, com quem Johnny tocara muito tempo) tinha falecido, havia uma reforma em nossas vidas pessoais. Nasi me chamou pra ir à casa dele. Fui. Foi o começo da amizade, por magia musical. É um mundo competitivo, o da música, mas a gente além de bater as ideias, bateu a música, intuitivamente. Ele me deu um CD da banda pra mostrar o trabalho. Fez dedicatória pra mim e ilustrou nosso começo.

Nasi & os Irmãos do Blues era a grife usada para a carreira solo. Não era uma banda em si. Mas um projeto paralelo que seria o início de um trabalho autoral que acabaria desembocando na carreira definitivamente solo depois da ruptura do Ira!. Composições que não cabiam no grupo de rock pelo estilo, mas que falavam muito a respeito da personalidade de Nasi. E um modo, até inconsciente, de encontrar novos sons e amigos. Em dez anos de trajetória, o projeto de blues de Nasi tocou em todos os festivais internacionais do gênero no Brasil. Ao lado de nomes como John Hammond, Pinetop Perkins, Room Full of Blues, Matt "Guitar" Murphy e Magic Slim.

37

Assim que **me querem**

Depois de lançar seis discos e encerrar o contrato com a Warner, formar um público fiel, tocar em festival com bandas estrangeiras, ter música em abertura de novela e construir toda uma carreira respeitável, o Ira! voltava ao começo de tudo e gravava uma demo para oferecer às gravadoras. Nesse contexto, surgiu o convite para uma turnê de shows no Japão. Provavelmente, a banda não imaginava, mas aquelas cinco apresentações em vinte dias, do outro lado do mundo, podem até ser consideradas o marco simbólico do renascimento do Ira!. Era agosto de 1995. Dekasseguis que conheciam a banda ajudaram a fazer shows muito bons em locais onde Lenny Kravitz e Oasis (ambos no auge) haviam acabado de tocar.

Nasi: Foi muito legal, tivemos uma experiência bacana fora do país.

Quem poderia ter estado com eles no Japão era o tecladista Johnny Boy. Convidado por Nasi para fazer parte do projeto paralelo Irmãos do Blues, ele também foi chamado para a excursão.

Johnny Boy: Eu tinha 30 shows pra fazer no Brasil, com um artista de blues, que no fim das contas não teve 30 shows porra nenhuma e eu me fodi. Depois veio um novo convite do Ira!, com tempo pra uns ensaios, músicas e um estilo que eu conhecia a fundo. Estudei e tirei as músicas. Fui ensaiar *Envelheço na cidade* com eles. Começava com Sol, Fa, Mi. Fácil. Estranharam minha inserção. Falei "pô, eu tirei, é assim mesmo, Sol, Fa, Mi". O Edgard disse que sim, era, mas não era pra tocar. Aí, em 1995, eu fui descobrir que não era pra tocar o Fa sustenido, pois os caras são autodidatas. Eles não são normais!

A gravação demo do Ira!, com as covers de *Me perco nesse tempo*, das Mercenárias, e *Você não serve pra mim*, hit da Jovem Guarda gravado por Roberto Carlos, além da inédita *Correnteza*, foi parar na gravadora Paradoxx, que se interessou e assinou contrato com a banda assim que ela voltou do Japão. A Paradoxx vivia basicamente de coletâneas de dance music e nem de longe lembrava a estrutura com que Nasi, Edgard, Gaspa e André estavam acostumados na Warner. Era quase uma volta ao *underground* e o disco *7* não podia deixar de refletir isso.

Antes do lançamento do álbum, em 1996, o Ira! realizou duas apresentações no Memorial da América Latina, em São Paulo, comemorando os 15 anos da banda. Era a primeira vez que um grupo de rock tocava no local e a abertura ficaria a cargo de dois grupos da geração mais recente do rock no Brasil: os mineiros do Virna Lisi, no primeiro dia, e os cariocas do Planet Hemp, no segundo. O show de aniversário do Ira! foi registrado pela *Folha de S. Paulo*, em reportagem de Luiz Caversan.

"(...) Há quem diga que o Ira! tem se repetido nos últimos anos e isso pode ser uma meia verdade compartilhada pelos detratores de qualquer artista com muitos anos de carreira. Mas o fato é que o grupo sempre produziu rock de qualidade, unindo inventividade, 'punch' e a dose de irreverência indispensável à sobrevivência desse gênero musical."

O disco *7* vinha com um som inspirado em bandas de garagem, em que alguns críticos enxergaram influência do grunge norte-americano. Crítica que André refuta dizendo que, se fosse assim, a banda fazia grunge desde 1991. Na verdade, a ideia era chegar o mais próximo possível da sonoridade dos shows, mais cru e sem muitos efeitos. Trazia as duas covers presentes na demo e mais uma: *The house of rising sun*, hit dos The Animals.

Nasi: Começamos a tocar músicas "de fora" (as covers) por brincadeira e acabaram funcionando como ponto de partida do disco.

Duas baladas virariam dois dos maiores sucessos da banda oito anos depois, quando regravadas no *Acústico MTV*. Mas, em 1996, *Eu quero sempre mais* e *O girassol* passaram batido.

Naquele momento, nomes de uma nova geração do pop rock brasuca começavam a se firmar, ao mesmo tempo em que bandas remanescentes dos anos 80 buscavam se recolocar no mercado. Nas prateleiras das lojas de discos encontravam-se o novo do Ira!, bandas novas com o frescor dos 1990 – como Raimundos e Planet Hemp –, e também os recentes trabalhos de Titãs e Engenheiros do Hawaii, além dos discos solos de Renato Russo (Legião Urbana) e Dinho Ouro Preto (que na época havia deixado o Capital Inicial).

Na revista *ShowBizz*, que sucedeu a *Bizz*, o jornalista Pedro Só deixou claro na resenha suas restrições ao disco em si. Mesmo assim, mostrou-se simpático ao lançamento e projetava um bom futuro para a banda:

"Com vendagens sempre abaixo do merecido, o Ira! foi uma das melhores bandas do Brasil nos anos 80, mas não formou um bom núcleo base de fãs. Resultado: quase foi para o buraco. Infelizmente, este disco de volta está longe do melhor que o grupo já produziu. A guitarra de Edgard Scandurra continua excepcional, mas a voz de Nasi parece pior em faixas como *É assim que me querem* e falta brilho a muitas das composições novas."

Outra notícia ruim: o Ira! ganhou um peso desnecessário em algumas das músicas. E chega de botar defeito, porque o brilho do hit da Jovem Guarda em *Você não serve pra mim* (de Renato Barros, gravado pelo Rei), a veia romântica de *Eu quero sempre mais* e o tônus muscular de *Me perco nesse tempo* (das Mercenárias) mostram que o bom e velho Ira! ainda tem bastante para dar.

O disco marcou a volta do Ira! à programação de algumas rádios com *Você não serve pra mim*. Mas as limitações da Paradoxx impediram *7* de ter maior alcance e repercussão. A Paradoxx ganhava dinheiro com coletânea de dance music. Não tinha pessoal, não tinha dinheiro pra divulgar, não tinha estrutura. Só o boca a boca, ouvido a ouvido não funcionava.

38

Há química **em mim**

A carreira, a casa, o dinheiro, os amigos, a família, a vida. Estava tudo sendo cheirado na metade dos anos 90. Inclusive a morte.

Nasi: Além de louco, eu estava perdendo o que tinha. Não só as coisas materiais viravam pó. Dignidade, respeito, amizade. Tudo estava indo pelo ralo. A banda estava indo pro saco. Até meus relacionamentos com gente que usava e vendia droga. A, digamos, "amizade" com meu traficante, o Boy, já não era a mesma. Eu estava ficando numa pindaíba. Deixava de pagar. Ele deixava de vir em casa, de fazer o *delivery*. E começava a me ameaçar. Eu estava cada vez mais isolado e paranóico. Tinha dia que acordava com a planta do pé doendo. É que eu ficava na ponta do pé vigiando a rua, a casa. Um quadro clássico da "noia".

No começo da relação com Boy, ele chegava a ganhar cocaína de cortesia. Não pagava. Recebia sempre a melhor. Mas depois foi faltando dinheiro. Sobrando xingamento. "Você é um merda". "Não honra compromisso". "Vai se fuder, Nasi, eu não vou aí te entregar uma coisa que você não tem dinheiro para pagar". Eram as mais meigas mensagens que ele ouvia do traficante da casa. Quando não ouviu coisa pior. Um conhecido que ele apresentara a Boy havia ficado com a fama de "ganso", de delator para a polícia. Viciado em heroína, só estava solto pela polícia na condição de abrir o jogo a respeito de quem tratava e negociava com ele. A fama chegara ao ouvido de Boy, que ligara para Nasi dizendo para tomar cuidado com o amigo, que o traficante não queria mais papo e negócio com o "ganso". "Seu amigo só não está morto por eu estar numa fase bem humorada", ameaçou o traficante. "Se você fizer negócio com ele vai se ver comigo."

Nasi: Logo depois da ameaça do Boy o meu amigo drogadito me ligou. Eu avisei o que estava acontecendo. Ele disse que não era nada daquilo, que havia sido um primo dele, coisa e tal. Até acreditei na história. Claro que ele me pediu para eu comprar a droga para ele sem que o Boy soubesse. Falei que pelo menos aquela vez eu dava um jeito. Liguei pro Boy pedindo a remessa usual. Ele me deixou lá. Mas não sei quantas horas depois ele voltou pra minha casa. Chegou com um papo estranho dizendo que ele sabia de tudo, por isso ele era o Boy. Segundo ele, o apelido "Boy" era porque ele sabia de tudo... Nunca entendi isso, mas tudo bem (risos). Ou pior, tudo mal. Ele tirou o revólver e encostou na minha cabeça. O meu "amigo" Boy... Disse que não tinha medo de matar um artista. Que não estava nem aí comigo.

Não esteve mais. Nasi resolveu trocar o Boy para preservar a vida. Achou um fornecedor mais barato, "um chulezinho". Droga de pior qualidade, mas era o que ainda dava para pagar com o pouco que restava de tudo.

Nasi: Até que num show em Curitiba achei numa gaveta de um camarim uma carteira falsa de Oficial de Justiça. Fui a uma festa! O que dei de carteirada... Subia aos quartos dos hotéis com mulheres, os caras chiavam, eu dava minha carteirada e entrava com todo mundo. Um dia, louco de tudo, peguei minha pistola 22 e resolvi "tirar satisfações" com o Boy. Fui ao apartamento dele (quase ninguém sabia onde era) e pedi para falar com o Sérgio (menos gente ainda sabia o nome dele). Ele não estava. Falei, então, para o porteiro dizer que o "capitão Marcos" havia passado por ali e tinha coisas a dizer a ele... Graças a Deus que o Boy não ligou o nome à pessoa. Eu não estaria contando aqui esta história.

A fissura era terrível. Sem o "Disk-Boy" tão rápido, as coisas ficavam mais difíceis.

Nasi: Comecinho de 1997. Eu estava numa fissura monstro. Daquela em que precisava para anteontem mais drogas. Liguei pro cara já alucinado pedindo mais droga. E o cara não chegava. Eu ligava ainda mais louco. E o cara, nada! Ele me pediu 20 minutos. Deu meia hora e eu já liguei puto. Aí eu ligava a cada cinco minutos. Eu o xingava, o ameaçava. Depois de umas duas horas ele pintou. Eu já querendo pegar o cara. Até que ele me explicou, com muita tranquilidade, que havia se atrasado porque tinha de resolver uns assuntos pendentes. Os "assuntos" eram dois caras que ele havia acabado de matar. E eu nem aí. Peguei a cocaína e cheirei. Uma coca com sabor de sangue. E eu, louco e fissurado, só fui pensar naquilo um tempão depois.

Não eram só os traficantes que tinham o serviço sujo. Na carência, Nasi também ia para as bocadas acertar as contas.

Nasi: Só Deus sabe como não morri usando drogas, não por overdose, mas pelas tretas em que me meti para comprá-la. Eu não só ia nas bocadas, também arrumava confusão com os caras lá dentro. Coisa de louco. Coisa de viciado que perde o controle de tudo.

As ameaças de fora eram terríveis e os monstros e bichos de casa eram do mesmo nível.

Nasi: Tinha um quartinho no fundo de casa que eu também usava como estúdio. Naquela fase de drogado que você nem cuida de você, muito menos de suas coisas, aquilo foi se transformando numa lixeira. Para falar a verdade, numa criação de pulgas. Parecia que elas tinham virado um ecossistema à parte. Tanto que elas começavam a atacar as pessoas que vinham em casa. Os amigos que ainda tinham coragem, né? Era terrível. Eu lembro de ver gente na sala conversando e as pulgas subindo pelas pernas delas. Dava para ver nas meias brancas aqueles pontos pretos chegando e formando uma bola de tanta pulga que tinha.

Cupins também comiam a casa. Tinha pedaço de teto caindo por conta disso. Não tinha mais sofá. Nem rádio. Havia vendido a linha telefônica. Não havia dinheiro para traficante. Manutenção, então... Nasi estava cheirando tudo. E tudo fedia cada vez mais.

Nasi: Minha casa caindo aos pedaços e eu só não a cheirei porque não consegui vender. Os shows estavam cada vez piores. Só serviam para eu pagar a fornada de coca. Uma noite ou um dia, sei lá, estava dormindo no meu quarto. Quando ouvi um barulho e olhei para a porta. Era um rato em pé. Uma ratazana. Uma cena de Kafka. Eu era um homem ou um rato?

Era um sujeito apaixonado. A namorada, belíssima dançarina do ventre de uma casa de chá, não aguentou mais o Nasi drogado e o trocou pelo futuro marido. Foi um coração partido que o fez dar um jeito na vida.

Nasi: Ninguém mais acreditava que eu pudesse me recuperar. Meus amigos estavam desistindo de mim. Acho que nem eu mesmo sabia de qualquer coisa. Eu mesmo precisava dar o basta. O buraco estava muito fundo. Nem a minha carreira me salvava. Eu não conseguia cantar daquele jeito.

Desde 1995, Nasi cogitava dar um basta. Conversava com psiquiatras. Uma tarde, um deles bateu à porta de casa. Dizia que era o "doutor Van Helsing". Um caça-vampiros. Ou quase isso.

Nasi: Eu tentava controlar as quantidades, até por já não ter mais grana para sustentar o vício. Eu pensava que só poderia comprar um pouco, dividia em cotas diárias. Na matemática não tinha problemas. Mas, na prática, não funcionava. Eu cheirava a minha cota diária. Aí fazia um chorinho, sabe como é, né... Cheirava um pouquinho além da cota e... acabava tudo indo para o saco.

Até 26 de abril de 1997, um sábado. A dançarina do ventre não queria mais nada com ele. Era preciso querer alguma coisa. Em Interlagos, a Clínica Vila Serena.

Nasi: Eu me internei. Sozinho. Estava casado com a cocaína, não com a mulher que eu amava. Fui à clínica por mim e muito por ela. A última coca que cheirei foi antes de me internar. Não queria mais brincar com a morte. Estava mais para baixo do que o fundo do poço. Eu queria voltar limpo daquilo. Queria voltar a cantar bem, fazer outras coisas. Não viver naquela decadência geral.

As primeiras horas na clínica foram as piores. Até pelo jogo aberto lá dentro: apenas 3% dos internos continuariam limpos 12 meses depois. Era melhor jogar duro, franco. E aguentar o tranco da abstinência.

Nasi: Eu achava que uns 80% ficavam limpos saindo de lá. Quando soube que era menos de 5%, achei que estava fodido. Como dependente, sou um vampiro com uma estaca no coração. Se eu tirá-la, volto a ser vampiro. Por isso, é essencial a convivência com quem tem os mesmos problemas. Ser tratado por ex-dependentes é tudo. Só um deles sabe reconhecer os truques do outro.

Era uma vitória ter se internado. Mas para ganhar a guerra era preciso muito mais. Coisa para um batalhão de elite.

Nasi: Parecia o Bope. Os caras já te deixavam mais para baixo de primeira. Mas era necessário. Ali não era colônia de férias ou spa. Era foda. Aprendi a respeitar ainda mais a cocaína. Não era fácil ficar limpo lá dentro, mas você fica. Mesmo que nos primeiros dias te dê uma coceira, uma fissura e uma vontade monstruosa de usar.

Como nos tempos de escola, o roqueiro tinha de ficar na turma do fundão nas aulas e palestras a respeito das drogas, dependências, efeitos. Pelo menos nos primeiros dias. Quando resolveu largar a turma da fumaça para se sentar mais à frente. Para voltar a ser o aluno exemplar que fora até a sexta série do ginásio.

Nasi: Só caiu a ficha uns dez dias depois. Para que ficar na turma do barulho e continuar mal? Eu que me internara, não havia sido forçado por ninguém. É difícil tratar alguém que não queira. Eu quis ser curado. Eu precisava dar um jeito em mim mesmo. Estava no propósito. Não poderia perder mais uma chance. Virei aluno exemplar. Dediquei-me às terapias de grupo, às aulas de como a droga funcionava, ao que precisava ser feito... Falei muito de mim, mas, principalmente, ouvi muita coisa dos outros. Cresci demais.

Também começaram os problemas com a turma do fundão. Bateu de frente com eles. Quase foi expulso da clínica. Discutiu feio com um interno que pegava droga escondido na cerca da clínica com um amigo. O pai prometera a ele um carro se, depois de 28 dias de internação, largasse as drogas.

Nasi: Por besteira quase saí no braço com esse cara do fundão. Na clínica você é expulso se brigar ou se tiver relacionamento sexual. Quase caí fora, mas me segurei. Ou melhor, me seguraram. E seria uma luta perdida. O cara depois saiu da clínica ainda usando drogas, ganhou mesmo assim o carro do pai, e logo acabou com ele num acidente...

As turmas se dividiam na clínica: de um lado os narcóticos, de outro, os alcoólatras. Duas semanas de tratamento, alguns dos amigos largavam tudo. Recaíam. Ele resistia. Mas não facilmente.

Nasi: Só saquei tudo no meio da internação. Não era pela namorada que eu estava ali. Era por mim mesmo. Só então percebi que havia feito de tudo por ela, mas nem assim voltamos. A frustração de ter sacado isso foi foda. Quase joguei tudo pra cima. O pessoal me ajudou muito lá dentro para eu não desistir. Então resolvi mostrar a ela (e, também, para todos e para mim) que eu sairia legal dali. Que eu daria o máximo para me recuperar.

39

Eu tento me erguer **às próprias custas**

Passados os 28 dias regulamentares, a saída do tratamento. Fim de linha, começo de nova vida.

Nasi: Outro momento foda... Na frente da clínica já tem uma bocada. Muita gente sai dali e já recai na porta... Eu escapei. Mas não foi fácil sobreviver. Todo mundo não estava nem aí comigo. Eu havia pisado na bola. Mas os verdadeiros amigos poderiam ter me ajudado mais: me convidado para comer uma pizza, para sair, para tomar um guaraná diet, para voltar ao normal... Mas ninguém apareceu. Ninguém. Quando voltei para casa, ninguém voltou para minha casa que sempre estava cheia. Ninguém agora estava comigo.

Antes de 26 de abril de 1997, amigos, colegas e chegados diziam que o "Nasi estava doente e precisava se tratar". Depois, ou silenciavam ou mantinham o discurso. Sabendo ou não do processo de reabilitação.

Nasi: Eram pessoas que vinham em casa para cheirar o meu pó. E falavam que eu estava doente... Só eu... Depois que me tratei, não voltaram mais. Por isso é fundamental, depois de sair da clínica, frequentar grupos de ajuda. Você precisa refazer sua vida, seus amigos. Precisa de gente que saiba o que é isso. Que tenha o propósito firme de não recair. "Nem que seja só por hoje!" Gente que não coloque a sua saúde em risco. Isso realmente me ajudou a ficar limpo.

Não bastavam novas amizades. Era preciso afastar alguns amigos (e *muy* amigos) de perto.

Nasi: A vantagem de ter me internado já sem muito dinheiro é que os traficantes sabiam que eu estava fodido de grana. Nenhum chegava perto. Mas a fissura não passava assim tão rápido. Pior: mesmo tendo limpado a agenda telefônica de gente potencialmente perigosa, ainda sabia de cor o telefone de traficantes. Teve um dia que não aguentei e disquei o número dele. Mas nem esperei completar a ligação. Desliguei. Nunca mais recaí. Até por ter usado um truque que nos foi ensinado na clínica: se estou com vontade de usar a droga, paro e penso cinco minutos. E vou comer uma maçã.

Era o momento mais perigoso depois da clínica. A vontade aliada à solidão. Ele não saía mais para não beber, para não cheirar. Era difícil reconstruir rapidamente grupos de amigos.

Nasi: Era preciso dominar os cinco minutos de compulsão. Comer aquela maçã na geladeira ajudou muito. Aqueles cinco minutos davam a chance para falar não. Comer controlava a ansiedade. Tanto que só tive esse episódio de ligar pro traficante. Não liguei, comi a maçã que não era do pecado, e me dei bem. Valeu ter estudado essa ferramenta na clínica. Funcionou.

O sexo poderia ser uma válvula de escape. Ainda mais para quem tinha a mente e a fama na cama de Nasi. Mas também era outro jogo a ser vencido. Com nova estratégia.

Nasi: Sexo também é um tipo de droga, mas saudável. O máximo que pode acontecer é você morrer do coração (risos). Também tive de me adaptar. A me relacionar sexualmente com quem não usava droga. Antes era mais fácil. Quando percebia uma menina mais moderninha, bastava falar para ela que iríamos em casa fumar um *back*, dar um tirinho, e você não precisava de mais nenhuma cantada. Sem essa muleta, você precisa reaprender a seduzir. Acabaria sendo muito melhor em tudo desde então.

O perigo de recaídas também era muito presente nos relacionamentos e nas relações mais íntimas.

Nasi: Uma vez saí com uma mina num show do Nando Reis, no Barracuda. De lá fomos para o D-Edge. Logo ela entrou com um carinha no banheiro. Quando saiu, eu queria ir direto ao ponto. Convidei para ir para casa. Ela na lata perguntou se eu tinha cocaína. No ato cortei o barato. Falei para ela ficar por lá mesmo, que o papai aqui iria embora... Ainda bem. Meses depois ela pirou um grande amigo meu. A ponto de o cara internado no hospital, com uma série de problemas até no coração, e ela o visitando só para dar droga a ele dentro do quarto!

Com amigos também não foi fácil. Mas foi ficando menos complicado com o tempo.

Nasi: Os caras esticando cocaína em cima de uma mesa, e eu me afastando... Mas depois foi natural. Aquilo que eu achara quando jovem que era decadente voltara a ser igual para mim. Não era mais minha praia, não me dizia mais nada. E não queria mais ouvir aquela merda toda de novo. Ninguém mais usaria meu ouvido para penico para ouvir aqueles papinhos de sempre de drogados. Já conhecia todos eles. Ninguém também iria me ouvir. Então era melhor cair fora daquele ambiente de cachorro lambendo a sua boca. Não era mais pra mim.

Se a própria banda e amigos desconfiavam se Nasi realmente havia parado com as drogas, o público fazia questão de não deixar barato. Em shows, mais ainda. Sempre havia pelo menos um na plateia a trocar olhar com Nasi e sinalizar com o indicador da mão direita na narina direita. Sinal de que o vocalista era cheirador.

Nasi: Tinha pelo menos um filho da puta que fazia o sinal! Hoje eu rio. Mas, então, era foda. Eu ficava de um jeito possesso, apontava para ele dizendo que iria pegá-lo depois do show, essas coisas edificantes. Às vezes, eu descia lá mesmo e saía na mão, mas depois foi passando. Hoje, se acontece, retribuo com o mesmo sinal para ele. Sinalizando que o maluco, ali, é ele. Quem sabe o que está fazendo é ele. Quem é o trouxa que está se drogando não sou eu.

40

Quem me trouxe até agora **me deixou e foi embora**

Com Edgard mergulhado na eletrônica desde o lançamento do disco *Benzina* (1996) e Nasi voltando à superfície depois da reabilitação, o Ira! iniciou em 1998 a gravação do álbum que prometia ser o mais ousado desde *Psicoacústica*. Era como se, dez anos depois, o recado dado em *Farto do rock n' roll* chegasse ao extremo. Gravado após mais de três meses de composições na base da edição e de exaustivas pesquisas no estúdio, *Você não sabe quem eu sou* expõe e reflete uma ruptura dentro da banda - com Edgard e André de um lado, Nasi e Gaspa de outro.

Gaspa: Eu fiquei puto com esse disco. Chegava para gravar, e o Edgard falava: não precisa não, já tá tudo aqui no sampler. Que porra é essa? Ele também falava: música não precisa de harmonia, isso é coisa do passado. Como assim? Foi um período complicado.

Nasi: Achei legal a entrada de Edgard na tecnologia. Não deixava de ser uma continuidade do hip hop, como eu queria fazer antes. Mas, daquele jeito, era muito over. Era tudo muito químico... Nada orgânico.

Em tom de brincadeira, a discussão aparecia na reportagem da *Folha de S. Paulo* na época do lançamento. O jornalista Pedro Alexandre Sanches reproduzia a conversa com os membros da banda e a tentativa de Edgard de comparar as cenas mod e tecno – prontamente ironizada por Gaspa e André.

Edgard: Mod hoje é o tecno, são as raves, que juntam pessoas com identidades em comum. O grunge era largado, podrão, machista. As raves trazem de volta o mod, a tolerância, a preocupação estética.

Gaspa: Edgard ainda é tão mod por dentro que precisa se convencer que o tecno é mod.

André: Se Pete Townshend (da banda The Who) disser que tecno não é legal, ele não dorme mais.

Nasi: Esse papo de mod já tinha esgotado pra mim e enchido meu saco havia muito tempo. O próprio The Who largou logo esse papo nos primeiros discos. O Edgard mesmo tinha um conceito do que era mod que ele mesmo inventou. E, na boa, ninguém entendeu o mod do Edgard. De fato, você e ninguém entende um mod (risos).

Forte aliado da "panela eletrônica" da banda foi o produtor Carlo Bartolini, ex-Ultraje a Rigor. Depois de nove anos morando em Los Angeles, ele voltara ao Brasil com grande conhecimento tecnológico, que casava muito bem com a sonoridade que Edgard buscava – na época o guitarrista ouvia artistas como Chemical Brothers, Prodigy e Underworld.

Na resenha do álbum para a *Folha de S. Paulo*, Pedro Alexandre Sanches já comparava *Você não sabe quem eu sou* a *Psicoacústica* e tentava mostrar que discos tão diferentes dos padrões estabelecidos do rock and rock and roll não danificavam a trajetória de coerência da banda.

"Rock não é, necessariamente, coisa a fazer de olhos, ouvidos e narizes tapados. Se o apreço de Nasi pelo hip hop dava o tom de *Psicoacústica*, aqui as influências tecno de Edgard Scandurra permeiam a parede pesada do som Ira!. O CD é muito rock and roll, mas há vento e disponibilidade nutrindo cada um dos integrantes da banda. (...). Anti-heróis dos 80, os meninos do Ira! já integram uma banda atemporal."

O jornalista Celso Masson elogiou o disco na revista *Bizz*. Com ressalvas:

"Aquilo que o rock mais precisa, o punch, a veia, a alta voltagem, sobra no som do Ira! O que falta nele é conteúdo – e nenhum tipo de música sobrevive sem isso. É inacreditável que alguém, em meio as boas releituras para The Who (*Eu não sei explicar*) e Júpiter Maçã (*Miss Lexotan 6mg*) se leve a sério cantando versos como 'Nos jornais/ Há notícias más e boas'. E o Ira! ainda se leva."

Na época, o disco rendeu a Carlo Bartolini o prêmio anual de melhor produtor pela Associação Paulista dos Críticos de Arte (APCA). Edgard continuou flertando com a música eletrônica em suas incursões solo e alguma coisa acabou assimilada pela banda nos trabalhos seguintes. De uma aparente divisão, o quarteto saiu com mais confiança e mostrando que tinha fôlego e relevância fora dos anos 80.

Nasi: É um disco que é um dos mais elogiados do Ira!. Teve momentos que a gente conseguiu fazer um *crossover* legal. A gente não sabia onde começava o rock e acabava o eletrônico. Mas não gosto das coisas que têm nesse disco que são eletrônicas ortodoxas. Aquele talibanismo tecno do Edgard até cabia na carreira solo dele. Mas, no Ira!, era uma masturbação modernosa que só tinha sentido no banheiro do Hells Club.

41

E então eu canto **essa canção**

Os dois bons discos com a Paradoxx recolocaram o Ira! em uma posição digna no cenário rock, mas a falta de estrutura da gravadora impossibilitava a banda de alcançar uma audiência maior, tocar mais nas rádios. Como os experimentalismos eletrônicos assustaram os fãs mais radicais e o grupo não conseguia chegar a um público novo, o impasse estava formado. Foi assim que o Ira! deixou a Paradoxx e resolveu voltar a entrar em estúdio para gravar mais uma demo. A ideia evoluiu e ficou decidido que o melhor seria fazer um disco e levá-lo pronto para as gravadoras. Um álbum de covers *underground*, resgatando bandas como Voluntários da Pátria, Mercenárias, junto com grupos pós-punk e mais Roberto Carlos. Antes disso, João Augusto, presidente da gravadora Deckdisc – que era distribuída pela Abril Music –, ouviu o material e se interessou. Assinado o contrato, a banda foi gravar com o produtor Marcelo Sussekind, em 1999.

Nasi: Tivemos a sorte de entrar na hora certa, na gravadora certa. A Abril realmente se revelou a gravadora do momento, deu condições pra gente fazer o *Isso é amor*, que era uma proposta. Estávamos sem gravadora, quase assinamos com a Trama pra fazer um disco ao vivo, quase!

Abril Music e Deckdisk estavam apostando em bandas dos anos 80 e haviam conseguido relativo sucesso com os discos de Capital Inicial e Ultraje a Rigor. Nesse contexto, o Ira! foi contratado, mas voltar a gravar por uma gravadora com mais estrutura significava novamente se ver obrigado a discutir exigências dos chefes. Mais maduros, os integrantes da banda souberam negociar melhor pedidos que, feitos em outra época, talvez gerassem como resultado apenas desgaste entre a banda e a gravadora. Mesmo mais tolerantes, não foi nada fácil. A banda queria regravar coisas mais lado B, quando não C, do rock paulistano dos anos 80. A gravadora queria mais sucessos comerciais.

Nasi: A coisa foi mais pra MPB do que pro rock nacional mesmo.

Foram pensados nomes como Secos & molhados, Zélia Duncan, Guilherme Arantes, Wanderléa e Lulu Santos. O que ficou – em um repertório que ia de Gang 90 & as absurdetes a Ritchie – tinha a cara do Ira!, que voltou às lojas com um disco de covers e ao mesmo tempo extremamente autoral. A escolha das músicas e dos artistas gravados fugia de obviedades, primava pelo inusitado – e mesmo assim fazia sentido.

Só não fazia nenhum sentido o drama de Nasi durante as gravações, em 1999. Uma história que ficou escondida até o próximo capítulo.

42

Bala com bala (sangue calabrês)

Nasi: Foi o momento mais trash do Ira! e o mais perigoso da minha vida. E quase ninguém soube até este livro ser publicado.

Comecinho de 1999. Nasi "limpo" de drogas havia quase dois anos. Show no Café Piu-Piu, em São Paulo. Na plateia, um conhecido que estivera com Nasi internado no período em que ele esteve na Clínica Vila Serena, em Interlagos. Um psiquiatra forense. Alcoólatra e viciado.

Nasi: Fui um dos poucos amigos dele nas duas semanas que passou se tratando comigo, em 1997. Todos o odiavam lá na clínica. Muito metido a intelectual, arrogante. Parecia o Paulo Francis. Prepotente, ele sabia tudo que estava acontecendo com ele e com a gente, todo o tratamento... Pudera. O cara era psiquiatra forense. Mas, enfim, a gente conversava bastante até ele largar o tratamento no meio.

Depois do show, o amigo e a mulher dele foram ao camarim com a enteada dele, uma menina muito bonita, de 21 anos. Maysa era o nome dela.

Nasi: A mulher dele não me conhecia e logo me puxou num canto e disse que gostaria muito que a gente saísse para jantar no dia seguinte, que eu estava "no propósito" (de seguir sem usar drogas), que eu conversasse com o marido dela, para ajudá-lo com o vício. Para mim, sem problema. Saímos no dia seguinte. Na hora de ir embora, a mãe fez o maior gosto para que a filha me levasse para casa. Tanto insistiu que eu não poderia recusar, né... (risos). Nos beijamos quando chegamos na minha casa, atrás do Jóquei Clube. Logo comecei a namorar com a Maysa. E, logo depois, o inferno.

O início do relacionamento foi ótimo. Nasi era bem tratado na casa da sogra. Ganhava chá, assistia à TV numa ótima, e mantinha bom relacionamento com o padrasto que conhecera na clínica, dois anos antes.

Nasi: Mas quando tudo é tão maravilhoso é preciso estar esperto. Um dia minha namorada me ligou. A Maysa disse que a mãe não queria mais que a gente se visse. Que eu era um ex-drogado que, a qualquer momento, poderia ter uma recaída, e que, no fundo, eu só queria mesmo era o dinheiro da Maysa. Que a mãe sabia dessa coisa de dependência por também frequentar os Narcóticos Anônimos. A Maysa ligou perguntando se poderia vir morar comigo por um tempo porque a mãe a tratava muito mal quando eu não estava lá. Não tinha comida para a Maysa, era um inferno. Era só fachada aquela bondade toda com ela e também comigo. A mãe dela era uma megera.

A namorada de Nasi estudava Engenharia na PUC, como o pai engenheiro. Não o companheiro de Nasi na clínica de Interlagos. Aquele era o novo padrasto. A árvore genealógica de Maysa era de novela mexicana: a mãe e o pai biológico tiveram um breve relacionamento extraconjugal. Eles se separaram antes de Maysa nascer, porque o pai já era casado. Bem de vida, se perdeu no alcoolismo, perdeu muitos bens, e morreu. O avô paterno de Maysa deixou a herança para ela e para os outros netos, sem que a mãe dela tivesse direito algum. Apartamentos e escritórios em Copacabana, apartamentos em Pinheiros, em São Paulo. Na prática, porém, quem cuidava dos bens de Maysa era a mãe.

Nasi: A confusão é que o pai biológico da minha namorada tinha filhos no casamento, digamos, "oficial" dele. Um deles acabou tendo um caso com a mãe da Maysa! Isto é: o meio-irmão da Maysa por parte de pai acabou namorando a própria mãe dela. Ele era meio-irmão da minha namorada e acabou também virando padrasto da Maysa!

E tem mais personagens no núcleo roqueiro da novela! O meio-irmão padrasto de Maysa teve um filho com a mãe dela...

Nasi: Essa criança que nasceu era, ao mesmo tempo, o meio-irmão mais novo da minha namorada e, também, o neto do pai dela. E, claro, sobrinho dela. Ele era filho de outro meio--irmão mais velho, que na época, também era padrasto da Maysa! Uma trama que nem Nelson Rodrigues ousaria imaginar, até porque é muito difícil de entender tantas relações familiares.

É complicado, mas é isso: a namorada de Nasi tinha um meio-irmão (que havia sido padrasto) mais velho (filho do pai dela), e um meio-irmão-sobrinho mais novo. Ou sobrinho-meio--irmão (neto do pai dela).

Nasi: A ordem dos fatores não altera o produto, mas acho que dá para entender nessa confusão toda como a mãe da minha Maysa "gostava" da família do pai dela... Ou, provavelmente, da fortuna deles. Teve filho com o pai e depois outro bebê com o filho dele!

A ficha demorou para cair.

Nasi: Levei um tempo para sacar isso. A mulher era maquiavélica. Ela incentivou o meu relacionamento com a filha dela só para poder entrar com essa história de interdição judicial, que a Maysa não tinha como gerir os bens dela, que estava à mercê de mim, que eu era um ex-drogado. A mãe da minha namorada era tão esperta que até se casou com um psiquiatra forense (também viciado) apenas para completar a trama para conseguir os bens da própria filha. Pior: o amasiado da mãe da Maysa, o meu colega de clínica de reabilitação em Interlagos, dava um monte de remédios para a minha namorada para tentar fazer com que ela fosse considerada mentalmente incapacitada depois de ser drogada pelos remédios dele. A sorte é que a Maysa sacou e não tomava os remédios prescritos pelo padrasto, a mando da própria mãe... Era um roteiro escabroso de cinema.

O meio-irmão mais velho, o ex-padrasto de Maysa, também entrou no jogo. Ligava para saber dela e ameaçar Nasi. Eles queriam provar o relacionamento do jovem casal e tentar mostrar na Justiça que o cantor era desajustado e estava levando a namorada ao mau caminho.

Nasi: O meio-irmão da Maysa também era um cheirador. Ele deixava recado na secretária eletrônica dizendo que iria me matar. Coisas do tipo e do nível. Sem contar que quase toda noite ele passava na frente de casa, lá pelas três da manhã, e jogava algo para quebrar alguma janela. O negócio era tão manjado que, quando ele fazia a curva na esquina, eu já sabia, pelo barulho do motor, que era ele... Até que teve um dia que não me aguentei. Quase fiz algo pior. A sorte é que também os vizinhos não estavam aguentando mais aquilo e me ajudaram, mas foi foda. De tanta ameaça e pentelhação me enchi e fui pra delegacia. Acho que pela primeira vez com razão (risos). Porra, a minha namorada tinha sido expulsa da casa dela para ficar comigo. Casa dela, literalmente! O imóvel era do avô da Maysa por parte de pai. A mãe não tinha tutela, não tinha nada. Falei tudo pro delegado. O esquema deles era dizer que eu e a Maysa estávamos fumando e cheirando todas. O delegado falou com a mãe dela. Eu garanti à minha namorada que pagaria a faculdade e ela poderia viver em casa. Mas estava foda.

Um laudo indireto (sem o exame pessoal da Maysa) de um psicólogo forense dava ganho de causa à mãe, que queria a interdição da filha por estar se relacionando com um drogado. O caso entrava na Justiça. E saía de vez do rumo. Era no meio do ano de 1999.

Nasi: Quase toda a família da mãe da Maysa nos enchia o saco. A mãe chegou a ser proibida de entrar na PUC pelo reitor, Claudio Lembo, de tanto que a azucrinava. Toda hora ela queria atazanar a vida dela. Um dia, por telefone, um dos parentes me ameaçou e eu resolvi retrucar no mesmo nível. Foi o meu erro. Falei para ele que sabia do esquema que eles tinham com um pastor evangélico e um diretor de um banco que fraudavam o INSS com laudos falsos de incapacidade mental. Funcionava assim: o cara era são, sem problemas de saúde, ganhava um desses atestados e passava a ter uma puta aposentadoria. Ainda avisei o parente pentelho que "a batata deles iria assar, que eu contaria tudo que eu sabia, que eu não tinha medo". Antes eu tivesse... Eu falei que tinha amigo conhecido na política, na polícia, na imprensa. Aí os caras devem ter sacado o risco que corriam. Procuraram "profissionais do ramo". Coisa de crime organizado.

Uma manhã uma pedra atirada de um carro quebrou o vidro do sobrado de Nasi, próximo à Marginal Pinheiros. Um bilhete escrito com letras cortadas de revista, e a foto de um casal assassinado. A frase: "Fica de boca fechada senão você vai ser o próximo".

Nasi: Chamei a polícia. Mas não tinha como, pois logo estávamos sendo monitorados. Começou um terror em volta de casa. Um dia a Maysa saiu para comprar cigarros com um cachorrinho que eu dei a ela. Logo ligou um cara dizendo que era "bonitinho" o cachorro. Pirei. Chamei amigos, um advogado criminalista. Na época eu tinha de viajar muito. Precisava de alguém para me ajudar em casa. Tinha um amigo que precisava recomeçar a vida e não tinha onde morar. Ofereci para ele ficar no quartinho no fundo de casa. Aquele que já tinha sido estúdio e, digamos, pulgueiro, na pior fase de drogas. Quando eu viajasse, meu amigo me ajudaria a cuidar da minha namorada para que ela não ficasse sozinha.

Nasi esquecia os problemas gravando o novo disco. Ele estava no estúdio dando entrevista para o jornalista Ricardo Alexandre, da *Bizz*, a respeito do novo trabalho, *Isso é amor*. Em casa, o amigo do quarto do fundo precisou sair para resolver um problema pessoal. A namorada de Nasi ficou sozinha pela primeira vez. Por poucos minutos.

Nasi: Na hora em que meu amigo saiu, três caras e uma menina entraram. Não era coisa só de bandido. Era de bandido e policial. Era profissional. Um puta esquema ninja. Sedaram a Maysa e a tiraram de casa por cima do muro dos fundos, em outro carro. A menina trocou de roupa com ela. Rapidamente saíram de casa.

O amigo de Nasi voltou e encontrou móveis virados e sinal de arrombamento na casa. Ligou para o estúdio. Foram todos voando para a casa do vocalista.

Nasi: Foram horas terríveis. Oito, precisamente. Nesse período, amarraram a Maysa num poste e aceleravam e freavam o carro perto dela. Enfiaram o cano do revólver na boca. Ameaçavam toda hora. Diziam para ela esquecer tudo e jamais chamar a polícia. Se a Maysa abrisse a boca, estava morta, e eu também. Se a gente dedasse aquele esquema que sabíamos para a polícia, estávamos mortos.

Torturada. Estuprada. Deixada oito horas depois do outro lado do Jóquei Clube, em Cidade Jardim. Era hora de sair de casa. E de São Paulo. Nasi e a namorada foram para Maresias, litoral paulista, na casa de amigos. Saíram de madrugada. Pela primeira vez Nasi usava um celular. Chegaram sem problemas. No dia seguinte foram ao supermercado.

Nasi: Vi um cara que não combinava com o visual daquele lugar... Quando saí, o cara também saiu. Em minutos já tinha gente no telefone dizendo que eles estavam chegando para nos pegar em Maresias. Tivemos de fugir de lá. Os caras estavam conseguindo o que queriam. Eles estavam mudando nossa vida. Fazendo um inferno.

Era hora de voltar para São Paulo. Dias de ir à luta.

43

Terá de volta **tudo bem pior**

Depois do perigo real e imediato em Maresias era preciso manter um fiapo de calma.

Nasi: Foi um momento de encruzilhada... Na época eu tinha uma arma... Juro que pensei em ir até a casa da mãe da Maysa e acabar com eles... Mas foi bom não ter ido. Se me deixassem subir para conversar, não sei o que teria feito. Ou até sei...

Hora de voltar à delegacia.

Nasi: A Maysa foi fazer reconhecimento de possíveis suspeitos. Vendo as fotos, teve certeza absoluta de quem era a menina que estava junto com eles. Na casa dela, a polícia achou revistas recortadas. Do mesmo tipo das mensagens e das ameaças. Ela tinha passagens na polícia por extorsão. Não tinha erro. Mas as coisas começaram a ficar erradas. Simplesmente fizeram um cara a cara entre minha namorada e a menina. E depois a polícia perdeu as provas! Como é que pode? Claro que tinha gente lá dentro no esquema. E o bagulho era maior do que eu imaginava.

Se a polícia não conseguiria ajudar. Agora era questão de vida ou morte.

Nasi: Não me rendo. Não iria abandonar minha namorada. Contatei quem eu conhecia. O Supla me levou ao pai, o senador Eduardo Suplicy, do PT de São Paulo. Ele me apresentou ao advogado e ao deputado federal Luiz Eduardo Greenhalgh. Quando contei a história, ele ligou na minha frente para o delegado-geral da Polícia Civil, o doutor Marco Antonio Desgualdo. Dias depois, tivemos uma reunião com o secretário-adjunto de Segurança Pública de São Paulo, o doutor Mário Magalhães Papaterra Limongi. Foi outro que, quando soube de tudo, ligou na hora para o diretor do Depatri (Departamento de Repressão aos Crimes Patrimoniais), o doutor Godofredo Bittencourt. Tivemos então, logo depois, uma reunião. Ele chamou os principais investigadores e delegados do Depatri. O doutor Bittencourt ordenou uma atuação prioritária a respeito de nosso caso. Pedi para meu irmão ir conversar com a mãe dela, também. Mas não teve jeito.

Junior: A situação era insustentável. Eu precisava dar um jeito. Mas não teve conversa. Ela era muito louca, ficava virando a cabeça, muito estranha... E o padrasto não conseguia falar uma frase sem ser escroto. De tanto que eles ofendiam o meu irmão e falavam mal da Maysa, levantei e fui embora. Nunca mais os vi.

Era necessário administrar a questão com o Ira! Eles já sabiam, desde o começo, da encrenca. Mas ela ficara maior que um pesadelo.

Nasi: Contei tudo. Nem eles acreditaram no princípio. Achavam que eu estava exagerando, mas sentiram o tamanho do problema. Chegaram a dizer para eu largar a Maysa, que aquilo vazaria na imprensa, que tudo aquilo poderia acabar me matando. O André Midani sempre dizia que "rock precisa de escândalo", mas aquilo tudo não era brincadeira. Pensei em denunciar tudo que sabia. Só que, para isso, teria de entrar em um programa de proteção de testemunha.

Seria o fim da carreira do vocalista, mas um jeito de evitar o fim da vida.

Nasi: Estava gravando o *Isso é amor*. Não podia parar de trabalhar. Nem queria. Era muito perigoso. Mas resolvemos encarar. Só que com os cuidados maiores agora. Eu e a Maysa fomos para um flat em Moema. Só eu saía para gravar e voltava para casa. Contratei um segurança 24 horas. Era a cara do Ricardinho, então meia do Corinthians. O cara era fera. Quando ligavam o telefone ameaçando, ele atendia. Com a maior paz. Zoava os caras: "Nossa, que medo! Sério? Vem! Vem pra cima. Cai pra dentro! Pode vir!" E desligava na cara deles. Mas o Ricardinho só durou uma semana. Era muito caro. Então resolvi aumentar a segurança do apartamento. Coloquei quatro fechaduras daquelas tetra e só eu saía pela garagem. A Maysa ficava o tempo todo dentro do flat.

O sossego real acabou em dez dias. Os "outros" já sabiam que o casal estava morando no flat em Moema. Nasi pediu uma pizza. Quando desceu até a portaria para pegá-la, ouviu os gritos de socorro da namorada. Berrou para o porteiro chamar a polícia que aquilo era sequestro. Em menos de cinco minutos o edifício estava cercado pela polícia. Nasi subiu correndo para o apartamento. A porta havia sido forçada. Mas as quatro fechaduras a mais e os gritos de Maysa impediram a invasão.

Nasi: Ela estava tão apavorada que não abria a porta nem para mim. Quando enfim abriu, com a presença dos policiais, a Maysa quase foi presa por desacato, tal o estado de nervos dela. A polícia então fez um arrastão no edifício. Foi de andar em andar, apartamento em apartamento buscando os suspeitos, mas eles não tinham mandado de segurança para poder entrar nos apartamentos naquela hora da noite. Ainda assim, estragaram uma reunião que tinha no salão de festas. Chegaram com as metralhadoras em punho, com o retrato falado que eu havia dado a eles. Não acharam nada. Nem ninguém.

No dia seguinte, o síndico veio sugerir a Nasi que deixasse o flat, que os demais moradores estavam assustados.

Nasi: Os caras nem cobraram os dias lá... Também, né? Um dos problemas daquele flat é que tinha muita puta morando lá. Os caras devem ter acertado um esquema com elas e, daí, fodeu tudo. Com certeza também tinha polícia metida na história. Sempre teve.

O casal não poderia voltar para a casa de Nasi. O esconderijo no flat não durara dez dias. Era preciso ser mais radical.

Nasi: A Maysa tinha uma tia de confiança que detestava a mãe dela. Morava em Fortaleza. Antes, porém, a Maysa ficaria uns dias na casa de meus tios, no Espírito Santo. A gente só poderia falar por poucos minutos, e pelo telefone público.

O vocalista ficou em São Paulo. Precisava terminar o disco. E todos acharam ser mais seguro para o casal.

Nasi: Deve ser difícil matar um artista, pensei... Por isso voltei para minha casa. Sempre que possível, falava com a Maysa, pelo telefone público. Pouco tempo, e sobre quase nada. Não podíamos dar mole.

Mesmo assim ela não demorou a ser localizada em Fortaleza. Maysa começou a ser perseguida de carro. Ameaçada. Resolveu voltar para São Paulo.

Nasi: Com o tempo, as ameaças foram sendo amenizadas. Na Justiça, a Maysa ganhou em todas as instâncias e não sofreu a interdição. Ficou com os bens que a mãe tentava administrar.

O namoro não continuou. Anos depois ela casou com outra pessoa. Mantém até hoje a amizade.

Para Nasi, não foi apenas a chantagem familiar, a tortura psicológica e física. A namorada do vocalista também sofreu em outro plano.

Nasi: Ela sofreu demais. Primeiro com a família. Depois com a magia negra. E, depois, com o crime organizado. Quando não era bandido, era o espírito que infernizava. Quando não eram os dois juntos. Em 1999, eu não estava tão integrado na religião como agora. Sabia de kardecismo, mas não tanto. O que aconteceu com a Maysa foi uma coisa difícil de acreditar, até mesmo para mim. Mandaram para ela um espírito tuberculoso. Existe criminalidade no plano espiritual. Ela era vítima disso. O olho dela ficava preto quando eu não estava por perto. Ela chorava demais por causa disso. Os cabides de casa e outros objetos se mexiam. A sorte é que eu sabia como lidar com isso. Pedia para a Maysa não dar bola para aquilo, que os espíritos se alimentam de nosso medo.

Os episódios foram depois do sequestro dela. E estressaram ainda mais o relacionamento.

Nasi: Não aguentei quando foi lançado do meu quarto até a escada um espelho de mais de 30 quilos no chão. Do nada! Ele saiu voando pela casa. Tive um treco. E ela ficou ainda pior por me ver sofrendo. Até que um dia entrou em transe. Ficou se retorcendo no chão. Uma vizinha veio nos ajudar e ficou rezando ao lado da Maysa. Logo depois a vizinha me disse que tinha uma entidade que ficava ao lado dela e havia pedido para eu procurar o centro espírita que minha tia frequentava.

Ele não o conhecia. Ligou então para a tia Ester, cunhada da mãe. Ela disse que frequentava um famoso centro espírita na Mooca, zona leste de São Paulo.

Nasi: Peguei um táxi e fui com minha namorada. Ainda se podia fumar em táxi na cidade. Logo que botei o cigarro na boca, só escuto uma voz de filme do *Exorcista* me pedindo um. Era a Maysa. Na maior calma, respondi que ela não fumava, e era para ficar quieta, na dela. E o motorista do táxi olhando pelo retrovisor com aquela cara... Minha namorada, quer dizer, aquela entidade que se apoderou dela, então continuou me enchendo o saco pedindo um cigarro. E eu dizendo não. Até que uma hora "ela/ele" vira pra mim e fala: "E aí, tava boa aquela suruba que você fez em Curitiba?".

O motorista não sabia se seguia para o centro espírita, se parava o carro, se saía correndo. Nasi não sabia o que falar, também. Ele acabara de voltar de um show no Paraná. Na véspera, ficara com duas garotas no quarto do hotel.

Nasi: Só o capeta mesmo para saber daquela parada em Curitiba. Mandei a entidade calar a boca e falei que iria levá-la para um lugar onde seria devidamente tratada. "Ela/ele" respondeu com aquela voz gutural que não iria, não. Eu falei mais alto com o espírito, que iria mandá-lo pro sétimo dos infernos e "ela/ele" baixou a bola. Quando chegamos ao pronto-socorro espiritual na Mooca, a Maysa estava meio zonza. Mas quando ela estava chegando a uma das salas onde seria atendida, ficou possuída. Precisaram quatro para segurá-la.

O tratamento deu resultado num primeiro momento. Mas ela recaía.

Nasi: Tentei de tudo. Conhecia um cinestesista que trabalhava com pêndulo, cabala. Doutor Morris. Quando foi fazer aquele negócio do pêndulo, o negócio foi parar no teto. Ele apenas respondeu: "Não é o meu departamento". E encaminhou o caso para uma mulher que ele conhecia. Jogava búzios, carta, mexia com umbanda, candomblé, incorporava exu Sete Porteiras, mas deu certo. Ela deu um guia (uma corrente) para minha namorada usar. Disse que nada iria acontecer com ela. E, de fato, mais nada de ruim se manifestou. Ao menos no plano espiritual foi um alívio. A Maysa andava levando tapa de bandido, tapa de espírito, tapa da família. Não foi fácil.

Depois da volta de Fortaleza e das vitórias judiciais, o namoro não continuou. Era muita dor.

Nasi: Não conseguimos manter nosso relacionamento amoroso. Acho que vivíamos da adrenalina de tudo aquilo. A relação acabou traumatizada. Brigamos por isso. Mas, hoje, eu e Maysa somos grandes amigos. Sou meio que um irmão mais velho dela. Tenho um amor intenso por ela. Ela é uma pessoa maravilhosa... Já a mãe... Ainda bem que tudo isso aconteceu quando eu estava com ela. Se fosse outro, acho que ele não aguentaria a barra. Sou meio que curva de rio, pararraio. Não abaixo a cabeça. Nem me arrependo de nada. Meu lado calabrês é muito forte. Mas a Maysa era ainda mais forte. Ela me deu uma lição de força e de vida. Qualquer pessoa teria quebrado. Todo mundo tem problema de família. Mas uma mãe que faz isso com a filha, que deixa fazerem o que foi feito com a Maysa... A Odete Roitman é a Madre Teresa de Calcutá perto da mãe dela. A Maysa não merecia passar por tudo aquilo. Nem um inimigo merece.

44

Te odeio (*isso é amor*)

O drama com a namorada afetou a gravação de *Isso é amor*.

Nasi: Não sou cara de chorar e de cantar e "buáááá". Mas teve música que cantei com os olhos cheios de lágrima. *Flashback*, do Dalto, por exemplo. Imagine todo esse drama e cantar os versos *Acho que eu mereço ganhar/ O prêmio Nobel da Paz*?

A balada do improvável Dalto era a quinta faixa de um disco que abria com *Bebendo vinho*, da cena roqueira de Porto Alegre. Se no disco anterior o Ira! pinçava Júpiter Maçã, o homenageado de 1999 era Wander Wildner, ex-vocalista da banda punk Os Replicantes. Gravada com arranjo próximo ao original, a canção do irresistível refrão *Vou me entorpecer/ bebendo vinho* foi a primeira do disco a tocar nos rádios e a ganhar videoclipe. E, anos depois, a ser tocada num dueto improvável no Sportv, no programa Bem, Amigos: Nasi e o maior ídolo dele no futebol. O maior goleiro goleador do futebol mundial, quem mais vestiu a camisa do clube de coração do cantor.

Rogério Ceni: Fora os sucessos absolutos, como *Núcleo base* e *Pobre paulista*, é a canção que mais gosto da banda. Tem uma pegada bacana, é fácil de tocar. Já toquei bastante no violão. Aquela vez com o Nasi na TV foi muito bacana. Inesquecível para um fã.

Um dos destaques do disco surgiu em um dos momentos de maior estranheza – tanto para os fãs quanto para a própria banda: *A vida tem dessas coisas*, do anglo-carioca Ritchie.

Nasi: Nunca me imaginei cantando Ritchie. O registro de voz é muito diferente, tenho que me concentrar para me imaginar "No circular, na praia do Leblon...".

Ritchie: A última banda que eu imaginava que gravaria *A vida tem dessas coisas* era o Ira!. Eu já tinha desistido da música. Eu voltei por causa deles. Eles me chamaram para fazer shows. Já estava trabalhando com outra coisa, com internet. E esses shows chamaram a atenção da gravadora Deck que, não sei por que, me chamou para gravar de novo. O Ira! foi a razão da minha volta. O Gaspa sempre me falou: o Brasil precisa de você. Tenho muito carinho por todos eles. Como músicos, pessoas, como banda. A minha existência no Brasil se deve muito à família Gasparini. Acho que o Ira! foi muito injustiçado com o som que fizeram. Eram pioneiros. Como não eram adeptos aos programas de TV, sempre tiveram a postura *underground*, foram um pouquinho injustiçados.

Isso é amor foi o disco com melhor aceitação por parte de crítica e público desde *Vivendo e não aprendendo*. Na *Folha de S. Paulo*, o jornalista Pedro Alexandre Sanches foi quase só elogios:

"Dos conflitos divertidos entre seus membros e da tensão/polarização criativa entre duas das figuras-chave do rock nacional – Nasi e Edgard Scandurra – é que toda a química se faz. Nasi volta altivo, autêntico líder de banda, embora sua voz – é praxe, em sua geração – esteja mais maltratada, precisando ser polida de novo. A guitarra de Edgard, por sua vez, estraçalha, criva de delícia."

Apesar dos elogios, o jornalista criou um mal-estar entre a banda e os Titãs, revivendo os dias de rivalidade. Depois de atravessar um período de vacas magras no início dos anos 90 – como todos os companheiros de geração –, os Titãs tinham recuperado sucesso de público e prestígio regravando velhos hits no disco *Acústico*, lançado três anos antes em parceria com a MTV. Ao trabalho se seguiu outro disco exumando o próprio repertório: *As 10 mais* – um disco de covers. Pedro Alexandre Sanches encerrava a matéria sobre o Ira! buscando a comparação entre os trabalhos.

"Na conclusão, a banda não foge da raia de se comparar aos companheiros de geração Titãs, prestes a lançar *As dez mais*. 'Isso é clássico de banda de rock, é normal fazermos mais ou menos ao mesmo tempo. Foda-se, vai ser a volta da rivalidade entre Ira! e Titãs', diz Nasi."

Duas bandas da mesma geração, com histórico de rivalidade e lançando trabalhos com ideia semelhante: um prato cheio para analistas e resenhistas. Assim, o jornalista Bernando Araújo analisou para a revista *Bizz* os dois discos no mesmo texto. Se fosse uma luta e Araújo fosse o juiz, o Ira! teria vencido por pontos. *Isso é amor* recebeu nota nove, enquanto *As dez mais* ficou com cinco.

Rivalidade que Nasi sempre achou interessante – e sadia – com os Titãs.

Nasi: Gostava deles no início, aquela coisa meio antropofágica, meio tropicalista, de misturar brega com rock. Mas depois do fracasso do segundo disco deles – *Televisão* –, e mais os problemas que tiveram com drogas, eles pegaram as influências dos Ratos de Porão, Mercenárias e do próprio Ira! para transformar aquela coisa *underground* num produto pop. As meninas das Mercenárias ficaram putas, diziam que os Titãs estavam pasteurizando o som delas... Mas é um puta talento deles de terem traduzido para a massa o que estava no subterrâneo do *underground*.

Se é fã do que se tornaria os Titãs, Nasi não poupou os colegas da classe dos anos 80 no pop rock. Mais pop que rock.

Em entrevista para a revista *Playboy*, em 2006, não sobraria pedra rolante sobre pedra atirada.

Nasi: Teve muita porcaria nos anos 80. Aliás, a maior parte das coisas conhecidas, como Absyntho, Dr. Silvana, representam tudo o que tem de descartável, de lixo. A ruindade dos anos 80 fica bem resumida no *Ursinho Blau Blau*. Apesar de ser a década do rock brasileiro, os anos 80 fizeram muito mal para o rock por causa do saco de gatos que virou o cenário nacional. Se você pegar tudo que se fez, só 20% presta. Por isso que na década de 90 o rock afundou.

Novamente a APCA reconheceu o trabalho do Ira!, elegendo-o como melhor artista popular do ano. As dores das experiências amorosas e policiais em 1999 foram curadas com um belo trabalho do vocalista e da banda.

Nasi: O Deus que eu concebo é um cara bem sarcástico. E um puta roteirista de Hollywood. Quando me curei pela primeira vez das drogas, naqueles 28 dias em 1997, conheci em duas semanas o sujeito, cuja mulher armaria todo esse inferno. Eu gravando um disco chamado *Isso é amor* no meio de um faroeste caboclo... Se eu estivesse gravando um disco meio punk era capaz de eu ter matado alguém. Estava sensível demais. Pro ódio e pro amor.

O Ira! segurou o tranco e a bronca. No estúdio e na estrada.

Nasi: Nos shows do disco evitava cantar algumas músicas. Tinha medo de cair no choro. Não sou disso. Mas era foda, não tinha como evitar. Mas eu era forte. E sabia como lidar com o lado espiritual. Isso me deixou vivo e em pé. Mas teve vezes que tive ataques. Bicho, eu não merecia passar por aquele inferno. A Maysa também não. Ninguém nesta vida.

45

Pistola **na mão**

Isso é amor consolidou a presença da banda na programação das FMs e na MTV – iniciando o processo de rejuvenescimento da base de fãs do quarteto.

Nesse processo seria vital a participação do canal musical criado no Brasil em 1990 como uma espécie de "FM com imagem". Dez anos depois, a MTV tinha cara própria e público definidos. E o dom de recolocar no mercado artistas que estavam em baixa com o seu *Acústico MTV* – programa especial em que o artista gravava seus maiores sucessos em versões desplugadas, com algumas participações especiais. Já resgatara os Titãs, em 1997, e, três anos depois, fizera com o Capital Inicial algo que nem o boom do rock brasileiro nos anos 80 conseguira: alçá-lo à condição de uma das principais bandas de rock do país.

A parceira Ira! e MTV começou – como deveria se esperar – de maneira diferente. Em vez de desligar a guitarra e sentar os músicos em banquinhos, característica acústica, a banda foi convidada para inaugurar um novo projeto, o *Ao vivo MTV*. A ideia: gravar uma apresentação da banda, que seria transmitida pela televisão e originaria CD e DVD.

A grife MTV tornava a proposta muito mais atraente do que a feita pela gravadora Trama dois anos antes. Também era uma oportunidade de lançar o disco ao vivo que eles já tinham na cabeça desde os tempos da Warner e comemorar os 20 anos de banda que seriam completados em 2001. Faltava apenas um toque mod para deixar o projeto com a cara da banda: resgatar músicas dos primeiros discos que passaram despercebidas.

Nasi: A gente não se sentia à vontade pra fazer o primeiro disco ao vivo do Ira!, um disco acústico, sabe? Queríamos algo mais rock, mais pesado.

Marcelo Sussekind, o mesmo produtor de *Isso é amor*, foi escalado para produzir o disco, em 2000. Mas nem mesmo na gravação de um álbum ao vivo com todo um repertório de 20 anos de carreira eles se livraram das sugestões da gravadora – de João Augusto, em particular. Mas no Ira! este tipo de imposição acabava se revertendo a favor. Edgard precisava ter várias músicas em um disco.

No Alto da montanha... era o primeiro verso de *Vida passageira*, uma das duas músicas inéditas incluídas no disco e o primeiro single. Era uma homenagem de Edgard ao produtor iugoslavo radicado no Brasil Mitar Subotic, que morrera um ano antes em um incêndio. Suba, como era conhecido, tinha 38 anos, produziu o segundo solo do guitarrista (*Benzina*), e era conhecido por utilizar elementos eletrônicos e tecnológicos em seu trabalho. No show que deu origem ao disco, a banda incluía na homenagem outros amigos e colegas que a banda perdeu em tanto tempo de estrada. As referências eram feitas por Nasi ao apresentar a canção.

Nasi: A próxima música é uma canção inédita. Na verdade, uma homenagem inspirada e emocionada pela perda de um grande amigo e de um grande produtor, um grande músico, que foi o Suba. Mas o Ira! gostaria de estender essa homenagem para vários nomes, vários amigos que na música passaram durante essa década como Chico Science, como Cazuza, como Renato Russo e, em especial, a dois músicos que, juntamente comigo e com o Edgard, formaram o Ira! no início dos anos 80. Eu tô falando do baterista Victor Leite e do baixista Adilson Fajardo.

Foi um sucesso maior que o esperado. Apesar da pressa que deixou a letra meio... Digamos...

Nasi: Quando a gente está numa banda precisa sempre defender uma música. Tinha um trecho que dizia "Vou dar então um passeio pelas praias da Bahia onde a lua se parece com a bandeira da Turquia..." (risos). Putz. E o pior é que não cabia direito na música. Eu tive de fazer meio que nem aquele personagem do Chico Anysio da Escolinha do Professor Raymundo que fazia "sambarilove" no final (risos), dando uma acelerada para o verso caber na melodia. Tive de dar uma corrida no final da frase. A gente discutia muito. Eu falava pro Edgard, "vamos trabalhar melhor esse verso", e ele não queria. E quem dava a cara para bater e caber era eu... Achava as rimas pobres.

Foram vendidos 160 mil CDs e 21 mil DVDs de *Ao vivo MTV*. A turnê quase sempre teve datas lotadas. Até a última apresentação, em 4 de outubro de 2001. Com cartazes que decoravam o palco lembrando os primeiros shows no Carbono 14.

Naquela noite, duas horas depois de uma senhora apresentação de final de turnê, Nasi já estava com o microfone em uma mão, um copo de bourbon em outra, no palco da casa noturna Urbano, desfilando clássicos do blues e soul à frente dos Irmãos do Blues. Mais duas horas cantando. Quase cinco horas numa noite. Como se não houvesse amanhã.

Resultado: brigou com os seguranças da casa na saída do Urbano, na Vila Madalena.

46

Quando inchar **sua testa**

O Ira! não apenas brigou entre si várias vezes.

Nasi: Fizemos um show numa cidade no interior do Paraná. Eu tinha por lá, digamos, uma "filial". Uma menina com quem já tinha transado. Melhor: já tinha feito ménage a trois com mais uma amiga dela. Ela foi ao show com uma prima muito bonita. E eu já havia combinado com as duas o que seria aquela noite... Mas, daí, depois da apresentação, vi a prima dela beijando o André. Fiquei puto. Queria as duas ou não tinha negócio. Acabei brigando com a minha mina. Ela deixou o camarim e fui atrás dela. Eu já estava bem alcoolizado. Esbarrei num cara, comecei a discutir feio. Pintou o segurança e, também, o contratante do show. O problema é que o cara era da polícia de lá. Me desentendi com ele que, simplesmente, me imobilizou e botou a pistola na minha cabeça depois de eu pedir a identificação dele. Me levou algemado pra delegacia. Por sorte, o delegado fora ao show com o filho e adorara. Me liberou na hora. Mas eu queria reclamar, dar queixa na corregedoria do tratamento recebido... O próprio delegado me alertou. "Você acha boa ideia se queixar e ainda dormir no hotel da cidade?" O juízo voltou rapidinho. Depois fiquei sabendo que o cara da pistola era de um grupo de extermínio da região.

Nasi fechou o bico. Mas brigas não faltaram pelo Brasil. Em Americana, interior paulista, em 1989, o Ira! teve de sair escoltado da cidade.

Nasi: Com o crescimento da música sertaneja, o rock voltou a ser marginalizado. Pior: bandas de rock passaram a ser agredidas em algumas cidades do interior. Os caras imaginavam que os roqueiros iam lá só para ganhar dinheiro e comer as meninas. Não que não fosse isso também... (risos).

Saindo do show, na frente do ônibus que transportava a banda, algumas pessoas faziam gestos obscenos para os membros do Ira!. O ambiente já não era legal. E piorou quando André apareceu de mãos dadas com uma menina da cidade.

Nasi: Daí apareceu correndo um cara com cara de namorado da mina. Em seguida, um de nossos *roadies* levou um soco e o Edgard, que estava dentro do ônibus dando autógrafos pela janela, levou uma cervejada no rosto.

Desceu todo mundo do ônibus. Os seguranças não sabiam quem era do Ira! e quais eram os locais que queriam briga com os forasteiros do rock.

Nasi: Fiquei louco quando alguém me chamou de filho da puta. Havia meses que minha mãe havia morrido. Saí correndo atrás do cara ladeira abaixo. Ele acabou tropeçando e, quando levantou, levou uma testada minha na boca dele. Saiu sangue pra todo lado. Eu também sangrei com os dentes dele na minha testa. Voltei em direção ao ônibus, subindo a ladeira, berrando que não havia homem para mim naquela cidade. Aí chegou a polícia, acalmou as coisas, e nos levou pro hotel. Mantiveram uns dois soldados com umas espingardas 12 na porta. Pegamos rapidinho as coisas nos quartos e fomos escoltados até a rodovia.

Qualquer motivo poderia ser razão para perder o próprio juízo. Mas houve um caso em que baixou um Dalai Lama no vocalista.

Nasi: Num ginásio na Tijuca, em 1985, tinha uma guerra de gangues. Eu parei o show e falei que ali era lugar de música, não de briga. Fiz um discurso, todo mundo aplaudiu, e a briga até parou. Depois, no camarim, chegaram os poetas Wally Salomão e Chacal. Esse virou pra mim e disse: "Você é o poeta!" E eu, humildemente, apontei para o Edgard. "Não, é ele" (risos). Mas entendi o sentido. Eu havia sido o porta-voz daquilo tudo. O que transporta a palavra. No caso, de paz.

Mas as praias cariocas não eram muito fáceis para o Ira!. Em 1984, a rivalidade Rio-São Paulo parecia futebol.

Nasi: Ainda havia muito bairrismo. Era até engraçado. O pessoal curtia, dançava, pulava e cantava nossas músicas. Mas no intervalo entre elas nos xingavam: "Ei, paulista, vai tomar no cu!" (risos). Isso aconteceu na nossa primeira apresentação no Rio de Janeiro, no Morro da Urca, em 1983.

Muitas eram tretas com a própria polícia. Em 1985, no Clube Círculo Militar, em São Paulo, no ano da transição democrática, policiais militares desceram o cassetete em quem dançava à frente do palco em um show. O comando da PM pediu para o Ira! parar o show. A banda continuou, claro. Minutos depois, a empresária Leninha Brandão avisou Nasi que ele seria preso por desacato à autoridade por continuar tocando.

Nasi: Eu tenho uma puta dificuldade para lidar com as "autoridades"... Fiz então o seguinte discurso, lá no palco: "Infelizmente, somos obrigados a parar de tocar por ordem de quem realmente está aprontando a desordem. Os próprios policiais militares que estão espancando quem está apenas dançando". Só não fui preso porque nossa empresária conseguiu driblar o capitão da PM e eu consegui escapar por uma saída lateral.

Em Goiânia, em 1988, em um show para mais de 5 mil pessoas no pátio de um shopping, policiais fizeram a mesma coisa com o público que dançava – e apanhava. Nasi, também, repetiu o discurso de 1985.

Nasi: Eu parei o show e falei para os PMs deixarem de fazer a segurança porque o público estava comportado, e nós não temíamos nossos fãs. Então os policiais saíram e nós continuamos a apresentação. Quando estava saindo do palco, a produtora mais uma vez me colocou num carro, onde saí agachado, ouvindo os PMs ameaçando todo mundo. Especialmente toda a banda.

Nem tudo eram pedras. Nem flores. Era preciso, dentro do possível, que todos entrassem juntos no palco – e saíssem. Não poderia ter prima donna, alguém que entrasse muito antes, e/ou saísse muito depois. Até para evitar reclamações das outras estrelas da companhia.

Não era incomum, no bis, a banda esperar o retorno de Gaspa, que demorava para fazer xixi. Numa das apresentações, Nasi aproveitou o microfone aberto para pedir: "Atenção senhor Ricardo Gaspa: favor comparecer ao palco para a continuação do show".

Em uma noite no Aeroanta, em São Paulo, no terceiro bis, André Jung não quis papo e largou as baquetas. Um dos roadies assumiu a bateria e terminou o show.

47

Eu quero sempre mais, **eu espero sempre mais**

Festival de rock reúne as principais bandas brasileiras e grandes nomes de fora. No oba-oba, um dos grupos nacionais rebela-se contra os privilégios dados aos gringos e reclama publicamente. Não, desta vez o festival não é o Hollywood Rock de 1988 e a banda não é o Ira!.

Outubro de 2000. Rio de Janeiro prepara-se para receber a terceira edição do Rock in Rio em janeiro de 2001. As atrações brasileiras vão sendo anunciadas e o Ira! é escalado para dividir o tempo e o palco de um show com o Ultraje a Rigor. Mas não é a banda de Edgard e Nasi que vai criar problemas para a organização. O papel que em 1988 coube ao Ira! desta vez fica com os cariocas de O Rappa. Primeira atração brasileira anunciada para o evento, eles reclamam das condições oferecidas e do favorecimento aos artistas estrangeiros. O impasse chegou ao ponto em que O Rappa desistiu de tocar no festival.

Uma banda nacional esnobando um evento que prometia reunir um milhão de pessoas para assistir nomes como R.E.M., Neil Young, Oasis, Guns 'n' Roses, Foo Fighters, Iron Maiden e Red Hot Chilli Peppers não era suficiente. Em solidariedade, outras cinco bandas brasileiras cancelaram seus shows no Rock in Rio. Sem Jota Quest, Charlie Brown Jr., Skank, Cidade Negra e Raimundos, nomes remanescentes dos anos 80 tornaram-se as principais atrações do elenco nacional do espetáculo. O Ira!, em nota oficial, preferiu não se envolver na confusão e, assim, explicou, no portal Terra.

"Respeitamos todas as bandas, mas o Ira! brigou sozinho contra toda a produção do Hollywood Rock em 1988 e isso nos levou a uma geladeira de quase 12 anos sem tocar em um festival internacional."

Nasi: Dessa vez, no Rock in Rio, nos trataram muito bem e pagaram nosso cachê de mercado.

Ultraje e Ira! tiveram meia-hora de show cada para mostrar que mereciam muito mais. O Ira! encarou as 140 mil pessoas presentes no terceiro dia de Rock in Rio tocando de cara *Gritos na multidão*, *Dias de luta* e *Núcleo base*, garantindo o resultado. Com o público na mão, veio a nova *Vida passageira*, seguida de *Flores em você* e *Telefone*, com Fernanda Takai, do Pato Fu. *Envelheço na cidade* fez o público cantar junto mais uma vez, quando subiram ao palco Roger, do Ultraje, para cantar com a banda *Eu não sei*, a versão com toques tecno para a canção do The Who. O Ira! ganhou a noite interpretando com o Ultraje a Rigor uma versão furiosa de *Should I stay or should I go*, do Clash. Nasi, Edgard, Gaspa e André deixaram o palco para os antigos companheiros de *underground* paulistano realizarem seu show. Ao contrário do Hollywood Rock de 1988, saíram com a sensação de dever cumprido. Com louvor.

Hora de botar o time no estúdio. Para gravar *Entre seus rins*. Um disco que tem um pouco do rock ortodoxo de *7*, os toques e tomadas eletrônicas de *Você não sabe quem eu sou*, os flertes com a MPB de *Isso é amor*, e as novas roupagens de *Ao vivo MTV*.

Nasi: Com esse disco a gente quis afugentar o estigma de "último bastião do rock". Esse disco é um dos melhores na carreira do Ira!. Compomos as músicas em dois meses, gravamos e saiu exatamente como a gente queria. A capa tem aquela coisa também, as duas girafas transando. Era pra ser um casal de leões, depois um de rinocerontes, acabou sendo duas girafas.

*O bom e velho r*ock and roll abria o disco com a base eletrônica e uma letra que falava da relação de amor e ódio da banda com o gênero.

Nasi: O Ira! tem muito mais horizontes musicais. Já flertamos com rap, eletrônico e rock em todos os seus segmentos. Estamos com muito mais elementos em nossas canções. Existia uma tendência das pessoas de nos chamarem de ""os últimos guardiões do verdadeiro rock". É uma relação edipiana que a gente tem com o rock. É amor e ódio. O rock é ao mesmo tempo nosso pai e nosso padrasto. Esse tipo de elogio às vezes nos incomoda. Esse tipo de coisa, das pessoas chegarem e dizerem "obrigado por continuarem tocando rock". Isso soa para os meus ouvidos como se eles estivessem dizendo "obrigado por terem ficado 25 anos fazendo a mesma coisa". E não foi isso que aconteceu.

O resultado deixou a banda satisfeita, por aliar maturidade e ousadia.

Nasi: O Marcelo Sussekind tem mão pesada para o pop, mas é um roqueiro das antigas, que gosta da guitarra, da bateria pesada também. Mas fizemos tudo em conjunto. Teve um momento em que o produtor pegava a guitarra e a gente mexia na mesa de som. Misturamos todas as funções e fizemos exatamente da maneira que achamos melhor. Em uma música, o engenheiro de som chegava e falava que tinha uma ideia e isso é legal, gosto disso. *Entre seus rins* iria se chamar *Equilíbrio natural*. Geralmente quando pensamos em escolher um título para um disco, a tendência é de se usar um verso que dê uma noção geral sobre a obra. Mas apesar do título refletir o momento da gravação, o nosso momento, ele era muito didático, muito careta. Mas *Equilíbrio natural* também define bem o disco.

Pela fé na qualidade do trabalho e o bom momento vivido pela banda, eles acreditaram que seria um disco bem executado nas rádios, com boas vendas e repercussão. Mas foram pegos de surpresa com o encerramento das atividades da gravadora Abril Music, em 5 de fevereiro de 2003.

Em apenas quatro anos no mercado, a Abril Music – braço fonográfico da Editora Abril – conquistara uma boa fatia do bolo com uma política agressiva de marketing e apostando na criação de um elenco forte, que incluía bandas da geração do Ira!, como Capital Inicial e Titãs, grifes respeitáveis – Rita Lee, Gal Costa – e artistas de apelo popular, como Bruno & Marrone e o grupo de "forró universitário" Falamansa.

A empresa culpava a pirataria de discos e a concorrência das gravadoras multinacionais pelo fim do núcleo fonográfico. Então o vice-presidente superintendente da Unidade de Negócios Jovem, Giancarlo Civita, explicava: "Em quatro anos de operação, a Abril Music conseguiu ótimos resultados. Esse mercado, entretanto, é dominado pelas multinacionais e extremamente competitivo e, para complicar a situação, a pirataria na indústria fonográfica já ultrapassa 50%".

André Midani, fundador da filial brasileira da Warner, em 1977, e um dos homens fortes da invasão roqueira dos anos 80 – que impulsionou nomes como Titãs, Kid Abelha, Ira! e Ultraje a Rigor –, comentaria o encerramento das atividades da Abril Music três meses depois, em uma entrevista à *Folha de S. Paulo*. Pela primeira vez um homem ligado à indústria do disco reconhecia a existência do jabá – pagamento feito pelas gravadoras a rádios e televisões para a execução de determinadas músicas e artistas.

André Midani: Essa companhia entra no mercado, paga o que tiver que pagar para poder tocar e desestabiliza as outras companhias. O prejuízo da Abril foi de milhões e milhões de reais em cinco anos. Evidentemente, esse dinheiro foi para a contratação de artistas em demasia, para formar um catálogo, o que é compreensível. Mas a sede de ter sucesso imediatamente fez com que a companhia fosse uma grande catalisadora da tormenta jabazeira.

O Ira! começou a sentir as dificuldades que viriam ainda durante a gravação de *Entre seus rins*, quando João Augusto, diretor artístico da Abril Music, deixou o cargo. Oficialmente, saía para dar mais atenção à Deckdisc, da qual era presidente.

Nasi: A gente já no meio da gravação, o (João) Augusto se desliga da direção artística da coisa. A gente já começa: "Isso aí não vai ter sequela pra gente?" "Nãããão". Mas a gente sabia que aquilo era um processo João Augusto versus Marcos Maynard (presidente da Abril Music). E eles falavam: "Não, isso não tem nada, isso é uma opção dele, ele agora quer se dedicar exclusivamente à Deckdisk. E ai foi uma sequência, né? A gente acabou o disco e se desligou da Abril.

Lançado pouco antes do fim da Abril Music, *Entre seus rins* não foi divulgado como deveria e acabou ficando no centro do desentendimento entre João Augusto e Maynard.

Nasi: O disco já tinha saído pela Abril, a gente teve a primeira música (*Entre seus rins)* trabalhada pela Abril e depois não teve mais. Essa guerrinha entre o João e o Maynard que sobrava pra gente, né? A Abril pagou um preço muito caro porque inflacionou o jabá. Então ela vendeu muito disco, tocou muito em rádio, mas para isso pagou caro demais e criou um caos na indústria fonográfica e na radiofusão que está se pagando até hoje.

48

Começando **tudo de novo**

Quando *me sinto assim / Volto a ter 15 anos/ Começando tudo de novo/ Vou me apanhar sorrindo*. O trecho da canção *XV anos* (*Vivendo e não aprendendo*), do segundo disco do Ira!, deveria ser a trilha mental de Edgard e Nasi, em 2003, num show que fizeram num pequeno teatro na Vila Mariana, em São Paulo. Quando, por mais de duas horas, tocaram rock para uma centena dos 800 alunos da Escola Estadual Brasílio Machado, onde se conheceram no pátio do colégio, em 1979.

O show fazia parte da promoção de uma rádio paulistana, que levava bandas e artistas para apresentações em escolas da capital paulista.

Nasi: E pensar que tudo começou aqui. Foi aqui que conheci o Edgard. Também foi aqui que ele tocou pela primeira vez num palco, foi onde o vi tocando pela primeira vez. Aqui sempre foi um colégio especial no ensino público, porque tinha uma qualidade acima da média. Estou emocionado, dei umas voltas por aí e encontrei um ex-professor meu, velhinho, ainda na mesma salinha.

Mas a vontade de tocar no colégio não se restringia apenas ao tempo de escola, período em que o máximo que eles se aproximaram de ter uma banda juntos acontecia quando pegavam o violão do Centro Cívico e matavam as aulas para ficar tocando os novos clássicos do punk.

Nasi: Sempre quisemos organizar alguns shows no Brasílio. Quando ainda não existia o Ira! e depois, quando a banda começou, em 1983, 84, tentamos com a diretora, mas não deu certo. Era um sonho fazer aquilo 20 anos depois. Espero que isso tenha ajudado na autoestima dos alunos, que os tenha incentivado a estudar música, a montar uma banda. Eu cresci estudando no ensino público. E a educação é deixada em último plano, a iniciativa tem que partir dos próprios alunos, se eles quiserem ser alguém na vida. É bom poder voltar para a escola e mostrar que conseguimos criar a nossa história e fazer uma coisa bacana.

O show terminou com *Envelheço na cidade*. No camarim improvisado, Nasi confidenciou: "Meu amigo, o tempo passa, tudo muda, mas você acaba sempre voltando para o lugar onde tudo começou".

49

Poder, sorriso, **fama**

Com a Abril Music fechada e encerrado o contrato com a Deckdisc, o Ira! se viu mais uma vez sem gravadora. Mas o trabalho de reconquista de credibilidade nos últimos anos seria reconhecido e logo o grupo assinava com o selo Arsenal – independente, mas com boa estrutura e distribuição da multinacional Sony Music.

O dono do Arsenal era o produtor Rick Bonadio. Pelas mãos dele haviam passado muitos nomes que sacudiram o pop rock brasileiro a partir dos anos 90. Além dos Mamonas Assassinas, Bonadio revelou bandas de sucesso efêmero, como O Surto, e outras que deixaram marcas em sua geração, influenciando dezenas de outros grupos – caso do Charlie Brown Jr. Na época, o produtor apostava suas fichas no grupo de hardcore romântico CPM 22 (aposta que se confirmaria em vendas).

O Ira! queria gravar um disco de inéditas. O produtor não estava animado. Mas uma noite ele ligou entusiasmado: a MTV queria fazer o próximo Acústico com o Ira! e ele queria rasgar o papel com a rescisão contratual. A banda desligaria os equipamentos para se apresentar no principal programa da emissora, o carro-chefe, o "levanta-carreiras", o criticado e comercialmente mais do que bem-sucedido *Acústico MTV*.

Nasi: Sempre tivemos um pé na MTV e no seu público. Acho muito melhor a gente ser conhecido na MTV, ser conhecido num veículo específico, do que ficar pulando de programa de auditório em programa de auditório. A MTV não é perfeita, tem que ser criticada, merece ser, mas é o veículo específico que mais importa no país para bandas de rock. Queiram ou não. Mas dane-se. A gente faz o que quer. Se não gostarem, fazer o quê?

Por ter gravado um disco ao vivo apenas três anos antes, existia a preocupação na banda de não fazer apenas uma reunião de seus maiores sucessos em clima de fogueira. Por isso ficou definido que gravariam muitas músicas inéditas e que seriam resgatadas faixas de discos que não tiveram tanto destaque na discografia do Ira!, como o *7*. Era também momento para definir um *casting* de convidados.

Nasi: A gente viu esse caminho que estava pintando de levar nomes de gerações subsequentes à nossa. Um dos convidados era o Falcão, de O Rappa, que não pôde ir. Na semana da gravação, eles tinham uns shows nos Estados Unidos. Ele ia cantar *Rubro Zorro* com a gente. Quem eu queria ter chamado era a Nação Zumbi para tocar *Advogado do diabo*. O Chico Science era muito fã do Ira!. Ele ficou chapado quando ouviu a música pela primeira vez. Era o som que ele iria trilhar depois.

Chegaram a três nomes de diferentes dentições do rock. Os contemporâneos dos Paralamas do Sucesso, com quem cantariam *Envelheço na cidade*. Samuel Rosa, do Skank, representaria os anos 90 dividindo os vocais na balada *Tarde vazia*. Caçula da turma, a cantora baiana Pitty cantaria com Nasi a doce *Eu quero sempre mais*.

A produção de Bonadio surpreendeu pela liberdade que deu à banda – que chegou a ligar e perguntar se ele não apareceria nos ensaios. Para o cenário, surgiu a ideia de não gravar no tradicional formato de palco – com cantor à frente e bateria atrás –, mas com os músicos de frente uns para os outros, no clima de acampamento a que remetia ao Acústico.

Capitaneado pela massiva execução de *O girassol* e *Eu quero sempre mais*, o disco *Acústico MTV* Ira! vendeu mais de 200 mil cópias em dez meses. O DVD passou dos 60 mil. Por quatro meses, o Ira! foi o artista que mais vendeu DVDs na Sony.

Nasi: Em termos de reconhecimento foi a nossa melhor fase. Até a crítica mais ranzinza teve de tirar o chapéu. Está muito bem tocado e arranjado. Eu coloco o *Acústico MTV* ao lado dos melhores discos do Ira!. Minha ordem: *Psicoacústica*, *Acústico MTV* , *Isso é amor*, e *Mudança de comportamento*.

Flerte fatal ganhou um clip à altura da beleza e da intensidade da letra. A primeira direção do ator Selton Mello. Iniciada com um poema escrito e declamado pelo ator Emilio Orciolo, fã da banda desde criança. Cresceu ouvindo todos os CDs. Não lembra quando conheceu os quatro. Mas sabe quando eles o reconheceram.

Emilio Orciolo: O Selton e eu desenvolvemos o clipe e apresentamos para a banda. Somos muito fãs deles até hoje. Foi uma homenagem nossa para eles, a melhor banda de rock da história. Os caras piraram. O Nasi acabou contracenando comigo no final do clipe. Acabei ficando amigo dos quatro. Criei mais afinidade com o Nasi. Ele é muito rock and roll. É o protótipo do rock. Aquela energia avassaladora, aquela rebeldia monstruosa. Ele não faz tipo. É desse jeito. Não engole sapo. Fala abertamente. Vive a vida sem fazer média. O que traz amigos de verdade. Mas também muitos inimigos.

50

Minha canção **também**

O disco acústico com a MTV foi ótimo para a banda. Mas quase o Ira! não sobrevive ao programa e à longa excursão.

Nasi: Cheguei a pedir o boné duas vezes nesse período. A primeira foi por conta ainda de uma longa questão que tive com o Edgard, que achei que havia passado. Tive um relacionamento com uma namorada dele. Coisa de quase 15 anos antes. Parece que ele nunca superou.

Não era fácil passar por cima (como está descrito o triângulo amoroso no capítulo 33). Na escolha do repertório para o disco estava *O girassol*. Música e letra de Edgard para Beatriz, o pivô de "um metro e 65 de sol" daquele triângulo amoroso. Na versão original do *7*, era o guitarrista quem cantava. No Acústico, sem discussão: também seria Edgard. A banda nem cogitava coisa diferente.

Rick Bonadio: Precisava achar uma música para ser o single, a primeira faixa de trabalho. Perguntei aos quatro, dentro do estúdio de ensaio: "Vocês não têm uma música mais emocional, que fale de amor, não só esses temas malucos aí do rock?". Daí, na hora, o Edgard tocou com violão *O girassol*. O negócio emocionou. Eu não sabia qual era a canção, nem de que disco. Na hora falei: "É do caralho! Essa é que vai arrebentar! Vai ser hit no Brasil. Garanto pra vocês! A música é linda, emociona...". Eu fiquei realmente muito animado. E pedi pro vocalista cantar: "Vai, Nasi, canta aí essa música!".

Edgard mal deixou o cantor abrir a boca: "Mas não é o Nasi que canta essa. Sou eu!".

Rick Bonadio: Falei na lata: "Foda-se! Você não é o vocalista. Você não pode cantar essa música". Acho que fui agressivo na atitude. Mas era a melhor música! No final eles acharam até bom que tenha sido assim. Na hora foi saia justa. Fui claro. Incisivo. Mas não impus. Se eles não quisessem, era só discutir. Mas um disco acústico precisa ser cantado pelo vocalista da banda. Ainda mais o primeiro single.

Edgard insistiu. Falou que a música era dele (como a maioria). A letra era dele (como a maioria).

Rick Bonadio: Ele falou que tudo era dele, que tinha escrito para não sei quem, que era o momento em que blábláblá... Contou toda a história da música. Só faltou chorar.

O resto da banda ficou em silêncio. Nasi mais que todos. Nos primeiros ensaios, Edgard seguiu insistindo em cantar. Até ceder definitivamente a canção a Nasi. O vocalista aprendeu a canção. Edgard digeriu a determinação do produtor.

Rick: É uma das mais belas músicas do Edgard e do Ira!. Até hoje me emociono com a gravação que fizemos. Ele tinha essa relação emocional com a canção, mas acabou aceitando, e foi muito profissional.

(Nota do escritor: Enquanto entrevisto o produtor Rick Bonadio, noto que ele não cita nenhum conflito entre Edgard e Nasi a respeito da canção – a não ser a óbvia vontade do autor em cantá-la. Pergunto se ele tinha noção do que a musa de *O girassol* significava na vida do vocalista e do guitarrista).

Rick Bonadio: Você diz o quê? Quais as implicações a respeito dessa escolha? Não tenho a menor ideia... Talvez eu não saiba até hoje. Você sabe, Mauro?

O escritor explica: o produtor só tomou conhecimento do relacionamento entre Beatriz, Edgard e Nasi numa história contada por quase 10 minutos por um dos autores deste livro. Rick Bonadio ficou em silêncio até o momento em que soube do primeiro beijo entre Nasi e Beatriz, no fim de 1994. Um beijo 18 anos antes de o produtor tomar conhecimento por conta do autor do livro do triângulo amoroso. Um caso de amor entre Nasi e a namorada de Edgard dez anos antes da gravação do *Acústico MTV*.

Rick Bonadio: Puta que o pariu! Puta que o pariu! Caralho! Eu não tinha a menor ideia disso aí! Porra! A música tem tudo isso... Eu não sabia nada disso! Caralho! Caralho, bicho!... Eu não sabia (do triângulo amoroso)... Pra mim era a música ideal. Mas como iria saber da história por trás da música? Porra, eu fodi com tudo! Eu fudi com tudo! Em nenhum momento poderia imaginar essa história toda por trás da música... Caralho...

O produtor não se conforma.

Rick Bonadio: Por que esse cara (Edgard) foi mostrar essa música pra mim, caralho? Se a música é a maior treta, ele deveria ter ficado quieto! Eu não sabia disso (longo silêncio).

Depois de um tempo, a reflexão.

Rick Bonadio: Pensando bem, acho que tudo isso ajudou em todo o processo. Os quatro viram que eu estava sendo profissional, que não tomava partido de nenhum lado, e que não queria confusão. Eu queria apenas o bem da banda. Eles sacaram isso e se entenderam. Mas agora caiu a ficha... Ficou mais clara a discussão inicial, a insistência do Edgard para querer cantar... É natural. Quando a gente vai produzir um disco tem coisas que é melhor não perguntar. Senti alguma coisa no ar, claro, mas jamais poderia imaginar isso. Puta que o pariu... Agora é até muito engraçado, é muito engraçado... (longa pausa). Mas eu realmente não sabia que eu tinha participado disso...

O vocalista sempre deu razão ao produtor. Claro.

Nasi: O Rick Bonadio disse que não tinha lógica o primeiro *single* não ser cantado pelo vocalista da banda. Ficou aquele silêncio. De novo o André e Gaspa não falaram nada. Eu também não. Eu sabia que iria arrebentar naquela música. Ensaiamos todo o repertório uns dois meses e detonamos.

Mais uma vez a banda quase implodiu. Edgard realmente pensou em deixar o Ira!, mais uma vez. Era muito para ele. Nasi cogitou um novo guitarrista.

Nasi: Desde 1989, a gente se preparava para a saída dele. Desde o primeiro disco solo. No acústico, chegamos a conversar com o Thiago Castanho, do Charlie Brown Jr., que tocou com a gente. Eu, pelo menos, cheguei a pensar em seguir sem o Edgard. Mas não teve negócio. Era foda. O Edgard não cagava e não saía da moita. Já estava beirando chantagem dele esse negócio de "vou sair" e não saía.

A banda conseguiu superar esse primeiro trauma. Mas o seguinte seria mais complexo.

Nasi: O acústico valoriza muito a voz. Fiquei uns 20 dias sem fumar e sem beber, e me preparei bem para a gravação. Acho que consegui um bom trabalho vocal.

Rick Bonadio: O que atrapalhava a condição vocal do Nasi eram as noitadas. A voz não saía no estúdio. Era foda. Muita gente reclamava. Mas, para o *Acústico*, ele teve uma puta dedicação. Aliás, toda a banda foi muito profissional. O Nasi fez fono (que é chato pra cacete), e muito bem. Chegou no dia da gravação e ele foi impecável. Até treinou, emagreceu para isso, ficou mais bonito, parou de beber e fumar. Foi muito bacana o profissionalismo dele para chegar numa performance perfeita.

O reconhecimento não foi só do produtor. A turnê mostrou.

Nasi: Nos show do Ira! daquela turnê eu estava sendo

sempre mais aplaudido que o Edgard. Teve uma vez, num bis, que voltei depois que a banda já tinha retornado, porque eu estava conversando com um produtor. Fui ovacionado pelo público. Edgard ficou puto. Caralho, quantas vezes eu mesmo, no palco, não o aplaudia? Agora ele ficava puto só por a gente não ter voltado de mãos dadas que nem a seleção brasileira de 1994? Depois ele pediu desculpas... Aquela coisa... Mas aquele era o clima geral dos shows daquela turnê: a ciumeira do Edgard. Era um saco. Muitas vezes insuportável.

O desgaste daquele antigo relacionamento do vocalista com a namorada de Edgard não passou. Um e-mail enviado para Junior foi mostrado pelo empresário ao irmão. Nele, o guitarrista não escondia ainda a mágoa, e dizia que não aguentava mais tocar com Nasi. Junior pediu para o irmão conversar com o guitarrista a respeito.

Nasi: Tenho até hoje esse e-mail! O que eu poderia fazer para resolver aquele rolo de 15 anos antes? Já tínhamos conversado sobre isso no passado... Não aguentava mais. Liguei pro Junior depois de um show em Minas e falei: "Tô fora". Acabou. Encheu o saco. Já tava puto com o mau humor do Edgard que ficava checando se meu quarto de hotel era melhor que o dele, se o pessoal batia mais palmas para mim do que para ele no show. Ele estava com a cabeça cheia de ecstasy e toda hora ficava me pentelhando! Cheguei pros caras ainda no camarim e falei que eu estava fora da banda. Demorou a cair a ficha deles. Eles demoraram a entender o meu "Fui". O Edgard ainda tentou contornar, mas eu estava muito puto. Depois de umas duas semanas ele me procurou. Disse que ele tinha um alto custo de vida, que precisava da banda, e que se arrependia de muita coisa. Eu falei que tudo bem, naquelas circunstâncias, e que a gente seguiria com a turnê. E foi só paliativo.

Ao menos até o último show do *Acústico* em São Paulo, no final de 2005. Em casa, o time não se reencontrou. Culpa de um velho sucesso, de uma velha rusga. O vocalista defendia *Po-*

bre paulista como "um grito da juventude urbana". Até pouco antes do final da turnê.

Nasi: Eu estava jantando com o jornalista e cantor Celso Cardoso e sua namorada depois de um show. O Edgard chegou ao mesmo restaurante e me ouviu comentando algo a respeito da letra de *Pobre paulista*. Eu estava dizendo a minha leitura a respeito da letra da canção quando o Edgard entrou abruptamente no meio da conversa, querendo ser desagradável. Dizendo que quem poderia falar a respeito da música era ele, o autor, e não o vocalista... Ele disse para toda a mesa que, na época, em 1979, estava cheio da invasão de músicos nordestinos na MPB, e que queria "mais gente da minha terra" mesmo. Ele falou tudo aquilo para realmente ser desagradável e desabonar a minha opinião. E conseguiu.

Edgard aumentou a animosidade de Nasi. A partir de então, o vocalista decidiu que não voltaria mais a cantar *Pobre paulista*. Canção que já não fazia parte do repertório do *Acústico MTV*.

Nasi: No último show em São Paulo da turnê, tinha um grupinho na plateia que toda parada entre as músicas ficava pedindo *Pobre paulista*. Antes do bis, a mesma coisa. Resolvi, então, no final, agradecer a toda a equipe técnica, nominalmente, pela puta turnê que fazíamos. E os caras no fundo pedindo a música... Aí perdi a paciência e falei que eles eram chatos pra caralho, que não cantaria de jeito nenhum *Pobre paulista*!

Mas enquanto Nasi reclamava do grupinho e ganhava alguns aplausos da plateia, Edgard puxou o violão e começou a dedilhar a introdução da canção. Parte do público delirou. O grupinho que a pedia insistentemente não tinha palavras de alegria. O vocalista, ainda menos.

Nasi: Não acreditei. Puta que o pariu! Acendi um cigarro e fiquei olhando e esperando ele tocar uma parte até ficar quieto. Não cantei porra nenhuma!

51

Você votou **em mim**

As experiências e novas amizades ficaram da turnê do *Acústico*. Na temporada de shows Nasi conheceu, ainda em 2004, a gaúcha Manuela D´Ávila. Então a jornalista concorria pelo PCdoB a uma cadeira na Câmara de Porto Alegre. Foi a mais jovem vereadora eleita na capital gaúcha, com 23 anos. Em 2006, chegava à Câmara Federal como a deputada mais votada no Rio Grande do Sul. Seria reeleita em 2010, superando a primeira votação. Inteligente, articulada, bonita, ganhou o apoio público de Nasi desde a primeira eleição, em 2004.

Manuela: Nasi não é nada político, mas extremamente politizado. Tem ideias muito sólidas e fala o que acredita. É cada vez mais difícil nos artistas ter coragem de expressar ideias políticas tão claras quanto ele expressa e de maneira tão pouco política. Ele pensa e "pow"! Fala, faz. Adoro a coragem do Nasi para se expressar.

Em 2005, o Brasil estava baleado e abalado por escândalos em Brasília de todas as cores e podres do poder sem pudor. Ainda assim Nasi acreditava em um país melhor. Em novas gerações com pinta de mudar o jogo e as jogadas nem sempre sujas.

Manuela: Em 2006, ele me apoiou num momento bem difícil da política, na época do pós-mensalão. Em vez de se abater com tudo aquilo, ele teve ânimo, coragem de apoiar o que achava certo. Os covardes chamam isso de porralouquice, mas eu acho um comportamento definidor de quem é o Nasi: corajoso. Nunca mudou sua essência porque vende mais revista ou é mais fácil. Ele tem características muito fortes. Não é suave. É intenso. Hardcore. Não acho que todos os artistas têm de ser engajados. Seria chato se todos fossem. Mas é muito importante não ter medo de dar opinião. E isso o Nasi não tem.

Embora, no assunto que os dois mais conversam, a vantagem é da gaúcha. Ou melhor: da colorada.

Manuela: Mais falamos de futebol do que de política ou de música. Quando tem Internacional x São Paulo a gente troca mensagens e provocações. Mas como ganhamos duas Libertadores, em 2006 e 2010, e sempre passando pelo time dele, nem preciso dizer mais nada...

Nasi: Me filiei ao PCdoB, em 2003, pelo convite feito por Jamil Murad e Aldo Rebelo. Me identifiquei com políticos como Manuela. Mas estava decepcionado naquela época com a política de alianças do governo Lula. Eu já tinha sido superbrizolista. Já tinha feito muito show de graça pro PT. Mas não topava o jeito que estavam fazendo política. Não assinei porra nenhuma de cheque em branco para PP, PL, as piores coisas que tinham na política e que faziam alianças com o governo. Para piorar, o Lula estava cercado dos mesmos artistas que antes estavam com o Collor na casa da Dinda. Aquela turma que faz campanha sempre para quem vai vencer a eleição.

O irmão da mãe de Nasi é outro "fã", mas do Marquinhos. Francisco Capuano Scarlato é professor e chefe de cadeira de História e Geografia da Universidade de São Paulo. Esteve na fundação do PT, em 1980. Como comunista de carteirinha, chegou a ser preso pela ditadura, em 1970.

Tio Francisco: Para mim, ele é o filho que eu não tive. Nunca fui a um show dele. Nunca o chamei de Nasi. Só de Marcos. Marquinhos. Um menino que sempre foi muito curioso e observador. Não era de falar. Achava até que ele seria cientista. Sempre pensativo. Um doce de pessoa. Afetivo, gostava de ouvir histórias das famílias, dos avós, da mãe. De onde, aliás, também pegou o caráter muitas vezes agressivo. É coisa dos tios, da família. Quando cutucado, ele reage forte. Tal qual a mãe.

Quem conheceu Nasi e desde o início se apaixonou pelo Marcos mais que pelo personagem foi Elizabeth. Publicitária, fazia marketing para um shopping paulistano. Criou uma tarde musical de autógrafos com o Ira! no auge do *Acústico*, em 2004. Trocou telefone com o "galanteador roqueiro que logo a convidou para jantar na casa dele". Em princípio não era namoro. Mas foi um relacionamento de mais de um ano e meio.

Elizabeth: Vivemos um ano bacana. Eu era de outra realidade, um outro tipo de vida, mais tranquila, mas com personalidade forte. Sou objetiva, sou brava. Com ele, não era só "sexo, drogas e rock and roll". Ele era um cara de muitas mulheres, mas não se drogava. Uma coisa estranha (risos). Só que o álcool era destrutivo. Ele tem esse poder. Acabamos tendo uma relação autodestrutiva. Ele botou um vírus em mim e eu estava sem anticorpos. Peguei a doença dele. Ficamos doentes. Era uma relação que fazia muito mal. Saí com a autoestima lá embaixo. Emagreci muito, estava perdida. Mas não pusemos um ponto final naquilo tudo. Não houve um fim de relacionamento. Mas estava tudo muito ruim. Nós como casal. A banda como um todo em 2007. Mas só pra constar: não fui a Yoko Ono do Ira!. Não fui a causa da crise deles.

52

Meu Deus, o que vou ser **quando parar de crescer?**

Aos 25 anos de rock, em 2006, os integrantes do Ira! ultrapassaram os limites do trabalho em grupo e avançaram nas carreiras solo e projetos paralelos de Edgard, Nasi e Gaspa. Depois de *Benzina*, de 1996, o guitarrista aprofundou ainda mais sua relação com a música eletrônica e lançou em 2003 o elogiado *Dream Pop*.

Com os Irmãos do Blues, Nasi lançou mais dois discos depois da estreia, em 1993: *Os brutos também amam* (1995) e *O rei da cocada preta* (2000). Trabalhos paralelos que não chocavam fãs do Ira! e não faziam o próprio Ira! se chocar. Como explica o tecladista das duas bandas.

Johnny Boy: Os Irmãos do Blues não esbarravam no Ira!. Era tudo consequência da cabeça do Nasi, já era algo paralelo ao Ira! por necessidade de fazer algo paralelo. Essa banda era como o cigarro que se fuma na empresa pra relaxar. Normal, tanto quanto o trabalho dele com o hip hop, por exemplo, que não batia de frente com a banda e reforçava a face de intérprete dos muitos estilos que ele tinha.

Em 2006, o trabalho solo mais autoral. Assinou apenas Nasi e abriu a perspectiva de uma carreira-solo ainda mais frequente. Distribuído pela Sony, *Onde os anjos não ousam pisar* traz uma banda afiada e não se limita ao blues.

Nasi: Não quis fazer um disco de um só estilo e de uma banda única. As faixas são de universos distintos. Foi um trabalho de três anos onde compus e fiz parcerias nas músicas. Fiz arranjos e trabalhei como intérprete, não um band-leader. Gravei tudo em 2003. Fiz o *Acústico* com o Ira! em 2004. Mixei o meu disco durante essa turnê. Lancei em 2006.

O produtor Vagner Garcia acompanhou a maturidade do vocalista.

Vagner Garcia: A partir do *Acústico MTV*, o Nasi viu que poderia se sair muito bem numa carreira solo fora de uma banda de rock. Ele não perdeu o público fiel que tinha e ainda ganhou uma audiência que não é só de roqueiros ou de quem curte blues.

O disco começa com *Corpo fechado*. Uma canção que pede para ser uma trilha sonora, cheia de ramificações, de paralelas que se cruzam no metrô São Bento ou na Rua Augusta. A voz de Nasi carrega a poeira da estrada, do álcool, das mulheres incríveis, da faca que lhe rasga a garganta. Essa é a primeira canção, também o primeiro clipe, dirigido por Selton Mello – e que capricha nas cenas de sexo. É o testamento, a autobiografia sonora do cantor. A primeira ligação com o mundo do candomblé.

Nasi: Fiz a letra em 1986 e nunca consegui encaixar no Ira!. Em 2003, enfim, eu a musiquei. Fala sobre quebrar o feitiço de uma mulher. Foi legal que o Selton me telefonou dizendo que gostaria de fazer o clipe. Ele fez o que quis e ficou ótimo. A única coisa que coloquei no clipe foram alguns elementos de sobrenatural.

O disco joga no mesmo caldeirão blues, hip hop, punk, rock de garagem. *Acredito no amor* é um blues cru no qual o solitário diz que acredita no sentimento. Foram mais de dois anos de parto. Agendas apertadas, ex-amigos e intempéries do mercado fonográfico que atrasaram a obra. Mestres dos botões como *Apollo 9* e Carlinhos Bartollini deram os tons.

Apollo 9: A produção foi antológica. As sessões eram a coisa mais divertida. Nasi chegava sempre antes do horário, divertia todo mundo, de ótimo astral. Os convidados eram todos feras, um astral monstro. Ótimos músicos de blues, mais o Thaide, Zé Rodrix, todos gravando separadamente, aos poucos, cada sessão mais legal que a outra.

Você me usou tem voz profunda acompanhada somente de piano, gaita e uma bateria suave. O cantor entrega: não sabe escolher o que é bom e o que é ruim. São três minutos e cinquenta e quatro segundos de uma canção redentora, com um coro que remete a uma missa herege, de uma oração para todos aqueles que caminham no lado escuro da rua. Dos outsiders, que pecam, mas também são abusados por mulheres malandras e insensíveis.

O disco também tem as canalhices típicas do blues e seus duplos sentidos. *Eu sei o seu mal/Seu mal é não dar/Mas não é normal não ter o que dar/Você me deixou com a pistola na mão,* canta em um turbilhão crescente de guitarra, gaita, baixo e bateria. *O outro lado da moeda* é um recado para ex-amigos. É a vida real, é o que acontece quando mordemos a mão que alimenta. A viola bluesy dá um tom rural ao baixo rockabilly, junto com a gaita naquela cadência "locomotiva". O clima fica ainda mais cinza na faixa-título. A música é de Zé Rodrix e Ethel Frota. E não poderia ser mais emblemática. *Nada a perder, nada a ganhar, enlouquecer ou delirar. Eu ainda insisto em andar onde os anjos não conseguem pisar.*

Para acabar com a festa, um dos principais e deliciosos anti-heróis do rock brasileiro. *É preciso dar um jeito meu ami-*

go, de Erasmo Carlos. Parece composta para Nasi. Puxando uma suavidade da sua voz de caçador, canta a sua trajetória, os obstáculos na estrada. É preciso dar um jeito, meu amigo. Nasi resolveu mexer no terreiro de sua discoteca básica. Nos fantasmas que frequentam seu armário musical. E concebeu um disco bem competente. Com a voz rouca e a alma coberta de adamantium.

Apollo 9: Foi o trabalho da minha vida, o disco mais legal que já fiz. Forte, sincero, despretensioso. É um disco que ainda é tão bom de ouvir. O Nasi falava "você é meu produtor", me mandava mensagem de madrugada, curtindo o trabalho, me deixava muito feliz. Esse disco é muito único na sonoridade dele, mas, de alguma maneira, ele tinha uma coisa meio como se fosse uma demo, o que me deu coragem de usar coisas mais roots, mais soltas na gravação. Isso por causa da veia poética do disco, da temática.

Johnny Boy foi parceiro e testemunha dos últimos anos de Ira! e de toda a carreira solo de Nasi. Testemunha auditiva dos melhores anos do amigo.

Johnny Boy: O Nasi é um artista que a mídia vai enfim conhecer ou está conhecendo só agora, depois de tanto tempo, pela voz. Até então era conhecido pelas atitudes e pela estrada com o Ira!. Nos últimos anos, chegou a transformação de um cara maduro, politicamente atuante não apenas como cantor, mas como um artista de caminho definido como intérprete de tudo, não apenas rock. Ele convive com hip hop, com soul, funk, blues, de uma forma muito legal, na produção, criação. O Nasi canta assim sem querer. Ouvindo, vendo capas de discos, se identificando com a cena. Ele saiu da imaginação dele pra vida real, da capa de um álbum de punk pra vida real. Ele não aprendeu a cantar em lugar nenhum. Canta só com a intuição. Ele e o Raul Seixas são desse tipo de caras autênticos, ideais para cantar rock. O Nasi se dá bem também por ser um profissional que leva tudo muito a sério. Se não teve educação musical formal, ele tem visão ampla sobre arranjo, composição. Ele só não toca por ironia. Embora, para mim, a voz também é um instrumento. Entre muitos com quem trabalhei, ele é uma pessoa muito doce, carinhosa. Feliz de quem está perto dele na fase atual. A da maturidade do Nasi. A voz de Nasi, não a ira de Nasi.

Confetes devolvidos.

Nasi: Johnny Boy é meu grande parceiro. Quase todo meu trabalho solo é composto com ele. Gravou comigo também no Ira! e nos Irmãos do Blues. É minha ponta entre blues e rock. Foi um cara gigantesco nessa virada na carreira e na vida. Fundamental como é meu produtor, o Vagner Garcia, que, mesmo não sendo músico, pensa discos comigo e todos os passos da minha carreira, cuida da parte empresarial, de tudo. A Samanta Donadel é outra que me ajuda demais. Desde a época em que trabalhava no escritório do meu irmão.

53

Será que alguém **entende o meu amor?**

Vagner Garcia: Conheci o Nasi quando eu trabalhava na gravadora Eldorado, no começo do Ecos da avenida, do movimento hip hop, da cena que tinha na São Bento. A Eldorado se interessou em fazer o disco que foi produzido pelo Nasi. Eu tive uma surpresa, já que o Ira! era uma banda de rock de influência britânica. Foi um puta sucesso. Só voltamos a nos ver mais de 20 anos depois, quando eu o encontrei numa festa da MTV e perguntei pra ele se queria ficar eternamente nas páginas policiais ou queria fazer música. Assim fizemos o DVD e o CD *Nasi ao vivo na cena*, que marcou a volta dele pra música depois do fim do Ira!.

O DVD foi gravado no fim de setembro de 2009. Um dos melhores trabalhos nos mais de 30 anos de carreira. Ironia: depois de anos brigando em estúdios e estádios com a banda, camarins e palcos com os colegas e amigos, o ideal da produção foi encher

Nasi de parceiros. Todos ao mesmo tempo gravando e se divertindo. Não necessariamente nessa ordem. Explica o produtor.

Vagner Garcia: Esse projeto é como estar junto de uma sala com uma banda tocando. Uma delícia, mas não é coisa fácil de fazer. O Nasi não é tirano, mas tem opiniões muito definidas. Ele faz música com o coração e isso, por um lado, facilita a coisa. Ele quer sempre o melhor, é imediatista e uma pessoa dura, mas sabe respeitar o profissional e sabe fazer o trabalho. Ele é muito responsável com horários, compromissos, não te atrasa, não te dá cano.

Apollo 9 tocou violão nas apresentações no *NaCenaStudios*, em São Paulo. Foi um dos que assinou a gravação ao lado do norte-americano Roy Cicala (de lendários trabalhos com jazz e rock desde Getz/Gilberto, no início dos anos 60) e Marco Lafico. Ele sacou a vibe e o sentimento do trabalho, como explica nos extras do DVD da produção da Reticom Filmes.

Apollo 9: É uma apresentação com instrumentos de antigamente tocando música contemporânea. Traz mais caráter para a coisa. Não tem botox sonoro. Um DVD sem *overdubs*, com todo mundo tocando junto no estúdio. Parecia um avião decolando cada sessão! É uma extensão do trabalho de *Onde os anjos não ousam pisar*. O Nasi queria essa sonoridade quente e viva.

Nasi: São vários gêneros musicais no DVD que até podem se chocar, mas eles têm uma harmonia entre eles. O repertório começa no pós-punk paulistano, passa pelo blues que é fundamental na minha carreira solo, e é a minha grande paixão como compositor. No fim das contas, tudo que faço vem da África. O rock e o blues são negros. A música do Novo Mundo também é negra. A brasileira, a cubana, a norte-americana. Tudo negro. Pena que, ultimamente, o rock está cada vez mais branco. Branco e coxinha.

Um amigo de quase 30 anos de poeira empresta voz e veias para o DVD. Juntos já levantaram muito pó.

Marcelo Nova: Eu e Nasi já rimos muito juntos. O fato de haver certa identificação na caminhada, uma independência, de não estar preocupado em fazer gracinha para todo mundo, em sermos a bola da vez, isso tudo fez com que nós nos gostássemos como amigos e nos respeitássemos como homens. É difícil ter distanciamento para analisá-lo. Dentro do cenário musical são poucos que mantêm relação tão amistosa e durante tanto tempo como nós dois. De alguma maneira levamos essa amizade boa para o palco também. E o que é muito interessante é que com a fama de encrenqueiro que ele tem, e com a fama de encrenqueiro que eu tenho, nunca nos desentendemos.

O dono da voz deu pitaco em tudo no DVD. Até na filmagem esmerada. Na edição, Nasi deixou mensagens subliminares para superar as liminares judiciais que ainda assolavam as gravações. No final da versão progressiva de *O tempo não para*, de Cazuza, a imagem de um autógrafo dele para um fã: *Não use drogas. Eu usei e me dei mal.*

Nasi fez um dos mais autorais trabalhos de rock, ops, de blues, ops, de jazz, ops de tudo. Disco de autor. De crooner. Ele admite que, além das heranças óbvias do Ira! e das bandas que ajudaram a formar o som do grupo (especialmente The Who), ecos de Spencer Davies Group, Pink Floyd, Mutantes, Nirvana, Santana, Dr. John, Gang of Four e Mundo Livre se encontraram em canções vigorosas e em interpretações bem pesadas e pensadas. Tem Miguel Barella na guitarra revivendo Voluntários da Pátria (*Verdades e mentiras*). Tem o percussionista Dinho Nascimento achando outras batidas e pulsações e recriando John Coltrane. Tem Marcelo Nova reverenciando Raul Seixas. Tem Vanessa Krongold revitalizando Zé Rodrix. Tem Nasi atirando para todo lado. E quase sempre acertando.

Nasi: Tem coisas dos anos 80 do Picassos Falsos, do Voluntários da Pátria e do Muzak, banda do guitarrista Nivaldo Campopiano, meu parceiro para compor rock. Tem duas do Gaspa (*Mi-*

lhas e milhas e *Tarde vazia*) que mostram a qualidade dele como compositor. Ele foi subaproveitado no Ira!. Nessa última, fizemos um arranjo de metais que deu uma pegada soul muito legal.

O tecladista Andre Youssef explica um pouco mais do canto do Wolverine no documentário que acompanha o DVD (Quem é Nasi?).

Andre Youssef: Ele não tem formação musical formal, mas tem uma intuição muito grande. O Nasi sabe detectar uma nota fora de lugar.

Kid Vinil: Ele sempre se preocupou muito mais com a qualidade da música que com os hits. Ele nunca quis ganhar dinheiro. Quis fazer o que gosta. E fez bem feito.

Marcelo Nova: Ele é um artista coerente. Não há grandes discrepâncias na obra dele. Sempre foi muito objetivo na maneira de dizer e fazer as coisas. E isso acabou conferindo ao artista uma personalidade musical que lhe confere um teor de originalidade. Isso é o que penso faltar para muuuuuuitos. Não só no Brasil. Estamos vivendo uma época de muita cópia, muito cover, muita gente que imita abertamente a obra do outro, e os originais estão se tornando cada vez mais raros. E Nasi é um raro. É um dos originais daquilo que chamamos de rock brasileiro da segunda geração (a primeira foi nos anos 60, com Erasmo Carlos e Eduardo Araújo). Ele não é cópia como tantos. Ele tem estilo. Por isso está há tanto tempo produzindo. Ele e eu somos assim: originais. Modéstia fica pros outros. Não para nós... Mas, agora, vou deixar registrado aqui no livro: Eu quero a minha parte em dólar! Tudo bem levantar a bola desse cachorro velho, mas estou esperando meus dólares...

O jornalista esportivo Jorge Kajuru não cobra o amigo. Mas lembra não ter tido preço o período em que comentaram pelo SBT a Copa de 2006, ao lado do Doutor Sócrates. Gênio da bola, um "artista" na definição do amigo Cachaça: "O Magrão era um artista: dizia que era craque mas só jogava de calcanhar; chamavam de doutor Sócrates mas nunca operou uma galinha!".

Sócrates também havia gravado discos. Sertanejos e MPB. Não era tão fã de rock. Mas se dava bem com roqueiros. Fizeram bom grupo na TV. Sobretudo por não prenderem a língua, como o apresentador do programa.

Jorge Kajuru: O Sócrates foi o melhor ser humano que conheci. Ele tinha uma coisa de reconhecer as pessoas quase imediatamente. Ele sabia quem tinha ou não tinha caráter. E o Sócrates se apaixonou pelo Nasi em um minuto. O Nasi é uma pessoa rara, um ser humano especial. Como artista, ele é completo. Capaz, por exemplo, depois de tudo isso, de se reinventar musicalmente.

Vagner Garcia: O Nasi quer fazer música. Ele sobe no palco com o pau duro que não tem fim. Mesmo depois de tanto tempo de palco, ele tem um tesão de fazer música que é enorme, faz cada show como se fosse o primeiro, e isso mostra quem é o Nasi. Faz muito. E faz bem feito.

54

É preciso dar um jeito, **meu amigo**

Um ano e meio de excursão da turnê do *Acústico MTV*. Mais um 2006 de shows "elétricos". Nasi queria sempre mais. Ou menos do Ira!. Hora e meses de dar um tempo na banda. Era preciso convencer os outros três irados e o irmão empresário, cada vez mais empresário, cada vez menos irmão. Durante a gravação do acústico da MTV a coisa quase descambou em brigas com Edgard, mas não era só isso.

Nasi: Eu queria tipo um ano de descanso da banda a partir de 2007. Para não dizer dois. O único jeito de a gente sobreviver era dar um tempo. Se os Rolling Stones dão um tempo e estão há 50 anos juntos, por que não o Ira!? A gente precisa de um *rehab* como banda. Se não acontecer isso você fica infantilizado. Quero que um adolescente goste de mim, mas do meu jeito. Quero que ele fale "esse tio é mau, hein!" (risos). Quando eu tinha 14 anos eu queria ser o Alice Cooper, não o Bay City Rollers. Além disso, nossa relação interna estava complicada. Sou solteiro por circunstância. Mas convicto. Eu acredito em relacionamento, não em casamento. Não tem nada a ver com amor. Tenho duas filhas grandes, mas não sou o papai sabe tudo. Tenho o direito de correr meus riscos. E sei que o Edgard também pensava assim. Pelo menos ele sempre falava que era o último disco, a última turnê...

Mas não era tão fácil dar o basta. Por mais que fosse confortável e estável a situação econômica da banda e de cada um dos quatro, ainda existiam amarras ao descanso. Ou não.

Nasi: Tínhamos contrato com o Rick Bonadio. Ainda tínhamos um CD para ser feito com a Sony depois do *Acústico*. Tivemos de gravar o *Invisível DJ*, que foi lançado em março de 2007. Já sabia que não queria mais nada depois. Para falar a verdade, antes mesmo. Me dei dois meses de férias na praia, na Bahia, no comecinho de 2007. Do repertório do disco só *Feito gente*, do Walter Franco, eu escolhi. O resto não quis saber. Só participei de uma reunião no início. O Edgard não tinha música nova para usar. Se ele não tem nenhuma composição, ele faz uma espécie de greve branca. Não participa do processo criativo. Ficou tão ruim o negócio que até o Bonadio teve de dar um toque para o Edgard comparecer ao estúdio. Ele estava mais pensando no disco solo dele que no do Ira!. O Bonadio ameaçou embargar o CD do Edgard. Mesmo assim continuou foda. O Edgard mais fumava que ensaiava. Chegava tarde e saía cedo... Até que ele admitiu que não se sentia bem, que os discos do Ira! sempre tinham 80% de músicas dele, e que ele não estava se sentido bem daquele jeito, com poucas composições.

Rick Bonadio: O Edgard é extremamente inseguro e fechado. Ele pensava as coisas e não falava pra ninguém. A gente quebrava muito o pau. Principalmente porque ele sempre tinha de ter um número x de músicas em cada disco. Ele pressionava pra caralho para ter mais músicas dele. Ele é um cara que precisa de aplauso constante. Mas eu estava cagando pra isso. Pra mim, a música é pro público, e não pro gosto pessoal de alguém da banda. As músicas são do grupo, não são só do compositor.

O vocalista se sentiu mais um empregado de Edgard que um dos quatro membros do Ira!. Mais um motivo para sair da área depois do lançamento de *Invisível DJ*.

Nasi: Eu não era mais criança. Estava me escravizando a uma banda que não estava mais me dando prazer. Minhas férias na Bahia foram ótimas para evitar um desgaste ainda maior no estúdio. Pedi para eles mandarem pra mim as bases, eu estudava lá no meu canto, sossegado, e depois voltava para gravar. Quando cheguei da praia, o estúdio pegava fogo. Teve uma hora que o André fez uma virada na bateria e o Edgard, depois de uma discussão, mandou ele enfiar a baqueta no cu. Ainda assim, fizemos um bom disco. Foi bem gravado, bem cantado. O Rick Bonadio sacou o nosso astral e foi superlegal o trabalho com ele. Ele sabe das coisas. Não tem papa na língua.

Rick Bonadio: Sou franco. Se acho uma música uma bosta, falo na cara. Se gosto, também falo. Não era fácil trabalhar com os quatro. Eles têm personalidades muito fortes e difíceis. Mas realmente fizemos um puta disco. Só que faltou mais química pela ausência do Nasi em boa parte das gravações. Ele gostou de ter ficado fora, achou que foi bom. Eu não achei. As discussões de repertório, de arranjos e interpretações não foram a mesma coisa sem ele. Tinha um monte de voz-guia do Edgard nas gravações. Não era a mesma coisa. Faltou mais integração. Mas era o único jeito de fazer a coisa rolar.

Lançado *Invisível DJ*, Nasi queria descanso. Avisou novamente o empresário e banda. Junior entendeu o recado, mas queria ao menos quatro shows por mês do Ira!.

Nasi: Eu estava falando sério! Estava saindo por um tempo. Era como se separar da mulher e transar quatro vezes por mês. Não era separação! Eu queria voltar a ter saudade do Ira!, do mau humor do Edgard. Eu queria ter saudade de mim mesmo!

Mas a banda não aceitava. Ou não queria entender. Junior pediu para Nasi ser mais explícito no pedido de licença. Para ele avisar pessoalmente a banda.

Nasi: Mas eu falava pro meu irmão: "Cara, já falei com todo mundo!" Aí, numa noite de autógrafos, falei de novo pro Edgard que iria parar. E ele me disse: "Demorou, hein, Nasi..." Demorou o quê, porra? Aí, no outro dia, o Junior me pediu para eu falar com a equipe técnica avisando da parada. Eu falei: "Vai pra puta que o pariu! Você acha que o Mick Jagger um dia vai falar pros roadies dele que está saindo?". Isso não existe. Eu vou ter de pedir permissão para a equipe técnica para dar um tempo? Acho que era o início do processo dos caras querendo me enlouquecer. Eu tinha criado a banda, fundado a banda, eu era a voz da banda, e tinha de dar satisfação pra todo mundo?

Gaspa sabia e entendia o clima e a parada. O restante do Ira!, não.

Nasi: Eu sabia que a banda não era para sempre. Mas o Edgard esbarrava na lenda do papai sabe tudo. Ele era da família Walton, o papai Walton. Eu nasci para ser o Johnny Cash da macumba! Para piorar, deixamos o empresário conduzir a nossa vida artística. Um puta erro. Éramos uma banda com dois puta egos como o meu e do Edgard em choque, com faísca saindo pra todo lado, e dois caras em cima do muro, deixando os galos de briga se pegarem.

Rick Bonadio: O choque dos egos foi foda e foi um saco. O Edgard era muito assim: "Eu sou o gênio e o cara ali é o vocalista". Mas eu nunca achei isso. Nunca achei o Edgard mais importante que o Nasi no Ira!. O Edgard pode ficar puto comigo, mas a banda era 50% ele, 50% o Nasi. Ele é um guitarrista genial, mas um péssimo vocalista. As coisas que ele canta não ficam boas. Ele é horrível. Se ele cantasse mais vezes ele fodia a banda. O Ira! precisava do Nasi.

Johnny Boy, levado à banda por Nasi, presenciou em um show em Vitória da Conquista o clima de derrota anunciada. Guitarrista e vocalista diziam coisas distintas a respeito do setlist. Tinham camarins separados. Não se falavam. E nem coisa com coisa.

Johnny Boy: Fui tirar uma dúvida com o Edgard, de como eu faria o teclado numa canção. Ele me deu uma instrução diferente da partitura. Pouco depois o Nasi me deu instrução ao contrário. "Essa parte é minha, Johnny", disse ele sobre o meu tom. Eu não sabia como atacar na música. Fiquei na moita, ia ver como agir só lá na hora. E o vento levou embora na hora H a partitura... Foi lindo! Me livrei de uma encrenca, toquei tudo na vibe. Mas era horrível: eles não se olhavam, não se falavam. No final, fui pra frente do palco para o tradicional cumprimento ao público. Quando dei por mim a fumaça baixou e eu estava sozinho! Ninguém do Ira! veio dar tchau. Sempre as coisas foram iradas na banda. Porrada mesmo, bicho. Lá se discutia se a letra estava certa, se o hotel estava bom, quem vai cantar o quê... Mas, até então, nunca havia visto coisa pior na minha carreira. O Ira! estava sem barato de estar junto. Estava acabado. Mas eu preciso falar: no fim da banda, em 2007, o Nasi estava numa boa, sem drogas, cantando um monte, inteirão. Pode escrever aí. Não tinha nada de ter se perdido outra vez nas drogas.

Rick Bonadio: o Ira! virou banda top no mercado com o *Acústico MTV*. Antes eles eram mais *underground*s, meio alternativos demais. Tinham feito hits pequenos, aqui e ali. Mas nunca havia acontecido tanta coisa como naquele CD. E aí começou o fim da banda. Se eles não tivessem feito tanto sucesso no *Acústico*, eles ainda estariam na ativa. Eles eram uma banda mal estruturada para o sucesso. Os relacionamentos entre eles estavam deteriorados. Era um fodendo o outro. Ou querendo foder. Eles só viviam juntos por comodidade. Quando realmente fizeram muito sucesso, os egos afloraram, e aí fodeu tudo.

Emilio Orciolo: Não posso falar por não ter estado lá dentro, mas lamento demais como fã e amigo dos caras. Fiquei órfão de pai e de irmãos. É como uma companhia de teatro. As relações vão crescendo. É amor e ódio. É um casamento. Mas estava um casamento sem sexo. Aí explodiu. Os caras fizeram suas escolhas. Não sei se foi o ego que acabou com tudo... Sou ator, estou o tempo inteiro administrando essa questão. Não sou uma pessoa fácil. Por vezes a gente perde a mão. No Ira! deve ter sido isso também. Era muita gente talentosa convivendo por tanto tempo. Dá nisso. Foi uma puta pena acontecer o que ocorreu...

O que mais deixava Nasi triste, para não dizer outra coisa, era que o irmão e os amigos dos dias de luta não entendiam aquele momento importante para a vida e para a carreira dele.

Nasi: O meu irmão, o cara que eu ajudara nas brigas contra os demais membros da banda, o mesmo menino por quem eu brigava para ele não apanhar na rua, conspirava contra mim.

55

Não caio mais **no que você me diz**

Um show solo em Minas Gerais explodiu a relação com o irmão.

Nasi: A agência produtora do Junior contratara a minha apresentação solo para uma calourada no campus da Universidade Federal, em Belo Horizonte. Acertados os valores com o sócio dele, vi que no dia do pagamento não depositaram o que havíamos apalavrado. O clima que já não era bom ficou pior. Eles descontaram coisas que não tínhamos combinado. Tive uma discussão acalorada com o sócio dele. E, depois, com o próprio Junior. Ele acabou a contragosto me dando razão e pagando o que fora combinado.

Johnny Boy: O Nasi me ligou: “Você recebeu direitinho a grana do show em BH?” Eu não sabia, chequei com minha esposa. Respondi que sim. Ele ficou puto. “Mano, minha grana veio com um puta desconto, alguma coisa tá errada, não foi o que combinei". Ele então ligou pro escritório do Junior. O clima esquentou. O Nasi pensou: "Bom, já que deu problema nesse show, eu quero agora saber de todos os outros que fizemos". Ele pediu pro Junior mandar o borderô dos mais recentes... Aí... Uma coisa pessoal de um desconto de grana errado deu abertura pra tudo isso. Até então o Nasi não era "louco". Quando quis saber quanto ganhava por mês, virou "o cara", o louco para o resto dos caras.

Não era só questão de números. Junior havia passado adiante para os demais membros do Ira!, em MP3, algumas das conversas telefônicas entre os irmãos. Discussões várias, algumas confissões e o desejo confesso de Nasi dar um tempo na banda. O vocalista se sentiu traído pelo empresário-irmão quando soube das gravações.

Nasi: Fiquei muito puto com tudo aquilo. Resolvi, então, usar uma revista que toda hora me ligava para dar entrevista. Resolvi dar o recado pela imprensa. Falei pros caras que iria dar um tempo no Ira!, que viajaria para a Grécia, Calábria. Os caras não perderam tempo e botaram na capa: *Nasi deixa o Ira*!. Botaram que ao final da turnê do *Invisível DJ* eu deixaria a banda, que era a última entrevista que eu concedia como vocalista. Aí, no dia seguinte, saiu na manchete da *Folha de S. Paulo* que "demissão de Nasi vira férias do Ira!". Tinha declaração do Edgard, de todo mundo. Só não tinha minha...

Com a reportagem na *Folha*, Nasi subiu pela parede. A banda, no telhado. Edgard disse a ele que não tinha falado pelo Ira!, que não era bem aquilo...

Nasi: A assessoria de imprensa da agência produtora desmentiu, em meu nome, ao jornal, as minhas declarações à revista *Flash*, sobre as tais férias... Isto é, falou em meu nome sem me consultar, e desmentiu a mim mesmo. O repórter da *Folha* disse que eu "fui procurado e não fui encontrado". Mentira! Vivia com o celular ligado.

Johnny Boy: A parada da banda foi combinada entre todos. Estavam estafados, todos eles. A ideia era boa. Só que não ficou dito quem ia falar primeiro ao público. E o Nasi falou antes dos outros. A banda disse que o Nasi não podia dizer isso... Tem documento deixando claro que a banda combinou junto o descanso. Eles queriam mais um pouco de banda (faz gesto de grana). E foi isso que desencadeou aquela polêmica toda. Rolou um ciúme muito grande.

Um show logo em seguida, em Jaraguá do Sul (Santa Catarina), foi um pesadelo. Edgard não queria mais tocar com "aquele cara". Era a milésima vez que isso acontecia. Mas não era só ele que estava bravo.

Nasi: Fiz o show inteiro sem olhar na cara do Edgard. Tinha passagem que eu ficava vociferando contra o Smigol, o cara que perdeu o anel... Eu estava muito puto. Estava possuído contra o "Smigol"... Eu não havia falado que o Ira! iria parar. Eu havia dito que EU iria parar. E os caras não sacavam. Só sei que, no final, falei: "Até o final do ano nós somos o Ira!. Boa noite!" Terminei o show assim. E terminamos realmente mal.

Ficaria pior. No aeroporto de Florianópolis, em 6 de setembro de 2007, chegou às mãos dos quatro uma carta do empresário Airton Valadão Junior. Uma fratura exposta na sociedade com a fatura apresentada pelo irmão de Nasi na chamada "carta de finalização dos trabalhos com o Ira!".

O empresário escreveu que "a real situação de intolerância e ignorância" pela qual o Ira! estava passando era "culpa única e exclusiva" dos quatro membros. Que o Ira! até poderia parar mas, se voltasse, retornaria "morto". Junior dizia que a ideia original de parar a banda era de Edgard, "martelada com grande ênfase e sempre em tom de ameaça". Mas que Marcos (Nasi) também havia gostado disso.

Sobrava crítica de Junior para André, que "dentro de suas limitações de diálogo com as duas partes (Nasi e Edgard) inutilmente sempre tentou fazer algo (para evitar o fim)". Sobrava também para Gaspa, "que sempre se omitiu em opinar ou consertar algo". Junior se dizia cansado de ouvir "sempre que um falou mal do outro" e, quando se encontravam, "parecia que nada tinha ocorrido" entre eles.

O empresário escreveu que Nasi e Edgard não tinham "direito de acabar com a banda" por conta de um "joguinho intolerante de egos". Expôs uma série de contas e até ações trabalhistas. Reclamava de todos. Especialmente dos shows solo. Principalmente do modo como eram administrados por Nasi.

Não era só o empresário se manifestando. Parecia o próprio fundador da banda. Para não dizer o dono. E não apenas da empresa.

Nasi: Eu fiquei ainda mais puto com a petulância e arrogância do tom, dos termos, de tudo. Naquela época eu praticamente só falava com o Gaspa. E ele já tinha me dado um toque que estavam forçando a minha saída da banda, também. O Gaspa também achava bom dar um tempo. Não substituir o vocalista.

Era para dar um tempo. Não para fechar o tempo e a banda.

Nasi: E eu não estava querendo acabar nem com o Ira! e nem com a empresa que cuidava do grupo. Só queria dar um tempo. Para a sobrevivência de todos e de tudo. Mas, infelizmente, estávamos há anos tão divididos, tão rachados, que todas as decisões acabavam ficando no colo de Junior.

O vocalista constituiu um advogado. Telefonou para a produtora. Queria falar com o empresário irmão (nessa ordem). A secretária disse que Junior estava em reunião. Nasi pediu para que ela o chamasse naquele momento. Caso contrário, a conversa seria com o advogado.

Nasi: Falei para o Junior não bater de frente comigo. Que estava acabada a mamata. Que, dali em diante, se houvesse show, meu advogado iria analisar o contrato antes de eu subir ao palco. O Junior começou a chorar e eu desliguei. Achei que ele iria ligar de novo. Não ligou.

A noite foi péssima para os irmãos. Nasi encheu a cara. Uma e meia da madrugada ele ligou para Junior. Deixou gravada na secretária eletrônica a ameaça ao irmão caçula: "Ô, cachorro, eu vou matar você! Não existe força no mundo que vai te proteger de mim".

Sábado, oito da manhã de 8 de setembro de 2007, quase sete horas depois do telefonema ameaçador, tocou o interfone na portaria do condomínio onde Nasi mora, no Butantã, zona oeste paulistana. Era Junior. Berrando do lado de fora. Chamando o irmão mais velho: "Vem, seu covarde! Você não falou que quer me matar? Eu tô aqui fora! Vem!"

Nasi: Covarde? Eu?

Uma testada. Foi o "diálogo" de Nasi com o irmão.

Uma hora depois da briga a banda deveria se reunir para viajar para um show no Sul de Minas. Junior avisou por telefone o que acontecera na porta da casa de Nasi. A banda resolveu viajar assim mesmo e cumprir o contrato naquela noite de sábado. Até para a rádio local deram entrevista dizendo que fariam o possível para um grande show. Informaram ao público que lotava o local que o vocalista estava passando mal e fora hospitalizado. Fizeram uma apresentação mais curta, de uma hora. Na segunda-feira, o organizador foi ao escritório de Junior e pediu ressarcimento. Para não ter mais problema, Junior deu tudo que o contratante pediu.

Foram apenas dois shows sem Nasi e sem uma explicação explícita da banda. A notícia da briga, porém, começava a se espalhar pela internet. Em um dos shows em que Edgard assumiu o vocal, algumas pessoas atiraram moedas no palco. Outros 13 shows até o final do ano foram cancelados.

O Ira! ainda não sabia, mas imaginava. Um pecado capital se acabava. Outro pecado começava. Com muito capital.

56

Vai colher tudo o **que sempre plantou**

Os quatro integrantes estavam bem de dinheiro quando a banda implodiu. Mas o problema era maior.

Nasi: Eles queriam me pegar. Me fazer pagar até pecados que não tinha. Ou já havia pagado. Antes mesmo de o Ira! implodir eu já não usava mais nenhum tipo de droga. A heroína eu tinha acabado logo depois do meu acidente, em 1983. A cocaína parei depois da clínica, em 1997. A última coisa que usei foi maconha. Joguei o que tinha pela privada em março de 2007, quando estava saindo o *Invisível DJ*. Eu já tinha muita insatisfação na minha vida. Não tinha mais energia para um monte de coisa.

O fim de relacionamento com o Ira! foi tão ruim que a abstinência das drogas passou a ser usada como a arma da oposição.

Nasi: Eles se juntaram num conluio macabro contra mim. Saíram dizendo que, por conta da briga feia com meu irmão, eu estava recaindo nas drogas, que estava maluco. Mas é claro que eles sabiam que isso era mentira. Mas no vale-tudo eles jogaram pesado. Eles sabiam que eu não estava usando.

Quando foi convidado a interpretar um viciado no longa--metragem *Sem Fio*, Nasi adotou o método Stanilavski de interpretação. Ele era "ele ontem", mas sem tocar na droga.

Nasi: Meu personagem era o Castro. Tinha de fazer várias cenas cheirando cocaína. No caso, a gente usava um pó de proteína. Mas quando cheirei aquela carreira branca, me deu uma sensação mórbida. Me deu ânsia, um nojo terrível. Acabou sendo terapêutico. Acabei jogando todos os meus demônios naquele personagem. Ali cheirei tudo. Minha decepção amorosa, briga com meu irmão, a briga com o Ira!... Acabei desconstruindo toda a cena. E, no final, meio que virei um diretor de arte do filme. Mostrei como se enrolava um baseado, como era alguém durante uma overdose. Eu sabia o que era aquilo.

Mas Nasi não estava preparado para entrar em outra briga terrível. Não de cinema. Não só com o irmão. Também com o pai.

Nasi: Meu irmão e os advogados dele fizeram a cabeça do meu pai para me interditarem na Justiça. Mais ou menos como a mãe e o meio-irmão de minha namorada em 1999 tentaram fazer com ela. A interdição é um instituto jurídico que foi criado para dar proteção para quem esteja provisoriamente incapacitado de reger a própria vida. Pode ser por alguma doença, por alguma outra coisa, ou por um vício. Mas não era o meu caso em 2007. Eu sabia muito bem o que estava fazendo. E eles, no fundo, principalmente meu irmão, sabiam muito bem o que estavam fazendo contra mim. Ele queria me calar.

O primeiro pedido na Justiça de tutela dos negócios de Nasi foi nesse período, um mês depois da briga na frente da casa do vocalista. O contragolpe do advogado de Nasi foi pedir extrajudicialmente os contratos dos últimos cinco anos do Ira!. O vocalista insinuava que faria uma auditoria na empresa Ira! e nos contratos da própria banda. O doutor Rodney Carvalho, advogado criminalista, pegou o caso andando. Ou desandando de vez.

Dr. Rodney: A coisa degringolou quando o Nasi questionou os ganhos do irmão e Junior ficou preocupado com a carreira dele pela contundência das acusações do Nasi. Em vez de ficar quietinho e deixar o assunto morrer, o Junior começou a rebater as acusações e agir comercialmente contra o Nasi, pressionando mídias e empresas para que os assuntos não fossem colocados em pauta sob pena de prejudicar o patrocínio A, B e C. Mas o Nasi não estava sem razão. Tudo que ele quis falar pra mídia, falou. É a forma e o momento dele de encarar a vida. Não tenho o papel nem a pretensão de controlar a personalidade dele. Nenhum advogado podia mandar ele se calar. Prefiro o Nasi autêntico e fazer a defesa dele autêntico a defender um cara que não é o cara, ainda que errante. Se fosse um louco varrido, era outra história. Não era o caso do Nasi.

Junior disse no programa Fantástico, da TV Globo, que o pedido de interdição era do pai Airton, então com 74 anos, e não dele. Que ele tinha 20 artistas que cuidava da carreira e nenhum reclamava dele.

Nasi: Uma vez, em 2002, teve um puta pau da banda com o Junior por causa de um ônibus ruim que ele arrumou. Para piorar, quebrou no meio do caminho. Tivemos que andar os quatro enfiados dentro de um carro apertado. O André resolveu juntar o Edgard e o Gaspa e falou que a banda não iria a lugar algum com o Junior. Eu liguei pro meu irmão avisando daquele papo para ele ir se preparando para a reunião. Quando chegou a hora, ele deu um nó nos caras e ficou tudo bem.

A briga de rua de irmãos em 8 de setembro de 2007 embolou o jogo. Junior se armou rapidamente na Justiça. Em 25 de outubro ele e o pai entraram com o pedido de interdição na Justiça. Segundo Gaspa, o empresário chamou toda a banda para um jantar depois da briga. Sugeriu que continuassem juntos, apenas trocassem de nome. E pediu para que os três assinassem documentos expulsando Nasi da Ira! Produções por "justa causa". Os membros da banda ganhariam um adiantamento de cachê de futuros shows – caso o trio seguisse em frente.

O jogo seria mais pesado. Na noite em que o irmão e o pai entraram na Justiça contra Nasi, mais gente entrou na parada e foi à rua. À caça. Conta um dos advogados de Nasi.

Dr. Rodney: Ele me ligou e disse que tinha uma viatura na porta da casa dele, com um delegado que estava se dizendo titular da 51ª. DP, com uma intimação. Não era coisa nenhuma, era de outra delegacia. Falei pro Nasi não sair, ligar pra Polícia Militar. Antes de a PM chegar o delegado foi embora. Deve ter ficado sabendo do telefonema e evidentemente não queria ser visto ali fazendo algo irregular.

Dr. Célio Almada Neto: No dia seguinte, eu fui ao fórum de Pinheiros e realmente descobri a ação de interdição. Alegando os maiores absurdos do mundo. E por incrível que pareça, no dia anterior, havia sido concedida uma liminar de curatela provisória, nomeando um responsável pela vida civil do Nasi. O autor da ação, e nomeado procurador provisório, era seu próprio pai. O juiz da causa não estava lá no fórum naquele dia. A matéria era urgente e foi para um juiz que deu uma decisão "provisoriamente". É mole? Quando o juiz da casa, no dia seguinte, veio e tomou ciência do caso, viu a notícia vazando, reviu a situação, reconsiderou o despacho e levantou a curatela provisória. Designou um interrogatório. Fez todas as perguntas necessárias. Constatou que não era caso de interdição. Pediu uma perícia médica, que constatou que o Nasi não tinha problema algum. A ação foi julgada improcedente, e a matéria transitou em julgado. Nada há nesse sentido a se julgar ainda, nem nada contra o Nasi.

Era só o começo.

Dr. Rodney: Nasi teve de ficar uma semana escondido até que conseguíssemos uma decisão contrária ou, antes disso, ter acesso à decisão pra saber se havia ou não uma ordem efetiva judicial para interná-lo. Tivemos de escondê-lo por segurança. Também por tática judicial. Se o Nasi fosse pego naqueles dias, a história hoje seria outra. Ele nunca esteve fora de si, apenas irado com a situação, e com toda razão. O que soube depois disso é que existia uma medida judicial com relação à interdição dele, ajuizada pelo pai, e tudo leva a crer que orquestrada pelo Junior. Na verdade, o advogado que cuidou do caso da interdição foi o Célio Almada, que foi quem me indicou para a parte criminal. Feita esta descoberta, o que eles fizeram: quando o Célio conseguiu uma liminar, malandramente o advogado do pai retirou o processo e a gente não tinha como ter acesso à extensão da ordem judicial. Havia uma liminar de interdição do Nasi, mas não sabíamos se autorizavam ou determinavam a internação dele.

O temor dos advogados de Nasi.

Dr. Rodney: Nosso medo era ele ser internado sem ordem judicial. Uma vez lá dentro o Nasi poderia ser dopado e, aí sim, ser levado a exame pericial, onde naturalmente seu estado estaria alterado, justificando uma interdição. Uma manobra ardilosa.

Dr. Célio Almada Neto: Se ele entrasse naquela ambulância naquela primeira noite, só Deus sabe o que ia acontecer. O fato de levar uma ambulância e tentar uma internação forçada como essa... Com certeza algum sedativo ele receberia. Não acredito que uma internação tão forçada e violenta seria para não fazer nenhum mal ao Nasi. A clínica poderia estar agindo de acordo com procedimentos médicos, mas partindo de premissas erradas pela informação dadas por quem os contratou.

Dr. Rodney: Foi uma tentativa de golpe. Contrataram um perito psiquiátrico e passaram para ele um quadro a respeito de Nasi. Essa perícia indireta mostrava o Nasi de dez anos antes (quando se internou por problemas de drogas), não o cara limpo de 2007! O perito dizia que "ele é assim". Mas o Nasi não era mais! Havia se recuperado. Só que o psiquiatra passou o laudo afirmando a necessidade de internação dele. É possível isso ter acontecido sem que o perito seja culpado, o trabalho dele pode até ter sido correto...

Quando o rolo parou na Justiça, nem por telefone havia contato entre os membros da banda e Nasi. Na confusão jurídica, a empresa e o Ira! ficaram travados na Justiça. Os shows até o final do ano foram cancelados.

Nasi: Saí do Ira!, mas os problemas não saíram comigo. Eles fizeram todo aquele conluio, mas esqueceram o mais importante: a banda estava desgastada mesmo sem mim.O tal Trio, segundo consta, não durou sequer um ensaio. Logo foi cada um para o seu canto. E de mãos abanando.

Não havia mais clima e tesão, com ou sem Nasi. Edgard não se dava musicalmente com André. Quem contava parte do que acontecia era Gaspa. Por quase um ano seguiu tocando com Nasi na carreira solo. O baixista era um aliado do vocalista.

Dr. Célio Almada Neto: A banda entrou com uma ação de dissolução contra o Nasi. O irmão com ação de danos morais. E a gente veio administrando, cuidando, para fazer a dissolução da melhor forma possível, de maneira consensual, para resolver, até que... Fomos surpreendidos com a ação de interdição, que não foi promovida pelo irmão, mas sim pelo pai do Nasi. Só que ao longo desse tempo todo que cuido do caso, tive a oportunidade de encontrar uma única vez com o pai do Nasi, num dia de interrogatório. E ele estava sendo representado por uma banca de advocacia que coincidentemente era a mesma banca do Junior e da banda. Ou seja, o mesmo advogado para todos eles. Nunca teve uma participação efetiva do pai do Nasi na história. Eu acredito que ele foi usado de uma forma. Se o pai estivesse realmente preocupado com o que se falava na ação, teria sido muito mais presente do que realmente foi.

Difícil foi vencer a batalha contra a interdição.

Nasi: No final das contas, depois de quase dois anos na Justiça, eles perderam em todas as instâncias. Meu pai agora não pode mais me interditar. A banda não conseguiu me expulsar da empresa Ira!.

57

Teu feitiço vai **voltar de vez**

Com o irmão Junior o buraco foi mais embaixo. Abaixo do nível.

Nasi: Virou faroeste entre eu e o Junior. Ele começou a me encher de queixa-crime. Muitas só para encher o saco por entrevistas minhas. Até um juiz disse que a minha reação foi módica perante os excessos cometidos pelo autor da ação. Isso é que ser mod. Módico!(risos).

Não só o pai e Junior estavam contra Nasi. Parte da família também ficou com o caçula, que era mais próximo dos parentes. Alguns se mantiveram neutros na querela entre Marcos e Airton. O próprio Nasi também se afastou. Tio Francisco, da família da mãe, foi um dos que se manteve próximo.

Tio Francisco: Não fiquei falando que ele estava certo quando houve a briga com o Junior e o pai. Dizia que o Marquinhos podia ter mágoa, mas não ódio. Ele me contou tudo que ocorria por telefone, da questão da interdição, que foi a maior burrice que meu cunhado poderia ter feito e me chocou. Quando converso com o Marquinhos, sinto mágoa por parte dele, misturada com raiva. Se fosse falar um defeito dele, diria que há um viés autoritário nele. Ele gosta de imprimir marcas à sua verdade. Isso o faz parecer radical.

Dr. Célio Almada Neto: O Nasi já estava muito abalado emocionalmente no início dessa briga. Ficou ainda mais solitário do que já era por ter brigado até na Justiça contra o pai e o irmão, as pessoas mais próximas da família que ele tinha. E as perdeu.

Johnny Boy: Quando teve essa divisão de águas do fim da banda, os caras pegaram pesado com o Nasi pela internet. E o Nasi não usa internet. Nós da banda tínhamos perfis nas redes sociais. "Johnny Boy, dá uma força aí", o Nasi me pediu. Ele pediu pra publicar algumas coisas e começou a desabafar: "Tão falando que eu sou louco, também vai se foder o que eles tão falando, pá pá pá". O Nasi soltou o cachorro. E eu pus na minha comunidade. Ligou o Edgard. "Você é pai de família, bláblábl á". Subentende-se: o Nasi é amigo do Johnny e por isso ele publicou. Mas eu expliquei ao Edgard: "Vocês estão falando que o cara é louco, eu não tenho nada com isso, irmão. Prova que o cara é louco, assume o que você tá falando". Fui testemunhar a favor do Nasi porque sabia da história.

Quem defendeu ardorosamente o vocalista foi o locutor Marco Antonio, da Kiss FM. Fã da banda desde Santos, ele subia a Serra do Mar no início dos anos 80 para assistir aos primeiros shows do Ira! com dinheiro contado para entrar no Lira Paulistana, comer um dog e beber uma Coca, e voltar de ônibus para o Litoral. O locutor da rádio de classic rock paulistana tomou dores e partido de Nasi na briga com a banda que ele idolatrou, e sonha ver de volta ao palco e ao estúdio.

Marco Antonio: Sempre existem três versões para as brigas. Uma de um lado, a outro do outro, e a terceira que é a mais próxima do que aconteceu. Independente de quem tenha tido razão, foi muito pesado o que fizeram com o Nasi. Já passei por isso e sei que a pior dor é a mágoa da punhalada de pessoas que você confiava. Essa dor vira câncer. Entristece. Tira a cor da vida. Naquela época, me coloquei ao lado do Nasi. De um dos caras que me fez gostar de rock. Logo depois ele me ligou quando ficou sabendo do que eu dissera. Rolou uma identidade bem legal.

Dois meses depois, no início de 2008, Marco Antonio, Nasi e Ronaldo Giovanelli (goleiro que mais jogos fez pelo Corinthians e vocalista da banda Ronaldo & os Impedidos, necessariamente nessa ordem) apresentavam nas noites de segunda-feira o programa *90 Minutos*, falando de futebol e rock. Não necessariamente nessa ordem.

Marco Antonio: Foi muito legal fazer o programa com ele. O Nasi manja muito de futebol e também de música. Tem um gosto bem legal, que bate com o meu, especialmente em relação ao punk rock. Ele curte muito The Clash como eu. E acho que deveria fazer mais discotecagem nas noites paulistas. Ele tem um gosto muito apurado. Até para as coisas mais loucas, tipo rap.

Ronaldo: Nós nos conhecemos num show na Brasil 2000 FM, anos antes. Ficamos um tempão batendo papo na coxia. Não consegui mais ficar longe dele. Aprendi demais de música e de vida com o Nasi. Quando abri shows para a banda dele foi uma baita responsabilidade. Ele sabe como dialogar com a plateia. Também aprendi bastante com ele isso. Além, claro, de outras coisas. Na Kiss FM, teve uma noite que chegamos para fazer o programa e só tinha eu, ele e o titio Marco Antonio. Não tinha diretor, nem a produção. Daí o Nasi falou: "Precisamos aproveitar nossa liberdade!": sacou da mochila uma garrafa de Jack Daniels, fumamos dentro do estúdio, e fizemos talvez o programa mais legal da nossa vida. O diretor da rádio ligando direto pro estúdio e ninguém atendia. A única coisa desagradável foi a reunião que tivemos com a chefia no dia seguinte...

58

Corpo **fechado**

Voltando em 1999, no meio da crise da namorada que brigava e era atacada de todos os jeitos pela mãe, pelo meio-irmão (ex-padrasto) e pelo então padrasto (?!), Nasi não sabia o que fazer para protegê-la deste mundo. E de outros.

Nasi: Os olhos da Maysa ficavam negros quando eu não estava por perto. Parecia que minha namorada tinha sido esmurrada na face. Isso era um Egum, um espírito ruim, tuberculoso, mandado para ela por magia negra. Mas meu "anjo da guarda", sei lá o quê, a protegia. Eram coisas que eu sabia empiricamente, então. Quando começou a coisa a ficar ainda pior, quando um espelho de 30 quilos voou pela minha casa, resolvi lidar melhor com isso.

Foi o centro espírita que minimizou o problema. Mas a solução só viria por indicação de amigos. Numa atividade próxima do "umbandomblé". O sincretismo dos sincretismos.

Nasi: Essa mulher que passei a frequentar jogava búzios, jogava carta. Tinha tenda, recebia espírito, fazia gira. Uma mistureba geral. A guia que ela deu para a Maysa colocar debaixo da cama acalmou os problemas que ela tinha. Passei a frequentar o local, na Casa Verde, em São Paulo. Ainda não era uma relação religiosa de minha parte. Eu só me consultava com a entidade que ela incorporava. A cada seis meses eu ia lá. Ou quando precisava de algo. Às vezes eu fechava meu corpo, ou fazia uma oferenda para abrir caminhos. Eu diria que eu tinha mais uma relação profissional que espiritual. Religião, mesmo, é quando você se aprofunda no conhecimento moral. Então, não queria me aprofundar naquilo tudo. Mas já gostava. Levei família, amigos. Até um que estava se perdendo pesado nas drogas. A entidade que ela incorporava deu uma baita bronca nele e avisou: "Se você não tomar jeito vamos dar um susto em você". E nem assim ele se acertou. Um ano depois ele sofreu um puta acidente de carro e, depois do susto de fato, realmente procurou a clínica. Ainda bem que hoje se recuperou.

De 2000 a 2007 Nasi frequentou o espaço. Trabalhava ali com o Exu sete porteiras, que, em outra encarnação, dizia que havia sido um inquisidor católico. A relação com o exu virou "amizade". Nasi levava e ofertava Jack Daniels, charuto cubano. Tudo de ótimo e do melhor.

Nasi: Ela tinha um sítio para fazer os trabalhos e despachos. Funcionava muito bem a umbanda dela, tradicional, com gira. Ela usava ejé (um sacrifício com sangue). Mas um dia ela perdeu o sítio. Daí veio com um conceito de que não precisava mais ejé, que bastavam oferendas com comida seca para os trabalhos... Meu amigo sete porteiras foi ficando diferente. A relação já não era mais a mesma... Não sentia mais aquele axé, aquela energia. Em minha opinião, aquela entidade não estava mais lá.

Nasi também não estava bem. Era o começo do fim do Ira!. O início da briga feia com o irmão e com a banda e que envolveu até o pai. Ele precisava de colo, de apoio. De família. E nem mais o lar espiritual o confortava. Nas leituras que fazia para tentar entender melhor a relação com aquela religião, cada vez mais encantado e afinado com a cultura tradicional iorubá (da Nigéria), encontrou no sacerdote Amaro uma identidade rara. Era hora de trocar. Como é o Nasi, como é rock na roll, nada mais significativo que um pai de santo na Rua Augusta. No Baixo Augusta, zona de liberdades individuais, espirituais e carnais próxima do centro da cidade. Zona da zona.

Nasi: Precisava jogar búzios e conhecer um sacerdote que não soubesse quem eu era. No sítio que eu frequentava, aquela mulher já sabia demais de mim, da família, dos amigos. Para piorar, muitos pais de santo têm essa coisa de "exclusividade", de não poder frequentar outros lugares. Por curiosidade e uma certa inquietação, fui ao Pai Amaro, no final de 2006 e, depois, voltei no comecinho de 2007.

Pai Amaro: Nasi deve ter me visto em uma revista ou algo assim. Veio, falou comigo, joguei o Ifá (jogo divinatório) pra ele e depois ele sumiu.

Nasi: Eu querendo dar um tempo no Ira!. O Pai Amaro não sabia quem eu era. E tudo que ele falou depois de jogar os búzios tinha muito sentido, estava certo. Gostei muito dele. Falou muitas coisas a ver comigo. Acabei me desprendendo da outra mulher. E, depois, ainda, fiquei sabendo mais tarde que ela fez trabalhos contra mim! E a primeira coisa que o Pai Amaro falou comigo foi para eu tomar cuidado na relação que eu tinha com meu irmão.

Pai Amaro: Um bom tempo depois o Nasi retornou e se revelou, disse quem era, o que fazia da vida. "Vim aqui por causa daquele Ifá. Eu gostaria que você desse continuidade ao jogo de búzios e ver o que precisa ser feito". Foi aí que virei babalorixá dele. Nasi é uma pessoa de muita fé e equilíbrio espiritual alto. Quando me conheceu, ele não conhecia tão bem o candomblé do ponto de vista africano. Nos conhecemos em uma época onde as coisas não davam muito certo para mim, e para ele também. Nosso relacionamento teve resultado pra ele e pra mim.

Com o sacerdote Amaro, Nasi fez um Ebori (uma oferenda para a própria cabeça, um agrado para a alma). Ele queria ser independente também religiosamente. Não apenas na carreira. O que teve mais um preço salgado.

Nasi: Quando a relação com meu irmão virou caso de polícia, no final de 2007, a coisa saiu de controle. Foi o momento Harry Potter. O outro lado fazia "vuuuuuuuu" (como se fosse uma magia com os dedos) e eu fazia "vuuuuuuuuuu" (risos). O Amaro começou a receber constantes visitas de policiais. Queriam saber se ele trabalhava com pólvora, se sacrificava animais... Ameaçavam de todos os lados.

Pai Amaro: Nasi não se entrega, não gosta de derrota. Ele não deixa pra lá aquilo que pra ele está errado. O coração dele é enorme, bom, mas tinha um defeito: não sabia se ajudar naquele tempo. Por isso o caminho da espiritualidade, com alguém do lado dele pra isso, o ajudou tanto.

Nasi: Ele foi mais que um pai de santo para mim. Foi o pai que o meu pai não foi naquele período, a partir de 2007. Enquanto meu próprio pai pedia na Justiça a minha interdição, envenenado pelo meu irmão, o Pai Amaro me deu todo o apoio. Ele me deu o caminho para conhecer a religião de um modo mais profundo. Mais que isso: ele me deu o apoio familiar. Quantas vezes não fui dormir na casa dele por medo de uma emboscada? Ele me deu uma família quando eu parecia ter perdido a minha.

Na Páscoa de 2008, Nasi fazia show em Cruz Alta, Rio Grande do Sul. Na Sexta-feira Santa ligou a mulher de Pai Amaro, que tem visões em sonho. Ela disse ter ficado preocupada com um sonho que tivera.

Nasi: Ela disse que tinha me visto cercado de pessoas desconhecidas. Aí vinha um cara forte, gordo, que me apresentava uma mulher. Depois ela não lembrava mais. Mas pedia para eu ficar esperto. Naquela noite fiz o show. Conheci um cara que era a pessoa que ela havia descrito. Ele me arrumara um Jack Daniels para beber. Mas ele era chato. Insistente. Para piorar, os músicos da Reles Pública, a banda que me acompanhava, me contaram que ele enchera o saco deles oferecendo cocaína. Aí fiquei esperto. Ele fez de tudo para me apresentar uma garota de programa. E eu não querendo papo. Acabou o show, entro no meu camarim e ele com a menina. Começou a feder que parecia armação. E eu dizendo que não queria nada, que queria ficar sossegado, na minha... Fiz bem. Quem garante que o cara não poderia ter armado toda uma cena para eu ficar com uma menor, para ela me drogar ou colocar alguma droga comigo só para armar um flagrante?

Ele tomara gosto pelo culto aos Orixás. Queria cada vez mais entender a religião. Aprofundar no conhecimento e nos ritos.

Nasi: Devemos ser mais comedidos ao usar o sincretismo. Antes, no passado, sem justificativa. Hoje, não. Santo é santo, Orixá é Orixá. O Orixá é o seu ancestral. Pai Amaro é um babalorixá, que é um zelador de Orixá. Amaro é uma pessoa que pode iniciar pessoas em Orixás e cuidar deles. Mas não é um babalaô para fazer a iniciação em Ifá. O babalaô é um sacerdote de Ifá, o "pai do segredo", que precisa pelo menos de 16 anos de estudo na África para conhecer todos os 256 odus (signos de predestinação) e seus respectivos orikis (saudações), itans (parábolas), aduras (rezas) e orins (cânticos) de cada um desses 256 odus. Além de saber receitar inúmeros ebós que cada um dos odus indica para o consulente. Não é fácil ser babalaô. É preciso raspar o fundo do tacho.

Uma das entidades que o Pai Amaro recebia era o Caboclo boiadeiro.

Nasi: Naquela época da "guerra civil" familiar, uma vez esse Caboclo incorporou no Amaro e disse que ele, apesar de me ter como um filho, de me ajudar tanto em tudo, não podia mais lidar com essas energias. Aceitei. Mas, como sou teimoso, e estava recebendo muita demanda, digamos assim (risos), tomei conhecimento de um babalorixá que trabalhava e recebia exu Caveira. Ele mesmo dizia que não era um exu, era mesmo um espírito desencarnado. Ele se definia como o espírito de um mago egípcio chamado Sergulath. Um cara que tinha perdido tudo e havia sido assassinado pelo próprio irmão.

A empatia foi imediata.

Nasi: Acabei ficando muito amigo desse espírito, dessa entidade. Até hoje. Ele trabalha lá na Serra da Cantareira, zona norte de São Paulo. Fiquei com ele desde então, em 2009. Fumo um bom charuto, tomo um bom Chivas 12 anos com ele. Nesse período de guerra ele foi uma entidade que teve grande identidade comigo. Sempre que posso vou à casa dele. Converso coisas sobre a vida, sobre o meu futuro. Faz muito bem para mim.

59

Eu só **poderia crer**

O estudo da religião fez com que Nasi quisesse conhecer ainda mais a cultura tradicional iorubá. Foi quando descobriu a obra do sociólogo Síkírù Sàlámì. O Babá King. O Oduduwa Templo dos Orixás em Mongaguá (litoral paulista) era o melhor caminho para a iniciação na opinião de Nasi. É o que King explica ao documentário *Você não sabe quem eu sou*, que conta a vida de Nasi.

Babá King: Nosso templo é dedicado ao culto aos Orixás, ao culto da natureza. Reúne pessoas do mundo todo que gostam da cultura dos Orixás. É o culto da natureza, da água que mata nossa sede. O culto às montanhas, à mãe terra, ao ar que respiramos. É o culto à questão da predestinação que possibilita o encontro dos homens, para que haja procriação e trocas e as possibilidades de melhoras em nossas vidas.

Foi ali, no tempo de Babá King, que Nasi começou a se aprofundar na vida espiritual. Lá era o melhor lugar e modo para se iniciar em Ifá.

Nasi: Eu entendo que Ifá é a divindade acima de Orixá. Seria a "consciência", o "cérebro de Deus". Ifá presencia o momento de nossa encarnação, o destino que escolhemos. Ele conhece o que é bom e ruim na trajetória da nossa existência. Ele te ensina o que te faz bem, as coisas que não fazem. Ele é quem preside todos os jogos divinatórios. Ifá é uma iniciação à parte. É feito com o Ikin (uma noz de palmeira de dendê encontrada apenas na África). O babalaô, manuseando os ikins, descobre qual é a sua predestinação que é manifestada por um odu. Cada um tem o seu. O jogo, digamos assim, descobre qual sua predestinação que é manifestada por um odu. Ele vai oferecer as respostas. São 16 odus principais (odu meji), mais 240 combinações (omó-odu), e cada um deles significa os caminhos da vida de uma pessoa. Todo mundo nasceu sob um odu, mas também estamos sujeitos a um determinado odu nos momentos da nossa vida.

Mal comparando com os signos do zodíaco, seria como uma pessoa que nasce sob um signo e, na vida, vai sofrendo influência de outros signos durante um ano inteiro.

Nasi: Isso tem a ver com o seu nascimento, mas só dá para saber qual é o seu odu consultando o seu oráculo de Ifá. Para saber o odu de nascimento, apenas você se iniciando em Ifá. No final dessa iniciação, o babalaô vai fazer o jogo de Ikin, que vai apresentar o odu que rege a sua vida.

O método com um babalorixá é diferente.

Nasi: Ele vai jogar os 16 búzios que vão dar um determinado odu (de acordo com o número de faces "abertas" de búzios que caem para cima). O babalorixá descobre por intermédio do jogo de merindinlogun (búzios) qual odu está atuando "naquele" momento de sua vida. Ele aponta um possível problema, e receita a solução (ebó). Dentro do odu falam determinados Orixás. O sacerdote é quem decodifica para o consulente o que deu. E o consulente é que precisa ser responsável para fazer o que deve ser feito. O odu nunca é "ruim". O que pode ser boa ou ruim é a situação do consulente. O odu nunca traz problemas.

O odu de Nasi foi dito a ele na iniciação em Ifá no templo de Babá King. O sacerdote disse que ele tinha de se iniciar em Ogum. Ele também tinha de se iniciar em Exu. E Nasi já tinha feito essas duas iniciações anteriormente. Ele já tinha noção de quais eram seus Orixás.

Nasi: Babá King me aconselhou, assim como a todos, primeiro fazer a iniciação em Ifá. Como sou teimoso, e sempre tive uma relação grande com Ogum e Exu, eu pedi para que primeiro fizesse a iniciação nesses Orixás. Babá King aceitou. E não é que Ifá, depois, me disse que eu deveria mesmo fazer as iniciações nesses dois Orixás, além de outras, também?

A iniciação em Ifá deu nome a Nasi: Ogungbemi. O que significa "Ogum me dá força, Ogum me sustenta". Algumas características arquetípicas são muito próximas entre Ogum e Exu.

Nasi: No Brasil, infelizmente, acabaram estigmatizando o Exu. Propositalmente, por conta de uma catequese cristã, ele foi associado ao diabo. A cultura religiosa iorubá não pressupõe a existência do inferno, do diabo e do pecado. O bem e o mal coexistem. Como Exu corresponde ao movimento, à sexualidade, logo foi associado a esse conceito judaico-cristão.

Exu foi a primeira estrela criada do Universo, o primeiro Orixá a ser criado por Eledumare (Deus). Ogum é o Orixá desbravador que esteve à frente com Obatalá na criação do mundo. Ele forjou o ferro e toda a espécie de tecnologia para o desenvolvimento da cultura humana.

Nasi: Embora eu seja um cazzo de filho de Ogum que não usa computador, nem internet e não sabe dirigir carro (risos). Mas que sabe usar a espada de Ogum... E sempre estive à frente dos movimentos musicais que participei, como o rock, o punk e a rap.

Uma série de recomendações são feitas na iniciação em Ifá. Conhecimentos que podem ser usados para uma série de situações. Eles devem ser seguidos para deixar a vida mais equilibrada, harmonizada com seu tempo, ambiente e pessoas. Para fazer com que as coisas negativas do destino de cada um sejam neutralizadas e para facilitar a conquista das coisas boas. As recomendações devem ser seguidas para não tirar o axé do iniciado.

Nasi: Dá para definir o axé como a força vital, a energia vital. Aquele algo mais que você tem, aquela força espiritual ou física que te dá mais alguma coisa. Todo mundo tem. Uns mais, outros menos. Você pode perder axé ou pode ganhar axé. Por exemplo: uma pessoa deprimida é sem axé; uma pessoa com brilho nos olhos ou a faca nos dentes é uma pessoa com axé. Manter seu axé em dia para enfrentar as batalhas da vida é um dos motivos que levam você a cultuar seu Orixá. Outro motivo do culto é ajudar a pessoa a ser melhor, a fazer coisas melhores. A ter mais autoestima, autoconfiança e determinação. Como diz o Babá King, com a iniciação em Ifá o devoto renasce para uma vida melhor. Ele é abençoado com o que não tem, mas também precisa trabalhar com o que tem.

Ser teimoso era um problema para Nasi. Ele precisava aprender a deixar de ser tão insistente. Também foi aconselhado a abusar da generosidade. Ela lhe traria mais sorte. Algo que aprendeu ao cultuar seus Orixás. "Fazendo o humanamente possível, o Orixá lhe confere o que ele julga impossível", no ensinamento de Babá King. Algo que o vocalista entendeu com um medo danado de que fosse preciso fazer outras coisas.

Nasi: Você precisa seguir o que é determinado. Morria de medo de dar um ewo (proibição) dentro das determinações de meu odu. Algo que eu não pudesse mais fazer e que eu gostasse muito. Um ewo recorrente é "não beber mais". Imagine? (risos). Estaria perdido! Mas foi ainda melhor. Além de poder beber, eu ainda preciso pagar a bebida dos outros. Não alcoolizar a galera, mas repartir com ela a bebida. É tudo por minha conta! Pode deixar! (risos). Na verdade, essa é uma recomendação de generosidade dentro de um ambiente. Quando os africanos falam "pague a bebida dos outros", eles querem dizer para que sejamos bons anfitriões. Mas não significa que eu tivesse de patrocinar a esbórnia. Não é isso (risos). Meu odu recomendou, como se fosse o Ministério da Saúde, para "apreciar com moderação" (risos).

Outras situações de comportamento, comidas, vestuário são recomendadas ou advertidas como interdições (ewos). Objetos, hábitos e ações que tiram a sorte e a proteção espiritual. Um ewo muito comum que ele temia era a recomendação de não poderia mais entrar no mar.

Nasi: Ainda bem que não teve nada disso. Eu iria apanhar pra caralho se não pudesse mais cair na água e não pudesse mais beber. Mas eu iria cumprir isso à risca. Levo as coisas muito a sério. Agradeci muito a Deus que nada disso me foi proibido.

Mas importante, mesmo, para Nasi, foi controlar a teimosia. Algo que, por definição, um teimoso não aceita ter. Por birra.

Nasi: Quer coisa mais difícil do que deixar de ser teimoso? Primeiro por teimar que não sou teimoso, apenas muito determinado. Apenas isso... (risos). Com a iniciação em Ifá, você passa a ter mais responsabilidade moral. Você passa a ter uma energia mais divina. Precisa prestar mais atenção se dá uma porrada, se joga uma praga em alguém.

Ele aprendeu também um ensinamento básico com Babá King. Não deixou tudo nas mãos dos Orixás e dos sacerdotes. Tratou de dar um jeito nele mesmo. Aprendeu a ter força para se cuidar e se guiar por um caminho melhor. Conhecendo os próprios limites, respeitando os dos outros. Babá King ajudou Nasi a lidar com as coisas negativas da vida. Incentivou o estudo da cultura iorubá, oriunda da Nigéria.

Nasi: Sou iniciado em culto de Ifá. Mas é bom ressaltar que sou omo-Ifá, iniciado para cultuar Ifá, e não para ser um sacerdote de Ifá, cujo nome certo é awo-Ifá. A iniciação em Ifá acontece em alguns dias em que ficamos internos no templo passando por vários rituais que envolvem banhos, sacrifícios, pinturas e outros processos. Todos ministrados e rezados pelo babalaô e as Yanifas (sacerdotisas de Ifá). Eu recomendo muito ser feito. Essa iniciação é que diz qual o seu odu. Vai te guiar na predestinação para determinadas coisas, entre as boas e as más. O próprio odu diz quais os Orixás que você precisa se iniciar. Todos eles têm algo a dizer a você, a acrescentar. Na cultura tradicional iorubá, tem um Orixá que fala mais com você. Ou que pertence à sua ancestralidade. Ele e os demais vão fazer você uma pessoa melhor. Ajudam a enfrentar as dificuldades da vida. Eles me ajudam a conter o meu lado mais genioso, briguento, teimoso etc.

O culto aos Orixás mudou a vida de Nasi. Ele passou a consultar Ifá, mas não para tudo. Apenas para as coisas mais importantes.

Nasi: Foi um divisor de águas para eu entrar de cabeça. Eu queria fazer parte deste Egbe, desta comunidade espiritual, que é muito mais que um terreiro de santo. Converso, dialogo com meu Orixá. Tenho sacerdotes maravilhosos para cuidar de mim. Quando o Babá King não está por perto, faço com outros sacerdotes que confio pela integridade e conhecimento. Como Pai Orlando D´Ogum Dimoloko e Pai Ari de Xangô.

Babá King: O Nasi é um brasileiro autêntico. Ele consegue buscar as suas crenças pela autoconfiança que tem. É um sujeito perseverante, assíduo, que consegue enxergar toda a beleza da cultura dos Orixás. O Nasi é um apaixonado pelos Orixás. Ele teve vários tombos na vida. O culto ensina como se levantar quando a gente escorrega e cai. Temos como mudar a vida. Temos sempre a capacidade de refazer nossas histórias. O culto aos Orixás é um culto de evolução, de maturidade, de superação das dificuldades, de reconciliação.

King o influenciou a fazer também a iniciação em Oxum. Por conta da força da relação entre Ogum e Exu.

Nasi: É ferro e fogo. É muito quente! Ogum é ferro, e Exu é o fogo. Eu precisava de Oxum para jogar água nessa lava toda. Oxum é água, é amor, é calma, é jogo de cintura, é prosperidade, é beleza. Fui iniciado em Oxum em 8 de fevereiro de 2010. Por coincidência, no dia que os cultos afrobrasileiros saúdam Oxum. Alguns afrobrasileiros me identificavam como Xoroquê. Uma mistura de Ogum e Exu. Mas aprendi que sou mesmo omo-Exu – filho de Exu. Também sou Omo-Ogum, filho de Ogum. Orixás diferentes, mas com algumas coisas em comum.

O nome que Nasi recebeu de Ogum é Oguntumbi: "Renascido graças a Ogum". Iniciação no Orixá feita em dezembro de 2009.

Nasi: Tornei-me um novo homem graças a Ogum. Me foi dado um assentamento de Ogum e de Exu. O lugar onde eles moram. Onde devo cultuar, fazer meus agradecimentos, meus pedidos. Tenho Ogum internamente. Tenho Ogum externamente. Como filho desse Orixá, "eu também sou Ogum, e Ogum sou eu". Posso falar desse jeito. O casamento de Ogum e de Exu é perfeito em minha vida.

O entusiasmo espiritual de Nasi é o maior da vida dele. Não encontrou nada parecido na Igreja Católica, onde foi criado, no espiritismo do pai, no ateísmo da faculdade, na rebeldia do rock.

Nasi: Recaí na maconha em 2001. Com o Pai Amaro, em 2007, comecei a sacar que não deveria mais mexer com a maconha, que ela tirava meu foco. Até porque, nos últimos anos, saquei que ela fazia parte de um ciclo vicioso, de uma cadeia alimentar que vive do crime. A maconha tem sangue agora, não é mais aquela coisa rebelde e até inocente de antigamente. Se vou ter contato com o divino que existe em mim, preciso ter uma conduta moral ao menos um pouco melhor.

Ele só lamenta que mais filhos de Orixá não abram o jogo mais claramente. Músicos da MPB. Jogadores de futebol. Políticos.

Nasi: Tenho muito orgulho da comunidade. Ela ajuda em festas populares, faz vários trabalhos sociais, fala uma palavra bacana, ensina como olhar o problema interno em vez de criticar o próximo... Gente que tenta melhorar a pessoa por dentro em vez de mudar o mundo.

Ele sabe que não foi, não é, e jamais será santo.

Nasi: Imagino as divindades como semelhantes a nós, com qualidades e limites iguais à gente. Assim que entendo o universo espiritual. Não posso mais me enganar. Não sou santo. Mas posso melhorar. E muito. Mais importante que fazer um ebó ou cultuar um Orixá é mostrar que Ogum pode te trazer a coragem, que Ifá pode te trazer a honestidade. Que Ifá não mente. E não vou mais mentir para mim.

Ele pode até se trapacear, mas Nasi é um cara melhor. Uma pessoa melhor. Mais madura. Mais confiante – não arrogante. Mais humana. E que saca melhor as próprias limitações, e enxerga as dos outros.

Nasi: Meus erros do passado, a ligação com drogas, a violência, tudo fez parte de uma descida ao inferno que é importante. Não que a gente precise abraçar o diabo. Minha religião não é maniqueísta, não acredita que precisa existir um demônio. Mas, às vezes, é preciso ir ao inferno para dar valor ao paraíso.

A oração "poder superior me conceda a coragem para mudar as coisas que eu possa mudar, a paciência para aceitar as coisas que eu não possa mudar, e a sabedoria para distinguir uma coisa da outra" é "perfeita" para Nasi. Na oração evocação a Ifá, o texto "é" para Nasi: "Exu, proteja-me para eu não perder a paciência/ Exu, proteja-me para que as pessoas não percam a paciência comigo".

60

Nós vamos ficar **juntos de vez**

A teimosia, ou "excesso de determinação", é um dos problemas da vida de Nasi. Mantra que fez de 2011-2012 uma das melhores fases em 50 anos.

Nasi: Não fossem as sequelas de brigas com a família e com o Ira! e as questões judiciais, é sem dúvida a melhor parte da minha vida. Só um pouquinho de paciência que caiu na minha vida já faz tanta diferença... Meu novo amor, na verdade, é um velho relacionamento. Eu e Elizabeth nos separamos em 2007, naquele turbilhão. Fui pra guerra e não queria levar minha família. Virei o Wolverine como nunca. A gente nunca mais se viu. Mas, quando nos reencontramos, no começo de 2012, em menos de 24 horas foi outra coisa. Ela me viu sem medo. Disse que eu estava diferente. Que eu era uma nova pessoa. Um homem melhor. Um namorado melhor.

Um caso de amor "antecipado" na letra de *Eu não me canso de dizer*, do disco solo de 2006: *Pode não ter lógica /Pode não ter senso / Pode não ter volta / Pode não ter jeito / Pode não ter tempo / Pode não ter preço / E daí se ninguém acredita!? / E daí o que pensam da gente!? / Se é verdade ou mentira!? / Nós vamos ficar juntos de vez.*

Foram cinco anos sem contato. Elizabeth não queria papo. Nem música, nem clipe. Quanto tocava Ira! ou Nasi no rádio, trocava de emissora. Zapeava para outro canal na TV. Nasi queria revê-la nesses cinco anos. Tentou o contato. Ela abominava a ideia e, principalmente, estava detestando Nasi. Ele respondia à falta de resposta com a agressividade habitual. A secretária eletrônica era mais uma vez testemunha.

Elizabeth: No final de 2011, comecei a perceber que eu abominava demais a ideia de ver, ouvir e pensar nele. Sinal de que havia algo ali. A existência do Nasi me incomodava tanto. Fosse outro, nem dava bola, seguia em frente, mas aquilo estava me consumindo. A gente precisava conversar. Não foi nada planejado. Foi algo de sentimento de minha parte. Eu tinha uma percepção afetiva por ele. Achava que lá no fundo existia algo.

Em dezembro de 2011, Elizabeth ligou para Nasi. Imaginava receber as patadas usuais do ex-namorado. Foi atendida por uma pessoa mais atenciosa, com uma conversa "raciocínio com começo, meio e fim". Papo que a surpreendeu.

Elizabeth: Falamos por quase um mês até, enfim, a gente se encontrar, em janeiro de 2012. Parecia que não havíamos nos separado por cinco anos. Temos uma cumplicidade muito forte. A gente se completa. Tenho uma admiração e respeito por ele enormes. E, agora, encontrei um homem na maturidade. Muito mais equilibrado. Um homem que me ajuda demais. Muito mais do que eu imaginava que estaria o ajudando.

É outra pessoa. Mesmo.

Elizabeth: Como todo artista, ele levava essa vida de palco para dentro da vida dele. Hoje eu conheço o Marcos que sempre achei que estava dentro do personagem Nasi. Sempre imaginei que encontraria uma pessoa boa ali dentro daquela armadura. Ele queria ser um "homem mau" para não se descobrir como o homem bom que ele é. Essa casca que ele tem é a defesa dele contra o mundo. Estou muito feliz de enxergar que eu estava certa. No palco, no disco, na TV, ele continua o grande Nasi, mas ainda melhor, mais profissional. Também porque, agora, o Nasi e o Marcos convivem numa boa juntos. Ele tinha uma dificuldade enorme de superar as personagens. Ele viveu muito mais tempo o roqueiro do que o cara sensível, coerente, justo, honesto e sincero que é. Ele foi muito mais Nasi do que Marcos. Pior ainda: ele foi ainda mais Wolverine do que Nasi.

Virou santo?

Elizabeth: Ele nunca foi e não é bonzinho. Não é uma pessoa que diz "sim" para tudo e para todos. Mas, agora, ele consegue enxergar o outro lado. É outra pessoa. Parece que, nesses cinco anos, trocaram a pilha, o chip, não sei (risos). Às vezes dou uma checada para ver se é o mesmo homem. A nossa ruptura em 2007 ajudou. Não termos ficado amigos depois, também. Se a gente não tivesse cortado radicalmente a relação, certamente não estaríamos juntos novamente.

A guinada espiritual e religiosa o ajudou demais.

Elizabeth: Sou uma pessoa muito cética. Mas é inegável que o culto aos Orixás o mudou para muito melhor. Fiz questão de agradecer ao Babá King pela mudança radical na vida do Nasi. Ele se redescobriu a partir de então. A vida acabou dando uma segunda chance a ele. Para não dizer mais uma entre tantas. Até na profissão ele é cada vez mais empresário sem deixar de ser tão artista. Ele precisa agradecer a cada dia a nova vida que está levando. É um pai melhor, com uma relação mais afetiva com as meninas.

A religião também o ajudou a se dar melhor com as duas filhas. Carolina nasceu em 27 de julho de 1988. Um dia antes de a mãe de Nasi entrar no coma irreversível que a levaria à morte.

Ela é filha de um relacionamento que ele teve em Jundiaí, interior paulista, onde a menina, hoje formada em fisioterapia, cursa também gestão ambiental.

Nasi: Até alguns anos atrás, meu relacionamento com a minha filha Carolina era um pouco distante. Mas melhorou muito. Agradeço aos Orixás por isso. Depois que passou a guerra (com o Ira!), pudemos nos falar. Trocamos torpedos, falamos bastante. As últimas férias ela tem passado comigo. De 2011 para 2012 ficamos um mês juntos. Pela primeira vez com a irmã menor dela.

Melody é a caçula de Nasi. A mãe era assessora de imprensa de uma apresentação do Ira! em Caxias do Sul. Ela mora em Florianópolis, onde nasceu a menina, em 19 de março de 1989.

Em menos de nove meses vieram duas filhas para Nasi. Uma paulista, outra catarinense. Carolina e Melody.

Nasi: Ela está cursando Letras/Alemão. Melody é apaixonada por dança. Faz flamenco e também dança do ventre. É muito bonita, como a Carolina. As duas são as únicas provas vivas de que fui um homem bonito (risos).

O relacionamento com o pai é o melhor em 23 anos de Melody. As últimas duas férias de verão foram na casa de Nasi, perto de Trancoso, na Bahia.

Ronaldo: O que está ajudando o Nasi a ser uma pessoa melhor é a paixão que ele tem pela família, pelas filhas. Ele teve de abdicar por muito tempo dessa relação. Mas, agora, está resgatando esses valores. Reativou os laços com a família, tem um carinho enorme por ela, e ainda reencontrou a mulher que ele ama.

Nasi: A paciência que aprendi a lidar com a minha orientação religiosa me ajuda demais nos novos relacionamentos. Sou mais tolerante. Entendo melhor as coisas. Babá King me orientou a me relacionar melhor com os ancestrais. Não devemos deixar em aberto problemas. Talvez nunca tenhamos outras chances nesta vida para apaziguar situações.

Ele havia perdido o telefone do pai que queria interditá-lo por influência do irmão empresário Junior. Mas, em 19 de outubro de 2011, o tio Carlos, irmão de Airton, fez a ponte. Nasi e o tio foram ao sítio onde o pai vive, em Itapeva, sul de Minas. Uma das pessoas que o levou ao reencontro foi o Pai Orlando. Um dos sacerdotes com quem Nasi melhor se dá. Com quem conversa muito, bebe vinho, troca experiências.

Pai Orlando: Eu o convenci a visitar o pai, conversar com ele. Nasi entendeu a questão da hereditariedade e a importância de se dar bem com os ancestrais. Conseguiu superar essa questão.

Marquinhos e Airton falaram muito sobre política e futebol. Aproveitaram para falar mal de um legado de pai para filho. O amor pelo São Paulo Futebol Clube. Clube que o velho Airton se apaixonara ao chegar à cidade e vê-lo campeão estadual em 1957, com o gênio Zizinho no meio-campo.

Nasi: A fase ruim do Tricolor facilitou a compreensão entre nós. Estávamos putos com o time e isso facilitou o papo. Meu tio deu um tempo naquele dia e nos deixou sozinhos. Expliquei ao meu pai que ainda o estou processando por danos morais. Mas não é uma ação necessariamente contra ele. É, sim, contra o Junior, que o envenenou contra mim. Claro que meu pai lamentou muito tudo aquilo. Mas senti que foi bom a gente ter se visto, conversado... Tomei um remédio amargo e voltei com o espírito mais leve. Desde então temos conversado melhor.

O doutor Rodney Carvalho, advogado que cuida dos não poucos pepinos de Nasi, explicou a situação jurídica no começo de 2012.

Dr. Rodney: Das cinco queixas-crimes contra ele, todas movidas pelo irmão e a maioria o acusando de difamação por conta de acusações feitas em revistas ou programas de TV, nós temos duas pendentes de julgamento. Mas o Nasi está confortável em todas. Ele foi preciso nos depoimentos ao longo de todos os processos. Sempre deixou claro para a Justiça que nunca quis cometer o crime de injúria.

Pai Orlando: Quando ele voltou desse encontro no interior, veio aqui me contar e foi a primeira vez que vi o Nasi chorar. Naquele momento, eu vi que tinha se curado, curado sua alma. Eu tenho certeza que ele voltará a falar e se dar bem inclusive com o seu irmão.

Nasi voltou satisfeito do encontro com o pai em Itapeva naquele 19 de outubro. O pai também ficou muito feliz. Tanto que ligou para o caçula para falar. E também dar os parabéns para Junior. Era aniversário do filho mais moço. Justo no dia em que Nasi resolvera visitar o pai em Minas. Não era estratégia, nem picuinha. Era o acaso. Nasi não liga para datas. Nunca ligou para dar parabéns para o caçula. Tem dificuldades para lembrar o aniversário das filhas.

Mas naquele dia estava começando a resolver algo que parecia não ter solução. Só faltava a data certa.

61

Valadão x **Valadão**

Pai Orlando tinha razão. Babá King havia feito a cabeça de Nasi para abrir o coração e tentar resolver as questões com Junior.

Nasi: Ele sempre insistia muito comigo, dizia que faria um grande bem espiritual eu reatar com meu irmão. No papo que tive com meu pai, em outubro de 2011, avisei a ele que estaria disposto a conversar com o Junior. Que gostaria de encerrar os processos (os dois que eu tinha contra ele, e os cinco que ele tinha contra mim), cada um arcando com os honorários dos próprios advogados. Depois encontrei alguns parentes meus e passei o mesmo recado. Eu queria conversar com o Junior. Acabar com tudo aquilo que tirava a nossa saúde, dinheiro e axé. A gente sempre achou, no fundo, que poderia dar um fim nisso tudo.

Em julho de 2010 quase a questão havia sido resolvida. Mas por terceiros. Desentendimento de Junior com um dos advogados melou o acordo entre as partes na Justiça. Faltava um reencontro pessoal. Eles apenas haviam se visto em duas audiências, desde a briga de 8 de setembro de 2007. Numa delas, antes de entrar no tribunal, Junior perguntou se estava "tudo bem". Nasi respondeu ríspido. Não queria papo.

Não conversaram mais. Nem se viram. Até 16 de junho de 2012.

Junior: Minha tia Ester, cunhada da minha mãe, sempre tentou fazer o meio-campo entre os irmãos. Ela e o filho dela, o meu primo Ângelo. Ele simboliza bem o nome. Foi um anjo nessa história toda. A gente tem apenas três meses de diferença de idade. Crescemos junto. Sempre foi meu parceiro para tudo. Todo mundo gosta dele na família. O Marcos também. Foi quando ele ligou pro Ângelo que tudo começou a dar certo, uns quatro dias antes de a gente se reencontrar depois dos piores cinco anos de minha vida.

Sábado, 16 de junho, 13h40. Junior ligou para o primo Ângelo. Estava pensando em conversar com Marcos – para Airton Junior, não tem "Nasi", nem Marquinhos, apenas Marcos, o irmão mais velho.

Junior: Falei pro Ângelo: "Cara, andei pensando naquele papo do Marcos... Quero falar com ele. Só que tem de ser agora". Eu não queria dar tempo para ele pensar. Pensei: "Quero pegar o cara no contrapé". Não quero que o Marcos tenha tempo para falar com advogados, que vão sugerir um monte de coisas pra ele... Também queria encontrar com ele num parque, em um lugar público. Sem correr risco de vida.

O caçula não conseguiu terminar a frase. Ângelo falou para Junior dar "dois minutos" que ele ligava de volta.

Junior: Ele me ligou em cinco minutos. Ângelo disse que ligara para o Marcos e que ele estava saindo para almoçar com a namorada e que, lá pelas quatro da tarde, eles conversariam. E que ele queria combinar melhor pelo telefone o encontro.

O caçula ligou para o mais velho. Foi bem atendido pelo celular. Mas ambos ainda muito travados. Nasi propôs o reencontro na casa dele. Junior ficou com os dois pés atrás.

Junior: A última vez que eu havia estado lá, quase cinco anos antes, eu tinha sido recebido com uma cabeçada de cumprimento do meu irmão... Mas agora o Marcos falou que estava desarmado, que não tinha mais nada... E eu topei. Ele só disse que iria almoçar e que na volta eles se encontrariam, quase duas horas depois.

Não deu cinco minutos. Nasi telefonou para o irmão. Não tinha cabeça para almoçar. Precisava vê-lo o quanto antes.

Junior: Saí do meu restaurante e fui pra casa do Marcos. Mas bem devagarzinho, pensando no que falar, como falar. Estava chorando. Quase bati o carro de tão emotivo que estava.

Três da tarde. Junior chegou à casa do irmão. Embicou o carro na mesma portaria do condomínio onde, em 8 de setembro de 2007, brigara com Nasi, terminando por tabela com o Ira!, e iniciando uma batalha jurídica fratricida. O porteiro pediu o nome. Ele se apresentou como irmão de Nasi. E ficou esperando o portão se abrir.

Junior: Achei que o meu irmão estivesse em casa. Mas ele estava fora quando falou comigo pelo celular. Quando vi o portão do condomínio abrindo, entrei com o carro, achei que era para mim. Mas o porteiro estava apenas deixando sair um outro veículo. Para facilitar, então, fiz uma manobra e estacionei na garagem do Marcos, de ré. Nisso, vi que o faxineiro estava me olhando meio torto. Ele era funcionário antigo do condomínio. Sabia quem eu era. E estava trabalhando naquela manhã de sábado de 2007...

O porteiro e o faxineiro foram conversar com Junior. Ressabiados, pediram para ele voltar para dentro do carro, tirá-lo da garagem, e aguardar a chegada de Nasi fora do condomínio. Junior disse que iria ligar para o dono da casa para explicar a situação. Mas o celular ficara dentro do carro. O caçula temia que o irmão imaginasse alguma coisa se visse o telefone ligado. Por isso já o deixara longe da mão.

Junior: Parecia que eu estava falando com policiais numa batida! Eu tinha que explicar cada movimento meu para os funcionários: que eu iria abrir a porta, pegar o celular em cima do banco... E o celular demorou para ligar. Parecia uma eternidade! Os dois funcionários com aquela cara de desconfiados, e com razão. Também porque eu estava com o mesmo carro que havia usado em 2007. Uma perua grande, preta. Parece um rabecão. Eles devem ter pensado: "O irmão dele vai levar o Nasi nesse rabecão!". (risos). Ainda bem que o Marcos chegou quando eu, enfim, consegui ligar o aparelho e explicou toda a situação.

Nasi: O meu porteiro deve ter se imaginado dentro daquele filme, *O feitiço do tempo* (risos), quando tudo se repete. Era tudo igual, mas o ânimo era outro. Graças a Deus não era mais aquele ambiente de setembro de 2007. Eu sempre imaginava que eu e meu irmão poderíamos voltar a ter um relacionamento. Não só falar de trabalho, de música. Voltar a nos falar como irmãos.

Junior: Em 2007 aconteceu tudo errado, na hora errada, do jeito errado. Teria sido melhor para todos se eu não tivesse ido naquela manhã para a casa do Marcos. Mas do jeito que as coisas estavam, uma hora a casa iria cair, a banda iria acabar. Do mesmo jeito que agora tudo se acertou depois daquelas nove horas de papo com meu irmão naquele 16 de junho.

Não havia mais rancor. Nem pedido de justiça. Não teve balanço de contas na conversa na casa de Nasi. Quem errou, quem acertou... Apenas um diálogo adulto. Entre dois que se conheceram meninos.

Nasi: A primeira conclusão que tivemos é que escolhemos o pior inimigo para brigar. Sofremos muito. Sacamos que a falta de diálogo levou àquilo. Além do momento que vivíamos em 2007: meu esgotamento com os outros membros da banda, minha falta de perspectiva profissional... O Junior tendo que administrar tudo isso no final de tudo... Ele era o quinto Ira!. Ele foi o responsável pela banda ter sobrevivido nos últimos anos. O Junior foi um excelente profissional para administrar nossas crises. O erro no final do Ira! foi dos quatro músicos. Não dele. Deixamos tudo na mão do Junior, inclusive o que nós deveríamos ter feito muito antes. Nós quatro levamos a banda na banguela nos últimos tempos. Ele sofreu demais com isso. O Junior realmente gostava do Ira!. Antes de trabalhar com a gente, ele era um fã da banda. Ele tentou remediar, mas não teve jeito. Eu tive de fazer o serviço sujo, de ter de acabar com o que já estava acabado. Os outros três não fizeram isso por preguiça.

Junior: Eu tinha 14 anos e ia com meu primo Ângelo para os primeiros shows do Ira!. Não tinha nem exclamação ainda. Minha mãe tinha de ir junto para que a gente pudesse entrar no Radar Tantã, no Centro Cultural São Paulo... Eu amava a banda. Nos 20 anos que trabalhamos juntos, eu briguei muito por ela. Eu e o Marcos somos muito parecidos em algumas coisas. Uma delas é comprar as brigas dos outros. Foi o que fiz com o Ira!. Várias vezes evitei que ela acabasse por problemas internos. Mas eu e meu irmão nunca brigamos de fato. Até aquele dia.

O acirramento da relação entre os irmãos também se deveu aos conselhos dos advogados dos dois lados. Poucos tentaram fazer o meio-campo. Quase sempre a intenção era bélica. Quando não econômica.

Junior: Muita coisa que fizemos e erramos nesse processo todo foi por orientação dos advogados. Aquele lance do pedido de interdição judicial do Marcos, por exemplo, foi um caso típico. Foi uma violência. Algo que eu, papai, toda a banda decidimos porque achávamos que ele estava alterado naquele momento, logo depois da briga. Mas foi um erro jurídico.

Nasi: O doutor Célio Almada Neto me ajudou muito todo esse tempo. Ele sempre quis uma solução conversada entre nós. É o que deveríamos ter feito antes. Acabamos eu e meu irmão pagando um preço muito caro, e não apenas para os advogados. O Junior acabou largando a música por desgosto com tudo aquilo.

Rick Bonadio: O Junior eu conhecia do mercado antes de conhecer os caras da banda, na gravação do *Acústico MTV*. Sempre foi um cara muito sério, muito respeitado no meio musical, honesto pra caramba. Ele trabalhava com vários artistas: Jorge Benjor, Arnaldo Antunes, Guilherme Arantes, Renato Teixeira, Palavra Cantada... Nunca entendi o porquê da briga dele com o Nasi. Todo mundo sempre teve uma visão ótima do Junior. Mas talvez algo possa ter acontecido por conta da personalidade muito forte dele. Ele tem a mesma pegada do Nasi. Só é um pouco mais centrado, mais controlado. Talvez mais controlador. O que também foi bom para administrar os egos, as vaidades e os problemas internos do Ira!. Ele sabia como lidar com os caras, o jeito de falar com eles, o momento certo para isso. O Junior foi fundamental para o sucesso do *Acústico MTV*. O Nasi fez a parte dele como artista para o projeto decolar, e o Junior cuidou do lado operacional.

Os irmãos se reencontraram às três da tarde de 16 de junho de 2012. Apertaram as mãos, tomaram café juntos, e o mais velho achou o caçula mais gordinho. Junior preferiu não comentar o visual mais "fortinho" do mais velho. Sete horas depois, ainda em casa, o vocalista ligou para a namorada Elizabeth. Ele queria que ela ouvisse o que ele sempre achou.

Nasi: Fiz questão de juntar a Elizabeth e o Junior para que ouvissem da minha boca algo que sempre achei. Não foi o final do meu relacionamento com ela e a briga que tive com meu irmão que acabaram com o Ira!. Eles não merecem carregar esse peso. Eles podem ter sido o estopim da implosão. Mas nós quatro, eu, Edgard, Gaspa e André, é que realmente terminamos com o Ira!. O Junior e a Elizabeth jamais podem ser responsabilizados por isso. Foi um erro da banda, não deles. Foram vários erros do Ira!, não do empresário.

Além de Elizabeth, naquela hora do sábado da reconciliação, era preciso avisar Ângelo, o arauto da boa nova.

Junior: Ele estava sabendo de tudo até eu ter chegado à casa do Marcos. Eu esquecera o celular dentro do carro. Nem minha mulher e minha filha sabiam do encontro. Só o Ângelo sabia. E ele estava ansioso. Preocupado. Ligou 50 vezes em sete horas. Achou que talvez eu saísse dentro de algumas malas da casa do meu irmão... (risos).

Tudo foi se acertando. Até a posse da marca Ira! para Nasi.

Junior: Se tem um cara que merece ficar com esse direito é o meu irmão. Ele e o Edgard. Os outros dois não deram o nome da banda, chegaram depois. Cheguei a ligar para comunicar isso ao André, que recebeu numa boa. O Gaspa nem precisei ligar, ele não liga pra isso. O Edgard também não viu problemas em que o direito de uso da marca ficasse com o Marcos. Como está agora.

Meia-noite, nove horas depois do reencontro após quase cinco anos, Junior e Nasi se despediram. Na manhã seguinte, o dono da casa do reencontro ligou para um dos autores da biografia. Exultante, pediu para incluir este capítulo num livro que já estava finalizado. Desde então, Marcos e Airton Junior se falam diariamente para encerrar as questões jurídicas e recomeçar a amizade familiar. Desde sempre continuam os mesmos irmãos que parecem amar brigar, mas que agora parecem brigar por tudo e contra todos para continuarem juntos.

62

Um feliz aniversário. **Para mim e para você**

Desde 23 de janeiro de 1962, poucas vezes na vida de Nasi o Universo conspirou tão positivamente para a solução de conflitos. Filhas. Pai. Mulher. Irmão. Quase tudo resolvido. E o Ira!? Tem conversa? Tem jeito?

Nasi: Um dia, quem sabe, reencontro o Edgard... Mas essas são coisas do futebol e do rock and roll. Eu e o Edgard fomos mais ou menos como Mick Jagger & Keith Richards dos Rolling Stones. Mas muito mais como Pete Townshend e Roger Daltrey do The Who. O Pete também concentrava as composições e achava que o Roger era o vocalista ideal para elas. O Roger Daltrey também era mais briguento, e o Pete Townshend, o guitar-hero mais controlador. Também temos muito a ver com The Clash.

Algo a dizer a Edgard Scandurra?

Nasi: Boa sorte na sua caminhada. Afinal, você é o mentor da nossa separação. Espero que você encontre a felicidade e a realização que você procura.

Alguma mensagem para André Jung?

Nasi (depois de oito segundos pensando): Do pó vieste, ao pó retornarás. (Mais uma longa pausa.) Eu fui o cara que o colocou no Ira! depois de ele ser demitido dos Titãs. Ele não encontraria banda ou emprego fácil. Coloquei-o contra a vontade do Edgard e do Gaspa. Até o último disco o Edgard vivia me culpando por eu ter escolhido o nosso baterista... E foi ele justamente o primeiro cara a me enfiar a faca nas costas, quando a banda acabou. Esse cara pra mim é um morto-vivo. Pra mim já morreu.

Se encontrasse o Gaspa, o que diria a ele?

Nasi: Vamos fazer um som juntos? Vamos compor uma música? A gente ficou um tempão sem se falar depois que ele desistiu de ser minha testemunha numa das audiências na Justiça. Ele então saiu da banda, eu deixei um recado maleducado para ele no celular (por ele ter avisado apenas para o meu guitarrista, não ter falado mais comigo). Depois falamos algumas vezes por torpedos. Trocamos mensagens por amigos em comum. Gravei um disco com duas músicas dele. Mandei as pré-mixagens e ele adorou. Convidei para alguns shows meus, ele disse que ia, mas acabou não aparecendo. Mas minhas portas estão sempre superabertas para ele, apesar de ter me decepcionado com aquela recusa de ser minha testemunha. Não mudou o carinho que tenho por ele e pela família. Sou padrinho do filho dele. Espero que, no futuro, a gente tenha o contato restabelecido. Não restou sequela alguma de minha parte. Não alterou a impressão que tenho do caráter dele.

O mergulho espiritual de Nasi nos últimos anos o ajudou a corrigir os muitos defeitos que tem. Ele quer ser uma pessoa mais vigilante. Para isso pede para os Orixás o apoiarem nas iniciativas que ele precisa ter. Para que lancem luzes para as coisas que ele precisa fazer.

Pai Amaro: A parte espiritual de uma pessoa não é fabricada e nem existe estudo ou faculdade pra isso. Existe uma missão, e ela já vem com você talvez até antes de nascer. O Nasi foi buscar a felicidade dele, dos caminhos, da proteção. Ele sofreu com muita desavença e inveja, e se apegou com a parte espiritual para se defender disso. É desse momento que eu participo ativamente. E fico muito feliz de ter estado com ele.

Tio Francisco: O Marquinhos foi criado como católico pela minha irmã, mãe dele, mas não era fervoroso. Acho interessante essa religiosidade dele encontrada agora. Ele tem um ímpeto forte e talvez o culto aos Orixás o tranquilize. Ele tem um eixo desde então com a religiosidade. Ter acabado com a banda também ajudou, sem as drogas e estas coisas, este mundo das ruas, da loucura. Aquela vida de um show aqui e outro lá deixava ele agitado. Mas hoje, não. Hoje é um rapaz até doce. Sereno.

Nasi está sabendo perdoar. O delegado que foi à casa dele para tentar levá-lo no processo de interdição já havia pedido desculpas a um amigo em comum.

Jorge Kajuru: O Nasi foi grandioso ao conversar e aceitar o pedido de desculpas do delegado, quando eles se encontraram num restaurante em São Paulo, tempos depois, durante a gravação do meu programa. Foi um dia muito importante para ele. Uma demonstração da evolução como ser humano. Talvez outro cara que sofreu o que ele sofreu não tivesse a reação bonita que ele teve.

Nasi é defendido pelos amigos do mesmo jeito que ele defende o que acredita. E em quem crê nele.

Rogério Ceni: O Nasi é um cara espetacular, fora de série. Apaixonado e bom entendedor de futebol. É um bom goleiro pelo que vi jogando na MTV. Até mandei luvas para ele. E também torce pelo time certo. Não é a maior voz do rock nacional, mas é diferenciada, inconfundível. Ele tem um carisma especial. Um dos desejos musicais de minha vida era ver o Ira! tocando novamente. É uma das bandas de rock que mais curti. Eles me influenciaram em muitos momentos de minha vida. Fui a muitos shows dele. Quem gosta de rock gosta do Ira!. A banda mais paulistana da história. Mesmo eu não tendo nascido na capital, me identifico demais com a cidade, do jeito que a banda se identifica com São Paulo.

Ronaldo Giovanelli: Como goleiro é fraco! Já falei que ele precisa apagar esse lado da carreira. Não tem jeito pra coisa: tamanho zero, braço curto... Só tem voz pra montar a barreira (risos). E ela também já não anda aquela coisa. Ele até está crescendo muito como pessoa nos últimos tempos. Só que, fisicamente, ele só cresce pro lado (risos). Mas é um cara sempre disposto a fazer tudo. A trabalhar. Uma pessoa ótima para ter por perto, em qualquer hora. Para rir, para dar força, para tudo. Uma cabeça bem pra frente, um cara que acrescenta muito a quem está ao lado dele.

Apollo 9: O Nasi tem a gargalhada mais legal que eu já conheci na minha vida. Quando ele dá uma risada, a cara que ele faz, o som do riso dele, é uma coisa antológica, que transforma qualquer situação. Um cara engraçado pra caralho, com um puta senso de humor, com essa fama de durão, mas que na verdade tá sempre a um segundo de dar uma gargalhada. Ele sempre busca sinceridade. No trabalho e na vida.

Dr. Célio Almada Neto: A vida que o Nasi leva é coerente com os principios que ele segue. Princípios dentro da ética, da legalidade. Pode ser diferente, mas nunca objetivando o mal das pessoas. É um cara do bem. Muito independente, solitário, e, como cliente, é linear, não é contraditório, não é confuso.

Emilio Orciolo: Ele sempre foi franco e direto, mas está melhor agora, mais espiritualizado e tranquilo. É uma pessoa muito melhor. A fé dele o transformou positivamente. Mas ainda é o tipo do cara que não apareceu uma vez no palco para receber um prêmio da MTV porque estava mijando na hora da premiação (risos). Ele não fez por mal. Fez porque é o Nasi.

Vagner Garcia: Ele diz que hoje encontra uma paz que

não encontrava antes, por causa da religião. Acho que isso está ligado também à maturidade natural da idade.

Jorge Kajuru: Ele não estava preparado para as porradas que tomou de forma covarde. Mas isso foi altamente relevante na vida dele. Ele vive num mundo inóspito, de gente falsa, egoísta, hipócrita. As pessoas geralmente pioram. Mas ele é a prova de que as pessoas podem melhorar. Mesmo quando ele tocava na banda, mesmo que ele fosse o vocalista, não era ele inteiro. Agora é. Ele conseguiu isso. Eu falei para ele: a lágrima da derrota é muito mais importante do que o sorriso da vitória.

Marco Antonio: Tenho sangue calabrês como ele. Um lado ultrapassional, meio justiceiro. Vou pras cabeças. Assim como o Nasi. Acabamos pagando um preço alto por sermos assim. A gente conviveria melhor com as pessoas se fizesse mais média, se fôssemos mais polidos. Mas, no fundo, o Nasi tem um bom coração. E a crueza necessária para o rock.

Pai Orlando: Ele parece arrogante e estúpido para quem não o conhece. É como se tivesse a necessidade de mostrar que é bravo. Mas, na verdade, o Nasi é uma criança grande, sensível, verdadeira. Um sujeito que detesta qualquer situação que soe falsa. Ele só se relaciona bem com os amigos, com quem ele conhece. Qualquer pessoa que seja estranha pra ele já soa como inimiga. Então ele se veste de Wolverine e se defende disso. Mas é apenas uma criança grande, não o Wolverine.

Elizabeth: Ele agora virou a pessoa que, de fato, ele sempre foi. O Nasi que eu agora reencontrei e reconheci e estou amando é o Marcos que ele sempre foi. Em alguns momentos, bem lá atrás na vida dele, ele perdeu essa essência. Não sei como. Mas a pessoa de hoje é de verdade quem ele sempre foi, não mais uma personagem que ficava em seu casulo. Uma pessoa que ele enfim conseguiu entender, conseguiu se enxergar. O Nasi se acha agora um novo homem. Mas, de fato, é apenas o velho Marcos que resolveu aparecer. Um homem de verdade.

Mas é bom não mexer com a fera. O "outro lado" pode se manifestar. Se não nas vias de fato e pelos meios legais, ao menos aos trancos os barrancos são removidos. Com ou sem barracos.

Nasi: Uma vez deu certo essa história de "não mexer comigo" que posso fazer coisa ruim... (risos). Fiz um show no Sesc, em São José dos Campos. No meu camarim roubaram meu celular. Fiquei muito puto. Minha vida toda, todos os meus contatos estavam lá! Estava uma arara. Mas tive uma ideia luminosa. Coisa de exu! Como meu celular tinha muitos torpedos e SMS com papos com o povo de santo, do tipo "parabéns pela iniciação", ou mensagem do tipo "Babá, me ensina a fazer aquela oferenda?" e coisas do gênero, resolvi jogar terror!

Ele ligou para a empresária Samanta. Pediu para ela mandar mensagens "ameaçadoras" para o celular furtado do vocalista.

Nasi: Uma delas foi assim: "Você, seu safado que pegou meu telefone, deve estar vendo meus recados. Você está vendo que sou do babado! Você acha que meu número de celular começa com sete por acaso? É o seguinte: se você não deixar amanhã ao meio-dia esse telefone no mesmo Sesc onde você o roubou, em sete horas ou sete dias ou no máximo em sete semanas meu sacerdote vai fazer morrer sete pessoas da sua família! Tudo junto ou separado! Você que sabe."

Samanta, mesmo conhecendo muito bem os lados de Nasi que ela preferia não ter conhecido, ainda assim estranhava a virulência dos torpedos. Ainda que a fase de amor e paz e tolerância de Nasi fossem notáveis, aquilo parecia uma recaída.

Nasi: Insisti com ela. Era só jogo de cena para forçar o cara a devolver o celular. Até porque o ladrão não poderia dar queixa na delegacia com o meu celular furtado, né? (risos). Pedi então para o Johnny Boy mandar um torpedo para o bandido entrar em contato com ele.

Batata. Antes do meio-dia, uma mensagem do celular furtado de Nasi chegava ao de Johnny Boy. Dizia apenas que o telefone havia sido encontrado no meio da rua, perto do Sesc, e que meio-dia e meia ele estaria na portaria do edifício.

Nasi: Valeu ter posado de "mal". Mas é isso. Infelizmente, ainda existe muito preconceito e ignorância no Brasil a respeito da minha religião. Tem gente que acha que sou feiticeiro, macumbeiro, porque uso os colares... Sei como a religião hoje é ótima pra mim. Ter um mísero grão de paciência a mais, um mísero grão de tolerância a mais. Se tem gente que tem medo ou preconceito? Pô! Faz parte do meu combo, do meu kit. Sou roqueiro! Estou acostumado a décadas com isso. Mais um motivo para um pai não me querer como genro! (risos). Roqueiro e macumbeiro! Graças a Deus (gargalhadas).

Para saber mais sobre nossos lançamentos, acesse:
www.belasletras.com.br